똑 똑 한

하루 계산

예비초 A

기운과 끈기는
모든 것을 이겨낸다.
- 벤자민 플랭크린 -

주별 Contents

똑똑한 하루 계산

이 책의 특징

도입 이번에 배울 내용을 알아볼까요?

이번 주에 공부할 내용을 만화로 재미있게!

반드시 알아야 할 개념을 쉽고 재미있는 만화로 확인!

개념 완성 개념 • 원리 확인

쉬운 계산 원리를 만화로 쏙쏙!

계산 반복 훈련

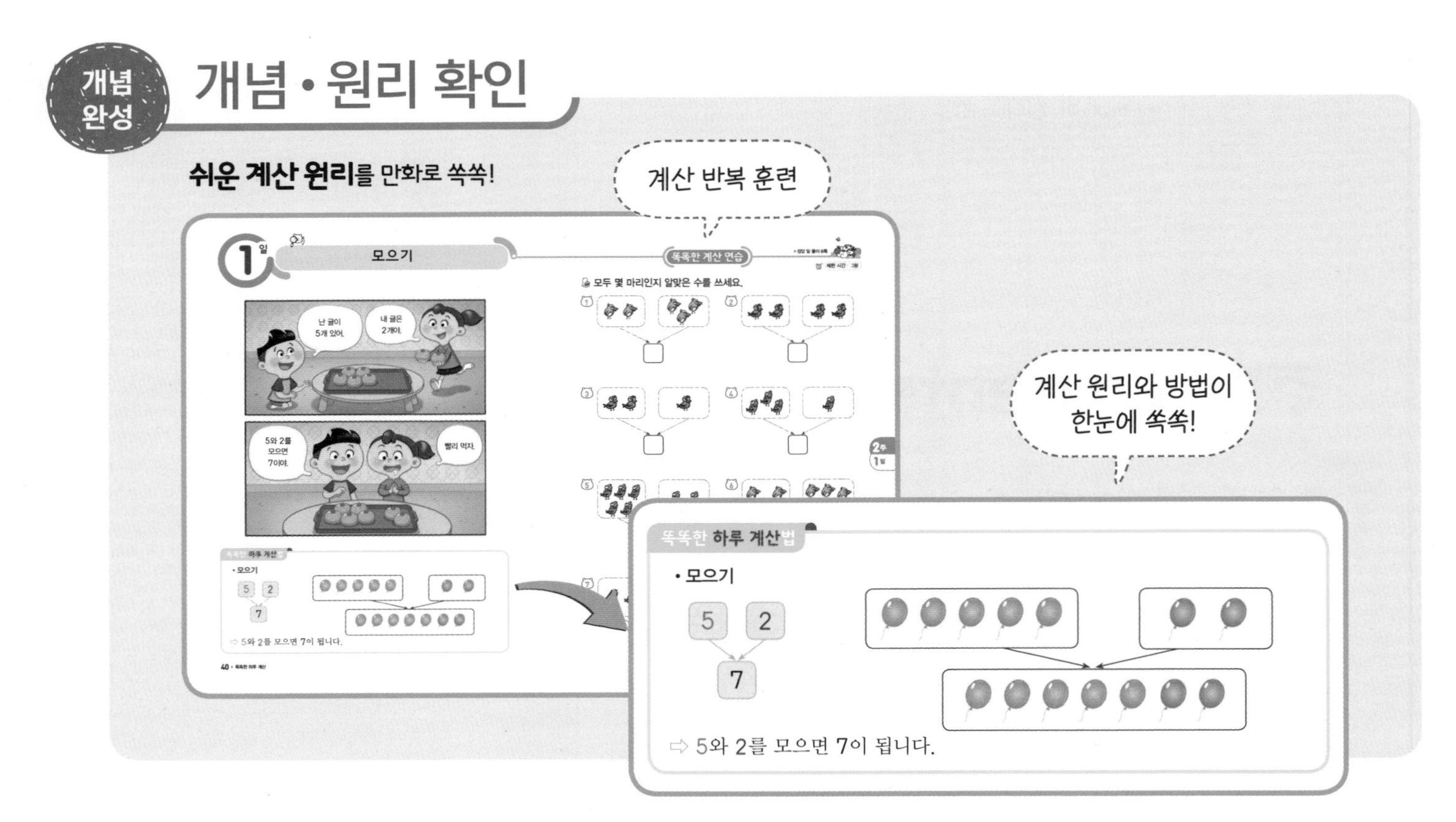

계산 원리와 방법이 한눈에 쏙쏙!

기초 집중 연습

다양한 형태의 계산 문제를 **반복**하여 완벽하게 익히기!

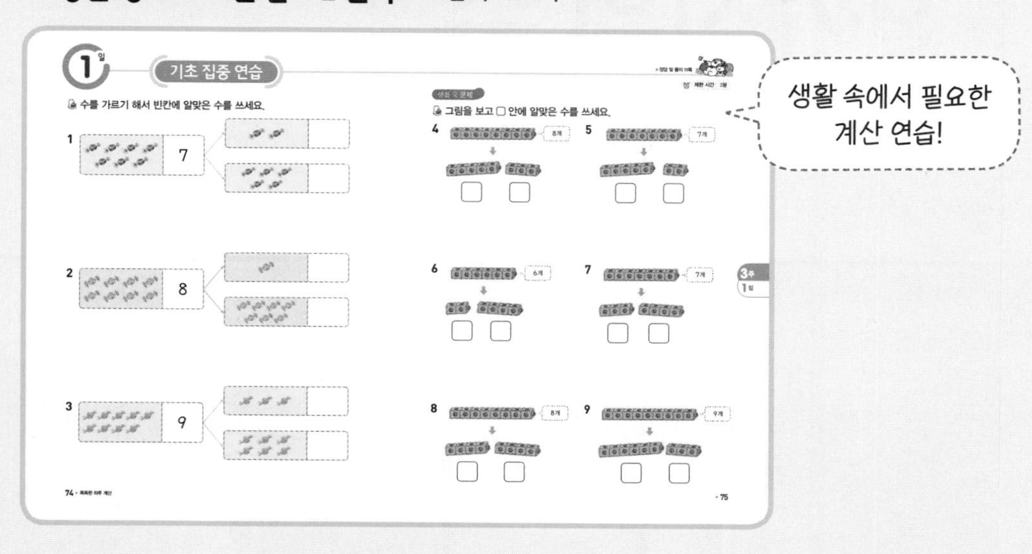

생활 속에서 필요한 계산 연습!

평가 + 창의·융합·코딩

한 주에 **배운 내용**을 **테스트**로 마무리!

빠르고 정확하게 풀어 보자!

4차 산업 혁명 시대에 알맞은 최신 트렌드 유형

요즘 수학 문제인 **창의·융합·코딩** 문제 수록

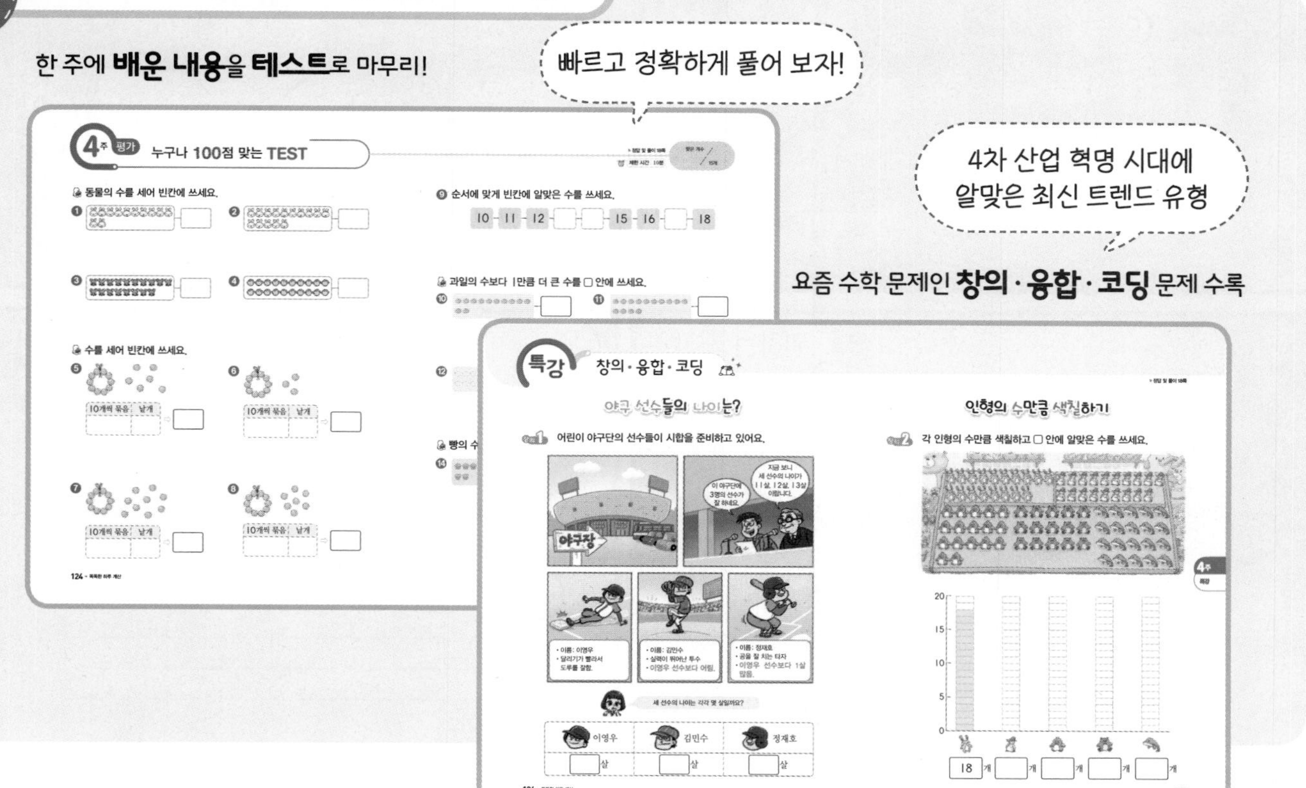

1 주

9까지의 수

우아

우와~ 멋지다~
오빠!!
후~
짝
짝
짝

나무 송판을
몇 장 깬 거야?
푸후후~
무려 다섯 장이지!

그레텔! 너도 오빠처럼
호신술을 하나 배워둬!
두리번
두리번

뭐하는 거야?
다
다
다

하나, 둘, 셋, 넷, 다섯, 여섯,
일곱, 여덟, 아홉!
⑨
⑧
⑦
⑥
⑤
④
③
②
①

1주에 배울 내용을 알아볼까요? 

1일 5까지의 수 2일 9까지의 수 3일 수의 순서
4일 1만큼 더 큰 수와 1만큼 더 작은 수 5일 수의 크기 비교

1주에 배울 내용을 알아볼까요? 

펼친 손가락만큼 과일을 묶고 있어요.

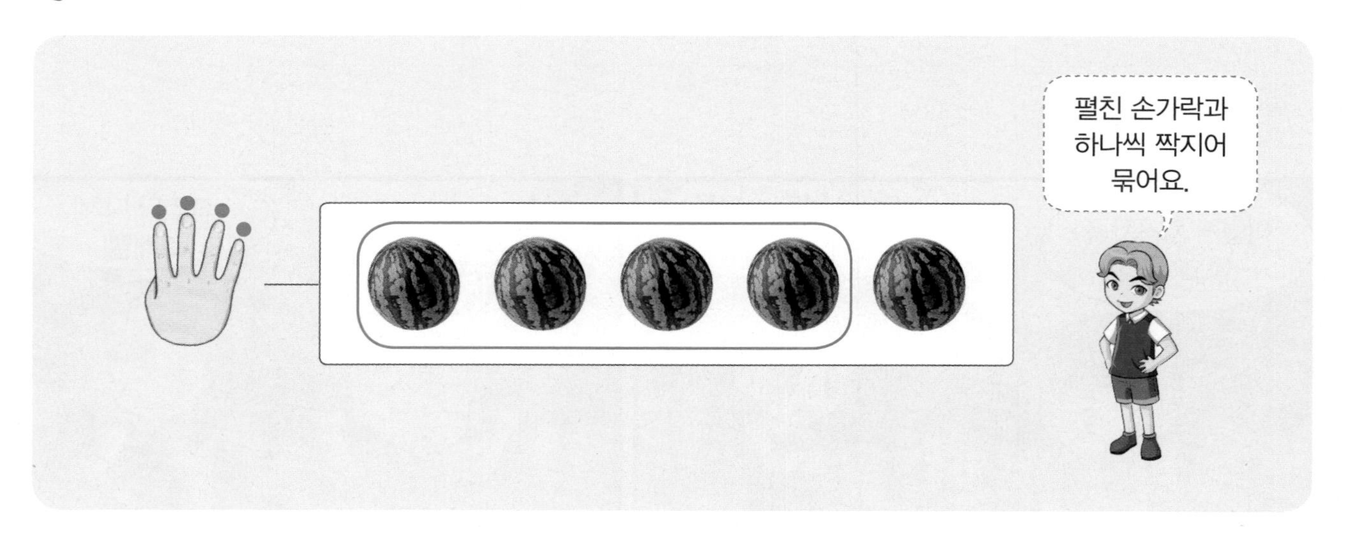

펼친 손가락만큼 ⬭로 묶으세요.

1

2

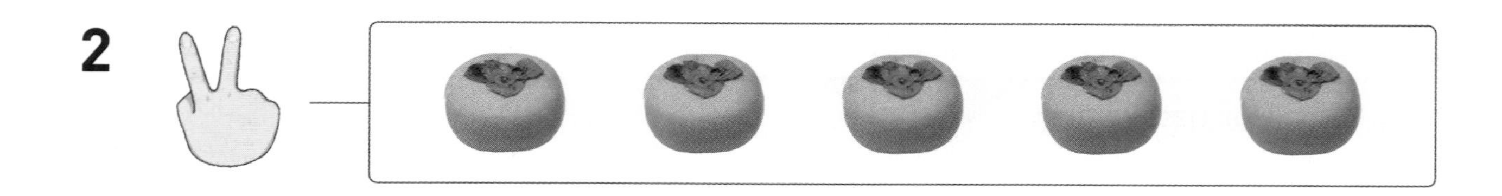

3

펼친 손가락만큼 동그라미를 색칠했어요.

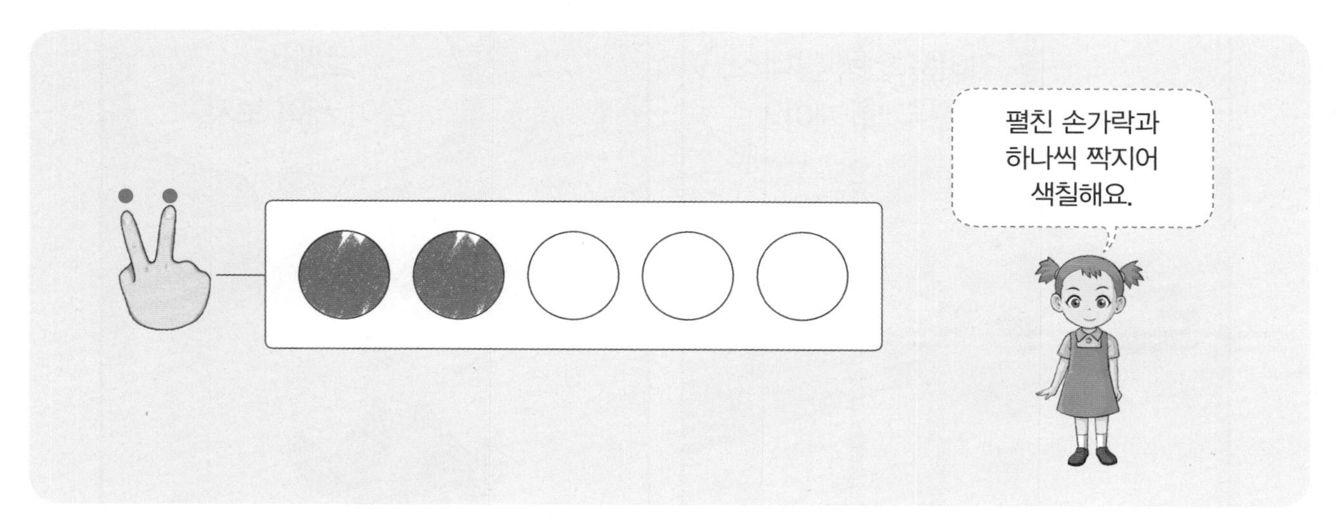

펼친 손가락만큼 ○를 색칠하세요.

4

5

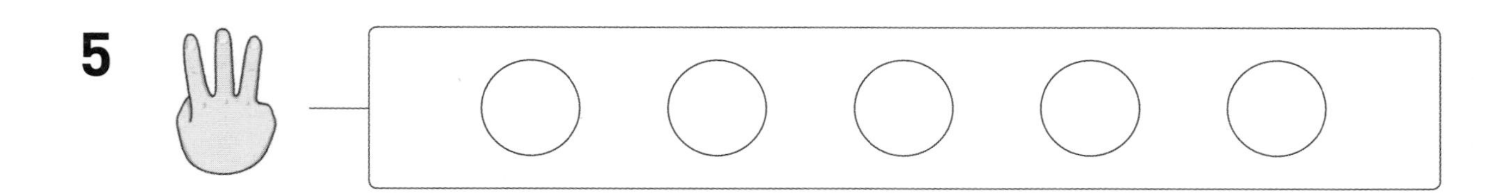

6

5까지의 수

똑똑한 하루 계산법

- 1부터 5까지의 수 쓰고 읽기

●	●●	●●●	●●●●	●●●●●
1	2	3	4	5
하나, 일	둘, 이	셋, 삼	넷, 사	다섯, 오

제한 시간 3분

수를 읽으며 써 보세요.

1 

2	2	2	2	2

2 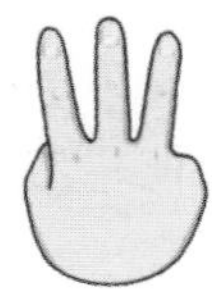

3	3	3	3	3

3 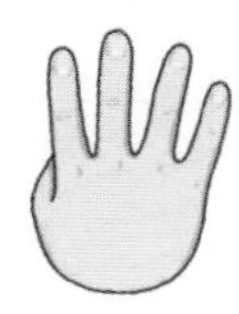

4	4	4	4	4

4 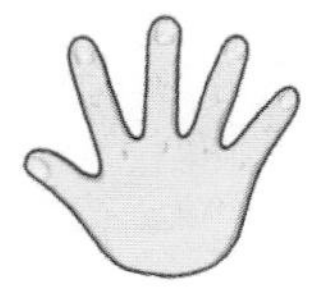

5	5	5	5	5

수를 세어 ○표 하세요.

5 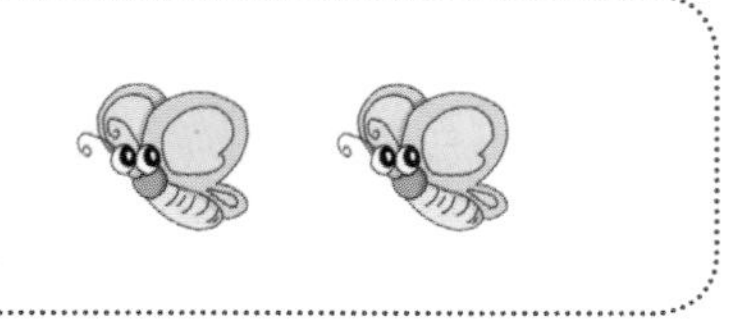

1	2	3

6 

1	2	3

기초 집중 연습

1 관계있는 것끼리 선으로 이어 보세요.

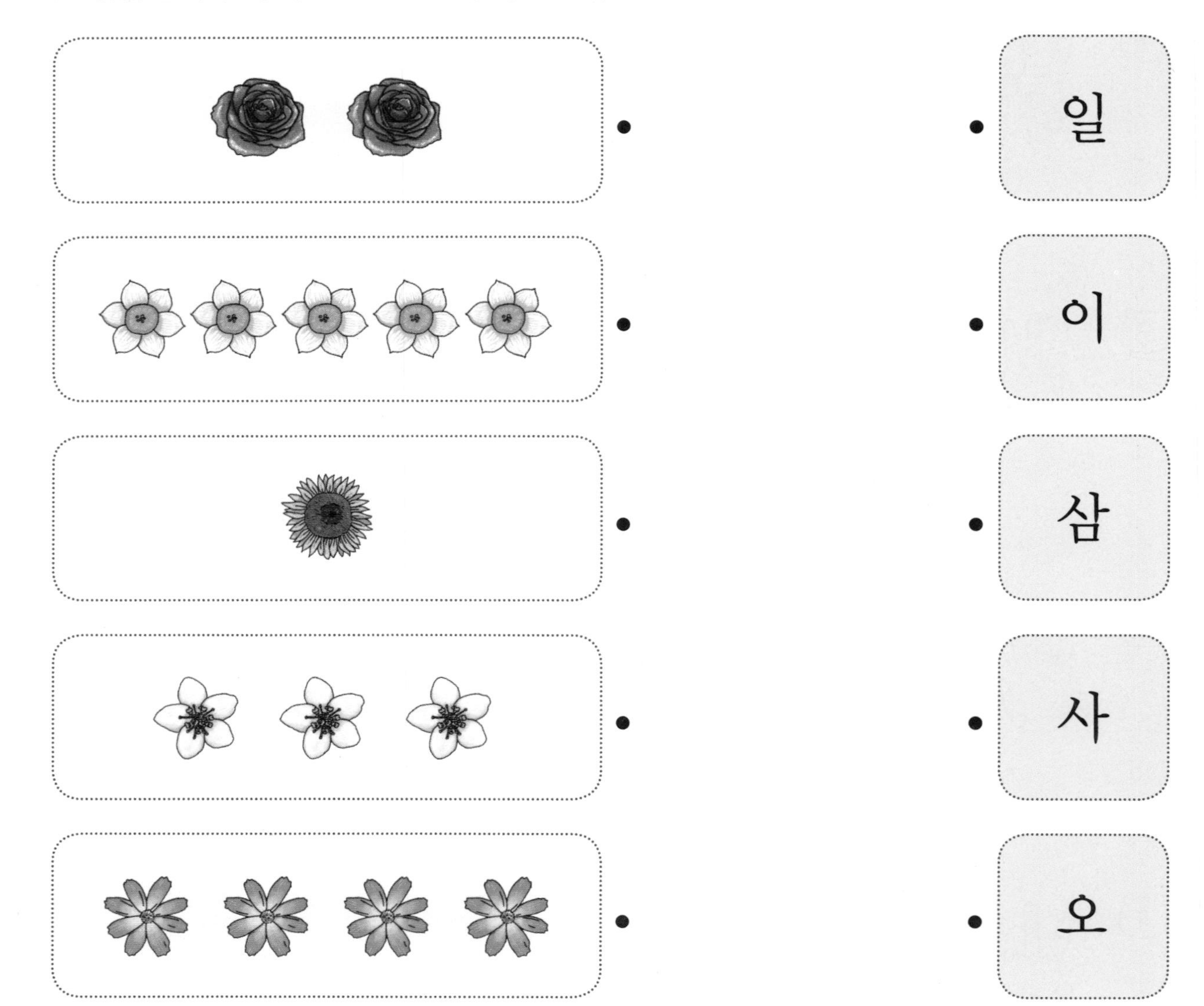

수를 세어 ▢ 안에 쓰세요.

2 ▢

3 ▢

▶정답 및 풀이 1쪽

제한 시간 | 3분

생활 속 문제

그림을 보고 수를 세어 ☐ 안에 쓰세요.

4

바다코끼리 — ☐ 펭귄 — ☐

5

부엉이 — ☐ 참새 — ☐ 까마귀 — ☐

같은 동물을 또 세지 않도록 /으로
지우면서 세어 봐요.

9까지의 수

똑똑한 하루 계산법

• 6부터 9까지의 수 쓰고 읽기

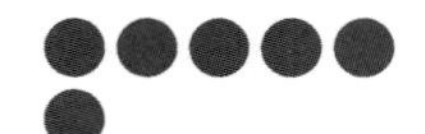		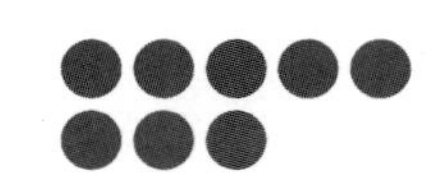	
6	7	8	9
여섯, 육	일곱, 칠	여덟, 팔	아홉, 구

똑똑한 계산 연습

제한 시간 3분

수를 읽으며 써 보세요.

1
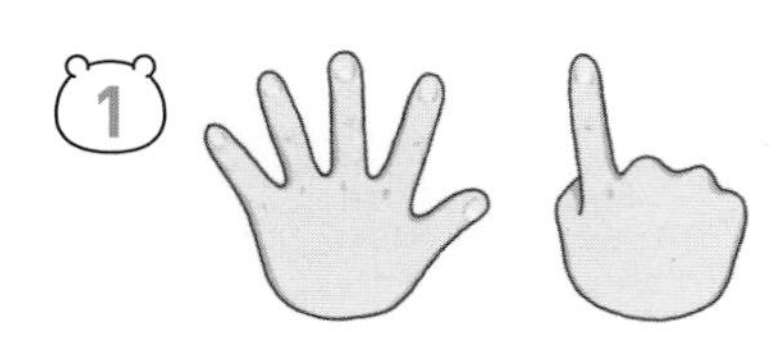

6	6	6	6	6

2
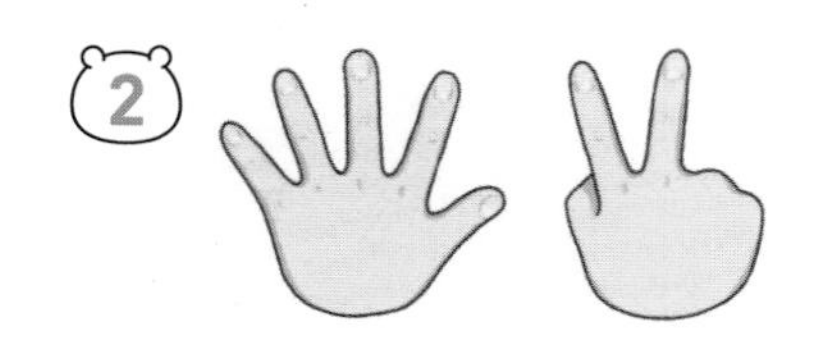

7	7	7	7	7

3
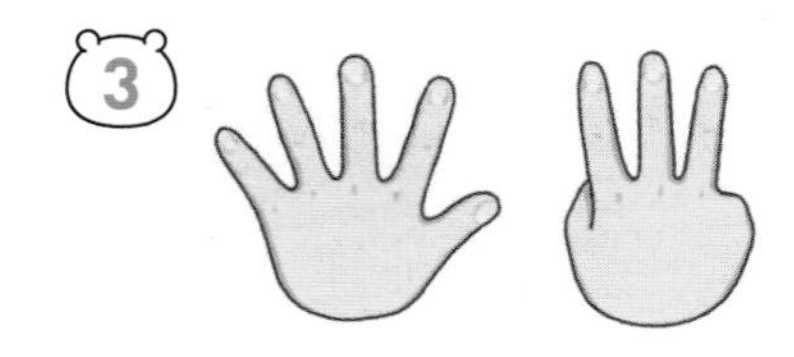

8	8	8	8	8

4

9	9	9	9	9

수를 세어 ○표 하세요.

5
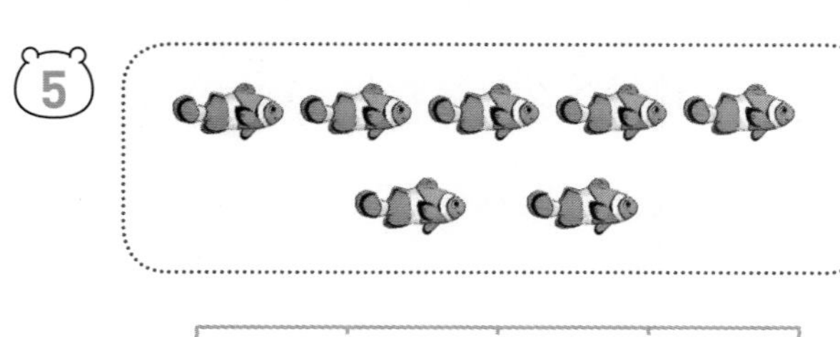

6	7	8	9

6
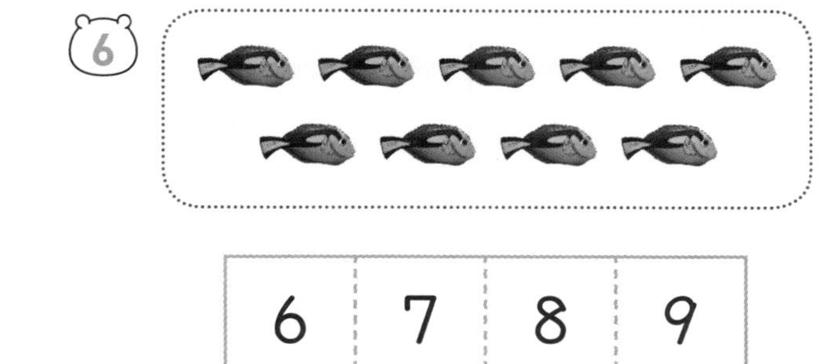

6	7	8	9

기초 집중 연습

1 관계있는 것끼리 선으로 이어 보세요.

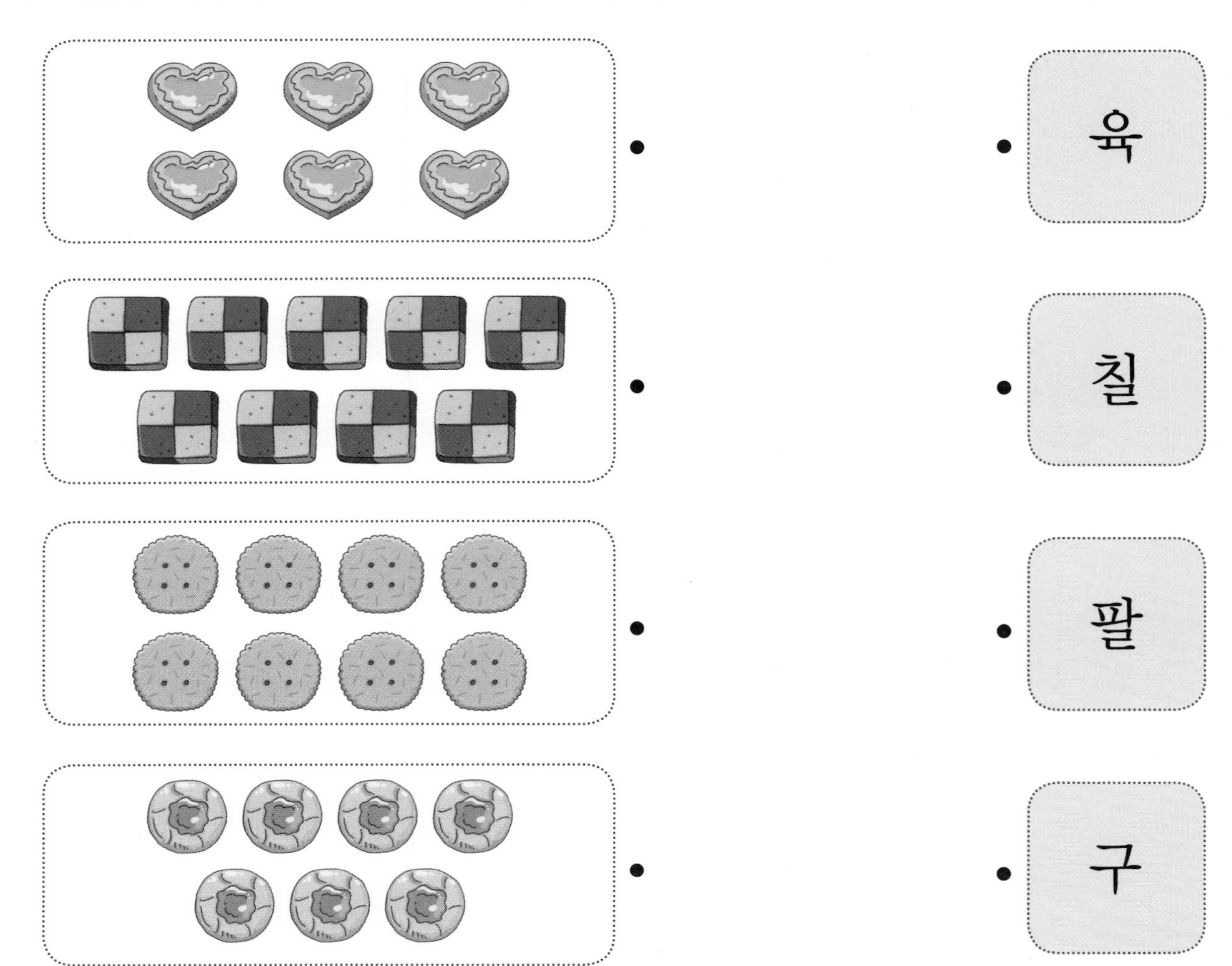

수를 세어 ▢ 안에 쓰세요.

2

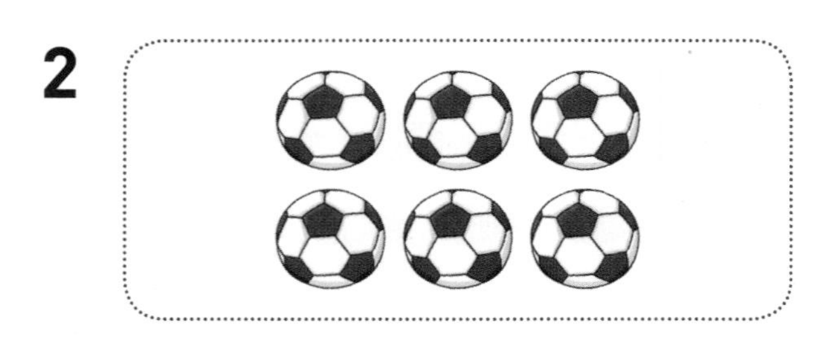

▢

3

▢

제한 시간 3분

생활 속 문제

그림을 보고 수를 세어 ▢ 안에 쓰세요.

4

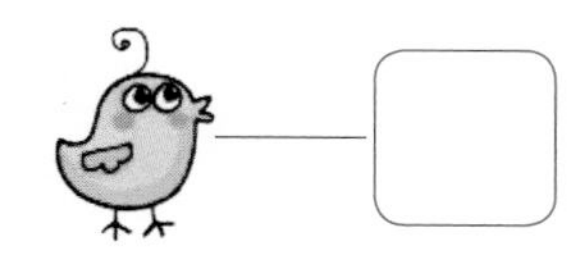

5

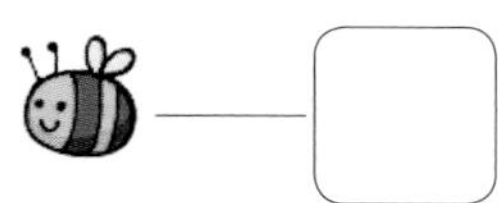

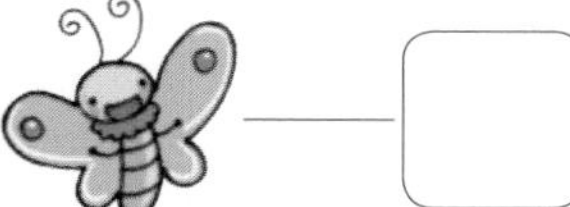

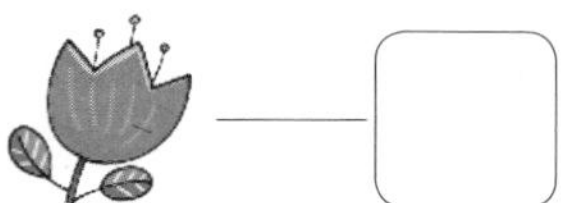

종류별로 빼놓고 세지 않도록
/으로 표시하면서 세어 봐요.

3일 수의 순서

똑똑한 하루 계산법

- 1부터 9까지의 수의 순서

왼쪽에서부터 수의 순서대로 읽어요.

1	2	3	4	5	6	7	8	9

▶정답 및 풀이 2쪽

제한 시간 2분

수의 순서에 맞게 빈칸에 알맞은 수를 쓰세요.

①

1	2	3	4	5
6	7	8	9	

②

1		3	4	
6	7		9	

③

1		3		5
	7		9	

④

	2	3		5
6		8		

3일 기초 집중 연습

수의 순서에 맞게 빈칸에 알맞은 수를 쓰세요.

1

1	2		4		6

2

	5	6		8	9

수의 순서대로 빈칸에 알맞은 수를 쓰세요.

3

3	2	1	5	4
⇩				
1				

4

6	3	7	4	5
⇩				
3				

뒤죽박죽 섞여 있는 수를 순서에 맞게 써 보세요.

▶정답 및 풀이 2쪽

제한 시간 3분

생활 속 문제

수의 순서에 따라 선으로 이어 그림을 완성해 보세요.

5

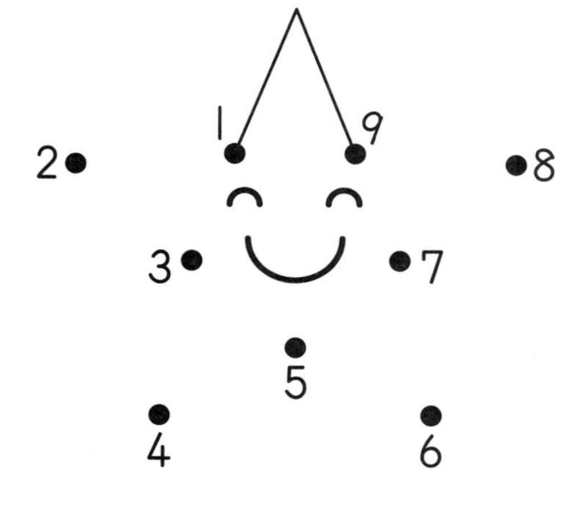

6

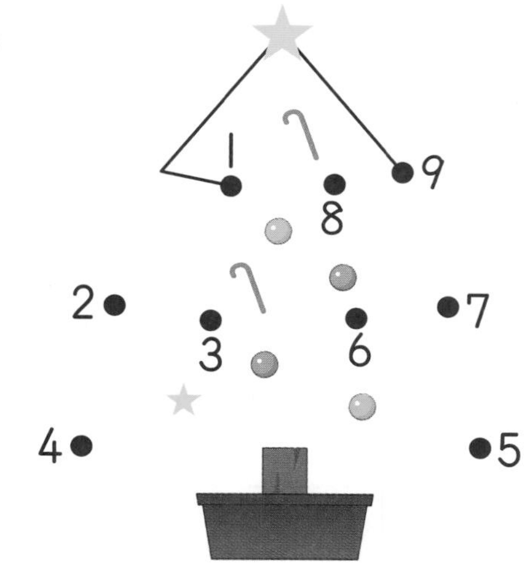

7

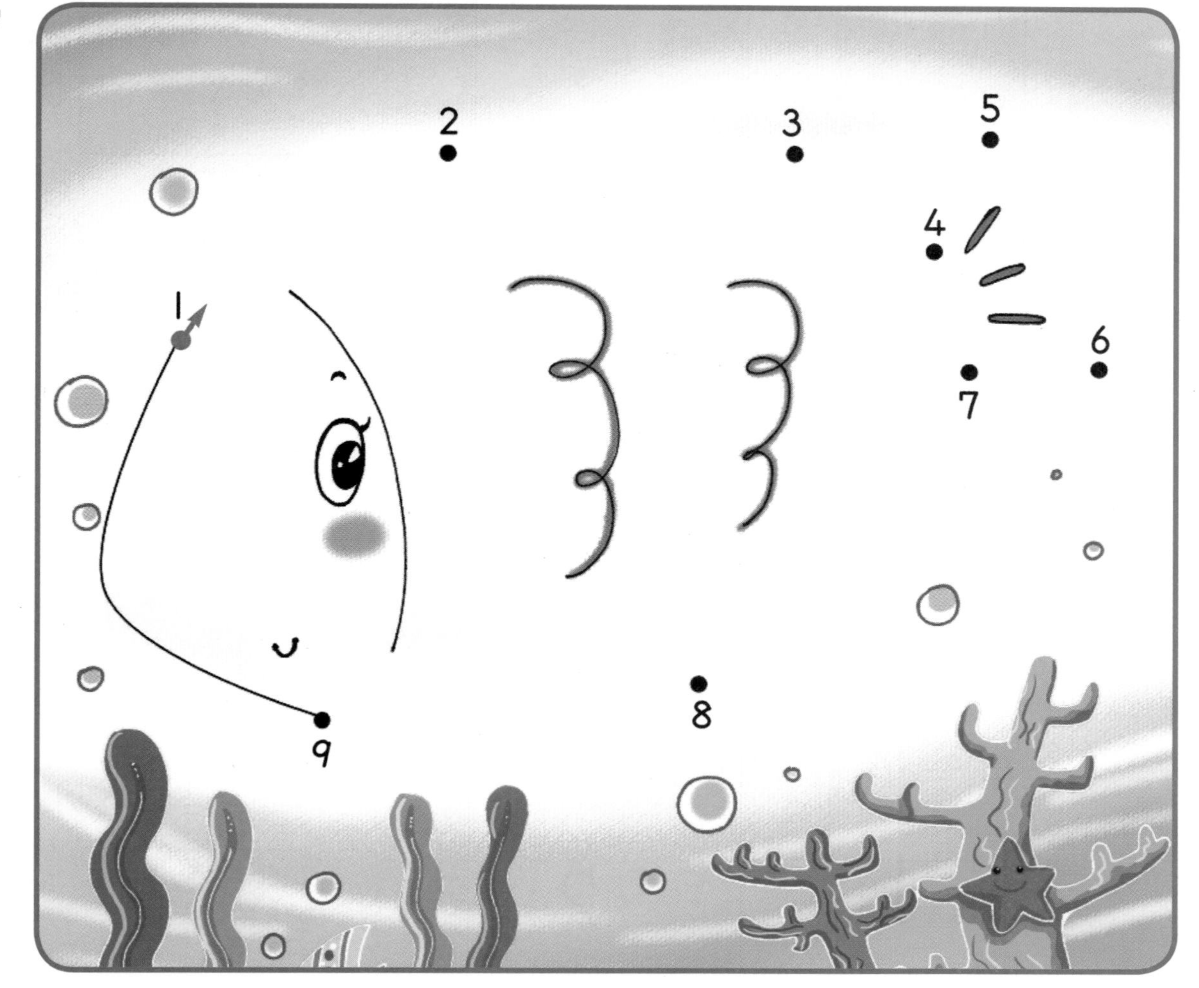

1만큼 더 큰 수와 1만큼 더 작은 수

똑똑한 하루 계산법

• 1만큼 더 큰 수

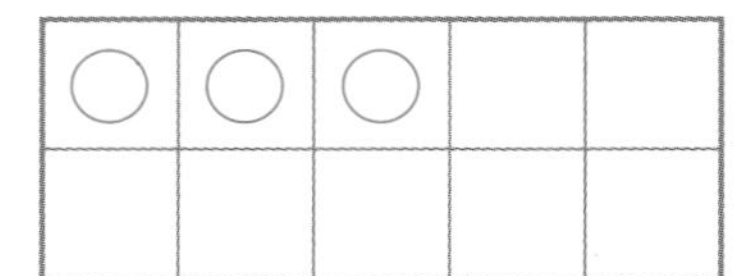

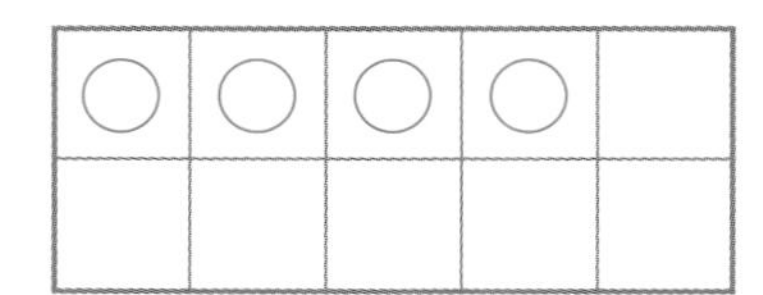

3 —3보다 1만큼 더 큰 수→ 4

• 1만큼 더 작은 수

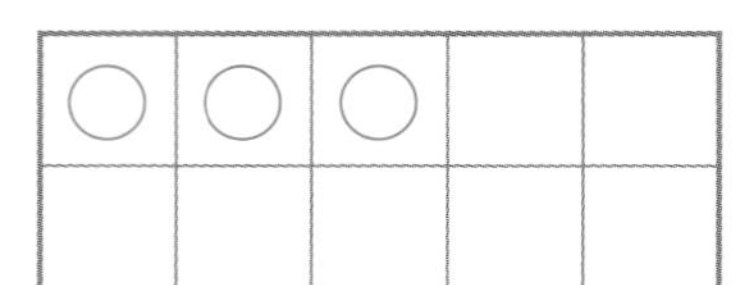

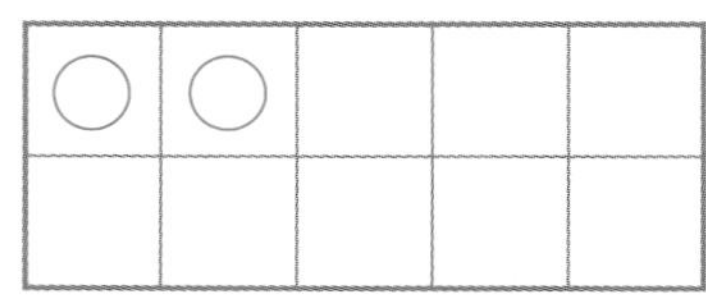

3 —3보다 1만큼 더 작은 수→ 2

참고
• 0 알아보기
아무것도 없는 것을 0이라 쓰고, 영이라고 읽습니다.

똑똑한 계산 연습

▶정답 및 풀이 3쪽

제한 시간 1분

주어진 수보다 1만큼 더 큰 수를 ▢ 안에 쓰세요.

① 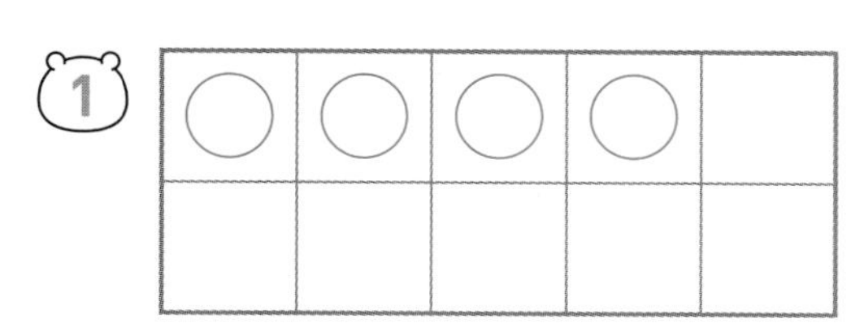 ⇨ 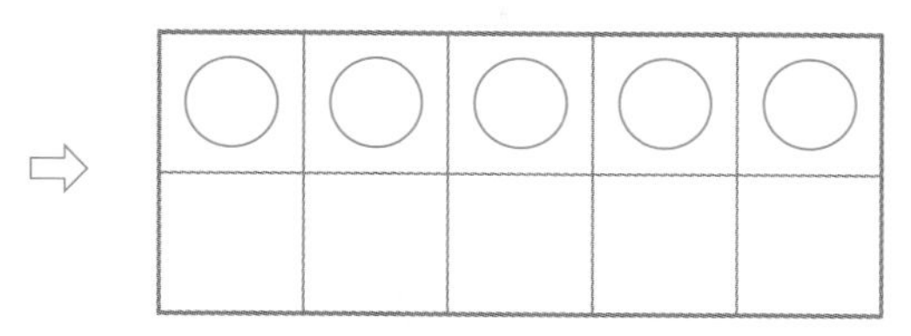

4 ▢

② 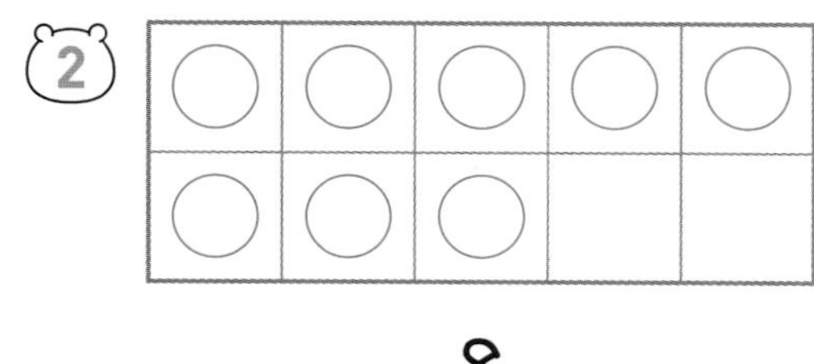 ⇨ 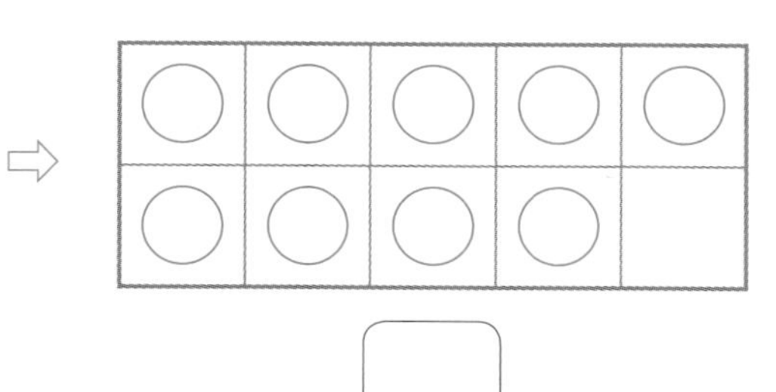

8 ▢

주어진 수보다 1만큼 더 작은 수를 ▢ 안에 쓰세요.

③ 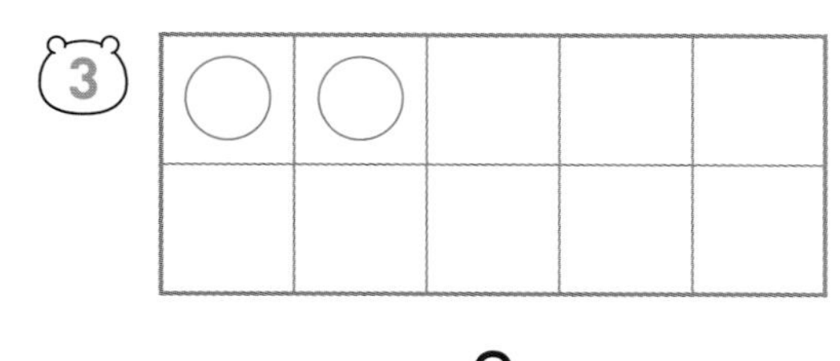 ⇨ 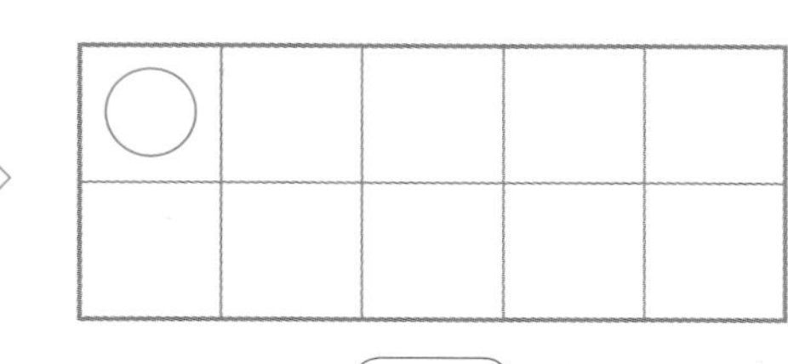

2 ▢

④ 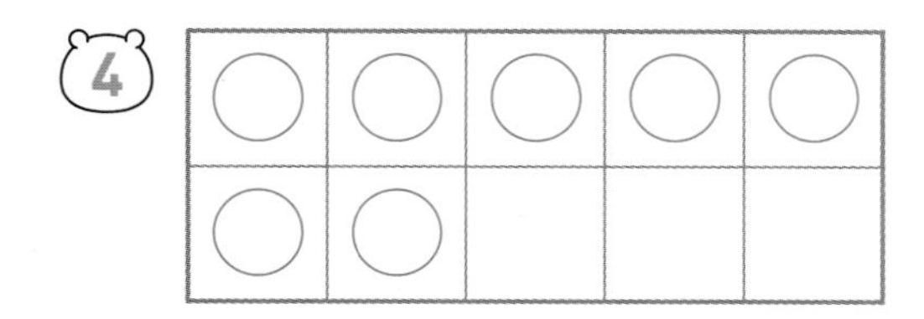 ⇨ 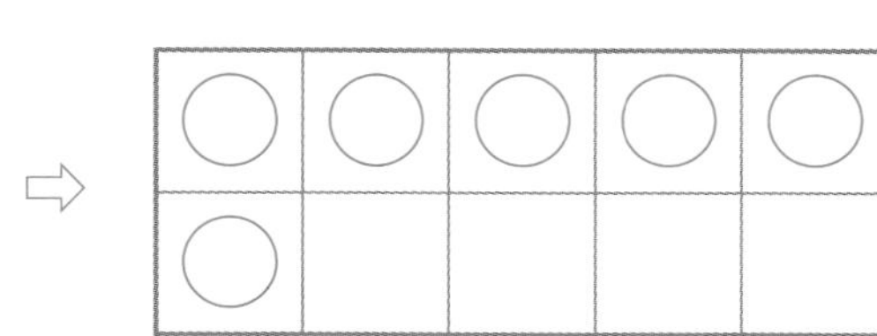

7 ▢

4일 기초 집중 연습

주어진 수보다 1만큼 더 큰 수만큼 ○를 그리고 □ 안에 그 수를 쓰세요.

1

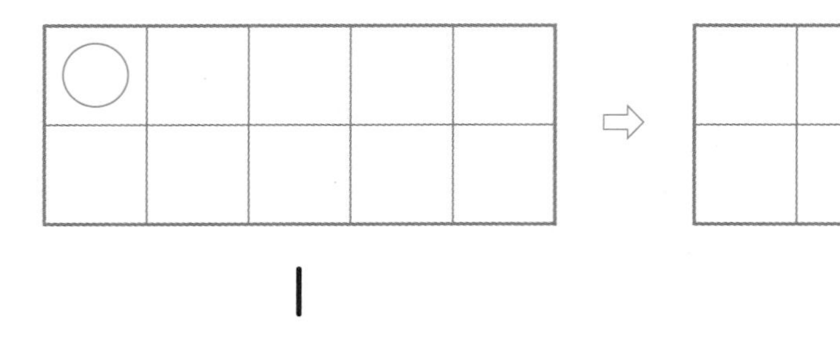

1 ⇨ □

2

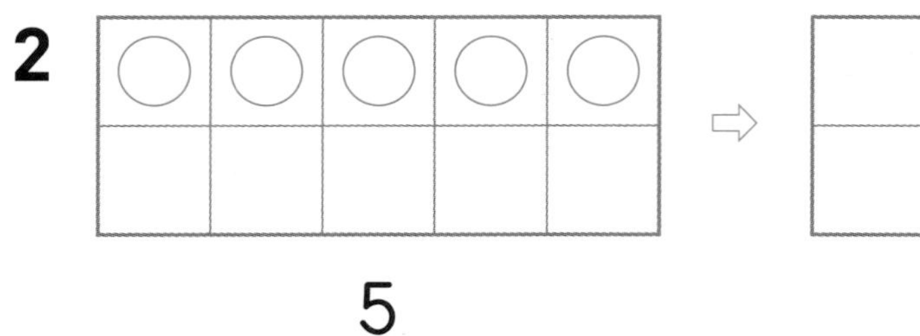

5 ⇨ □

주어진 수보다 1만큼 더 작은 수만큼 ○를 그리고 □ 안에 그 수를 쓰세요.

3

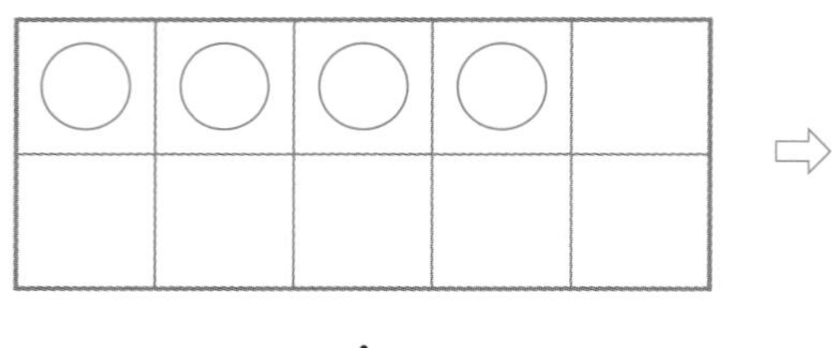

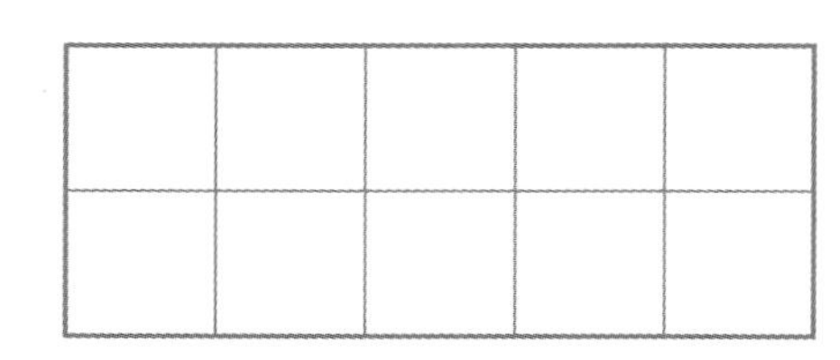

4 ⇨ □

4

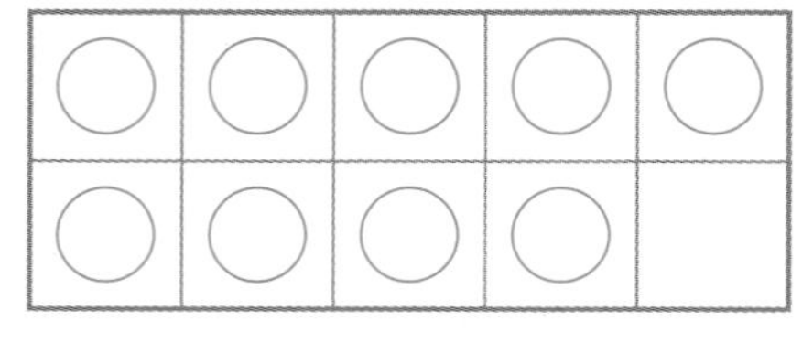

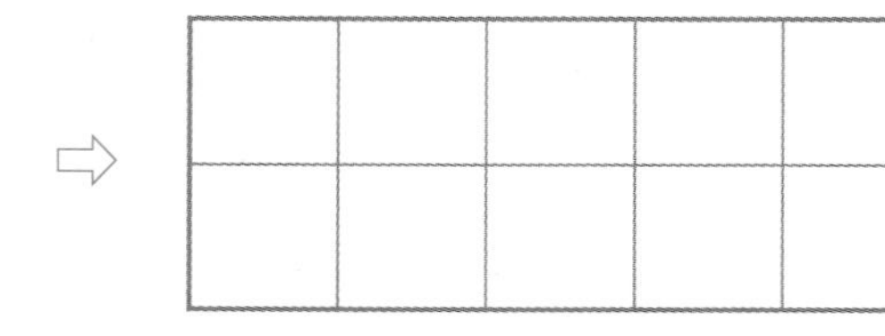

9 ⇨ □

▶정답 및 풀이 3쪽

제한 시간 3분

생활 속 문제

○ 안에 학용품의 수를 쓰고, 1만큼 더 큰 수를 □ 안에 쓰세요.

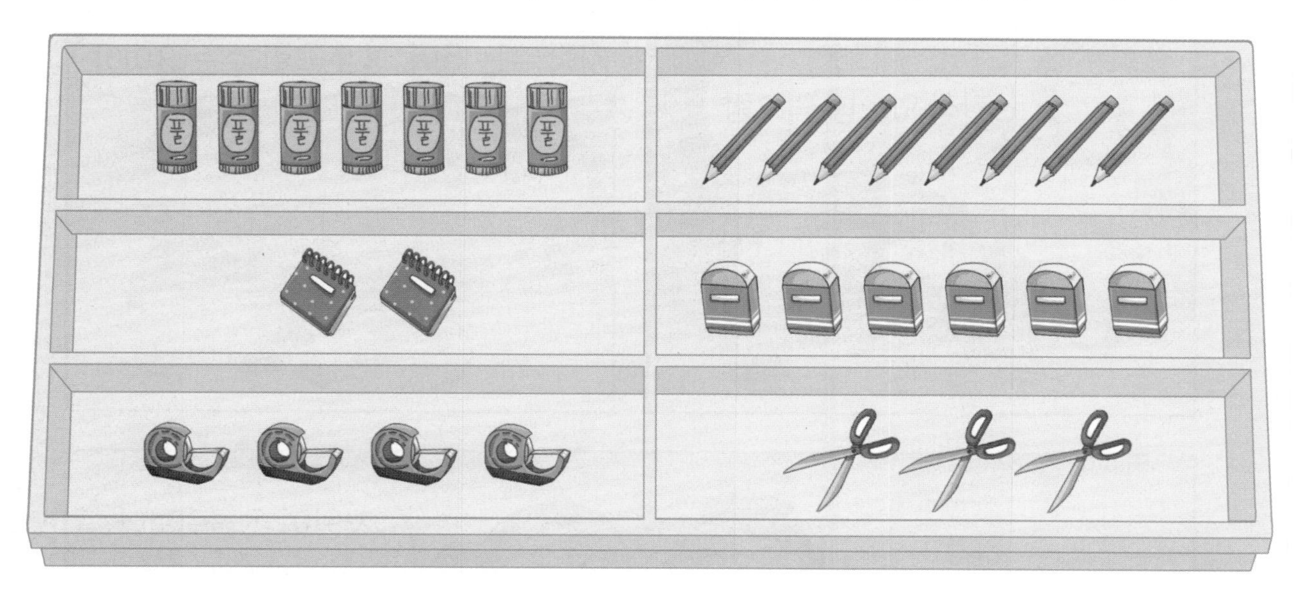

5  … 

학용품 수 ⇨ 1만큼 더 큰 수

6 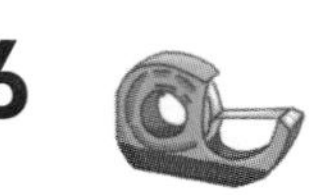 … 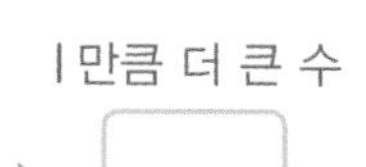

학용품 수 ⇨ 1만큼 더 큰 수

7  … ○ ⇨ □

8 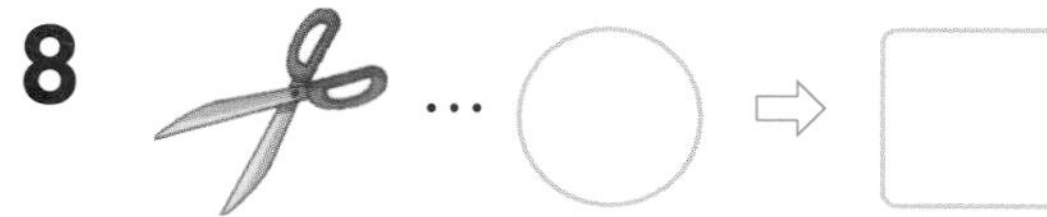   … ○ ⇨ □

9 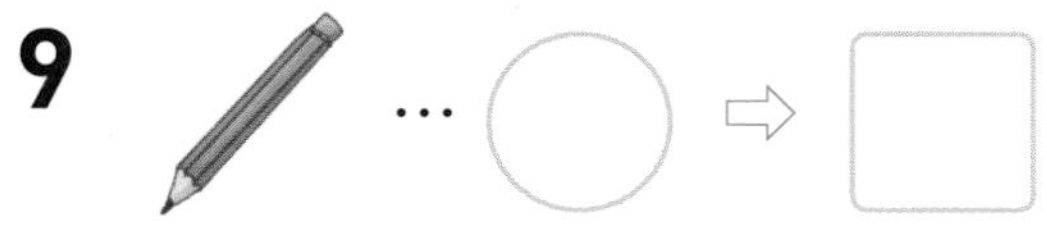 … ○ ⇨ □

10  … 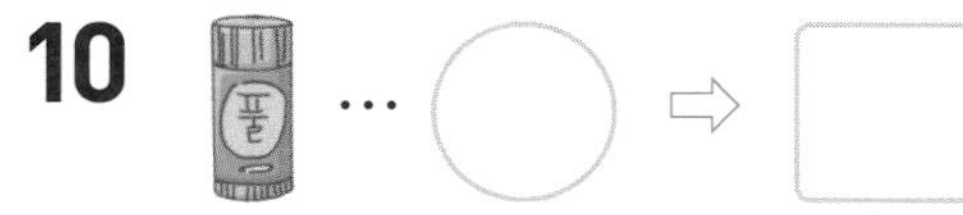  ○ ⇨ □

1주 4일

5일 수의 크기 비교

똑똑한 하루 계산법

• 1부터 9까지의 수의 크기 비교

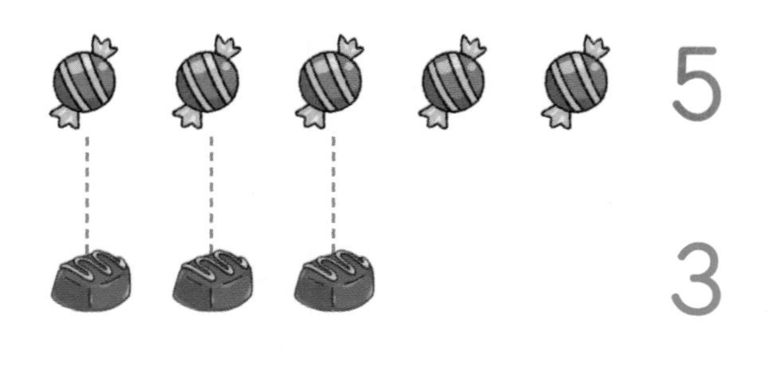

사탕은 초콜릿보다 많습니다. 5는 3보다 큽니다.	초콜릿은 사탕보다 적습니다. 3은 5보다 작습니다.

똑똑한 계산 연습

▶정답 및 풀이 3쪽

제한 시간 2분

하나씩 짝지어 보고, 더 큰 수에 ○표 하세요.

1

2
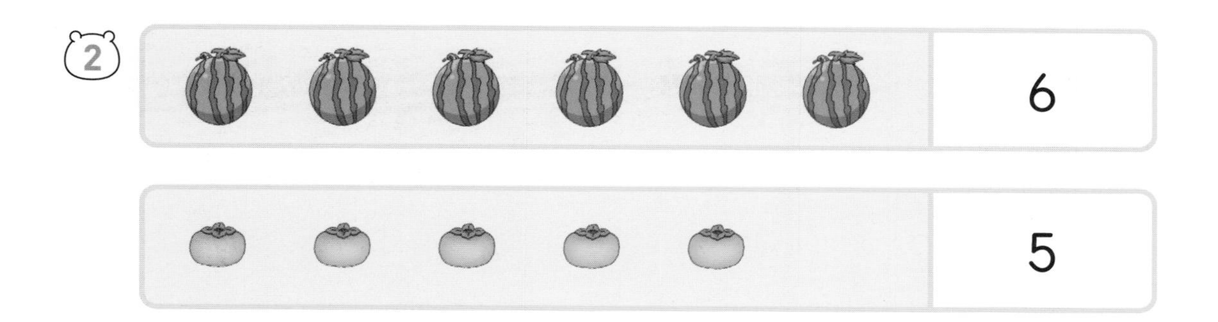

하나씩 짝지어 보고, 더 작은 수에 △표 하세요.

3
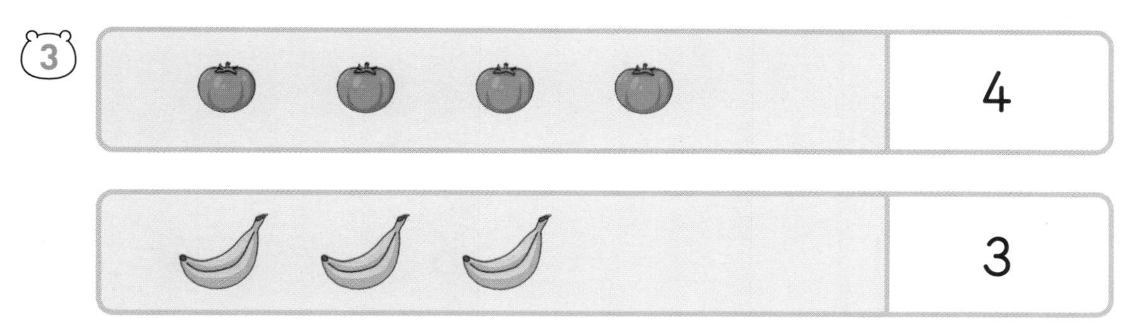

4
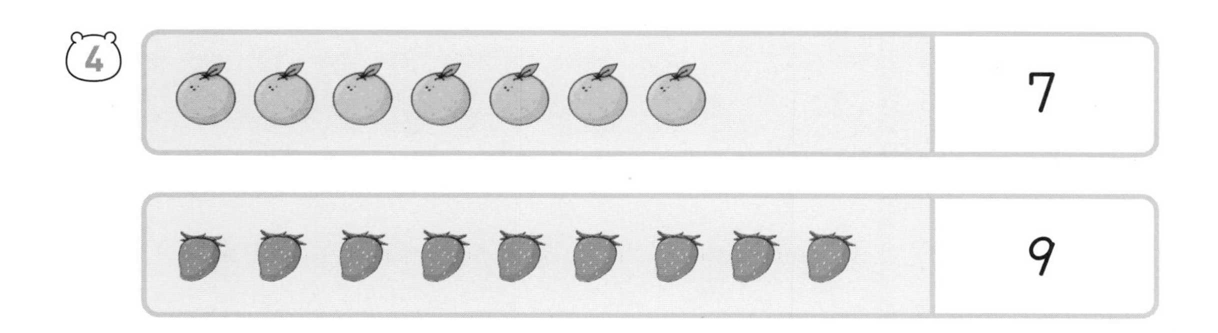

5일 기초 집중 연습

더 큰 수에 ○표 하세요.

1

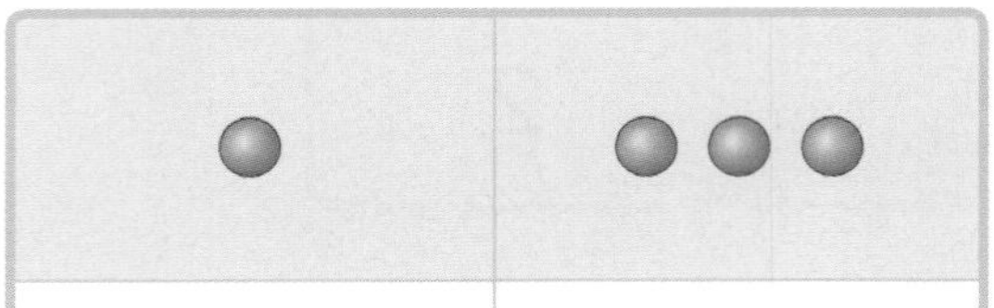

1	3

2

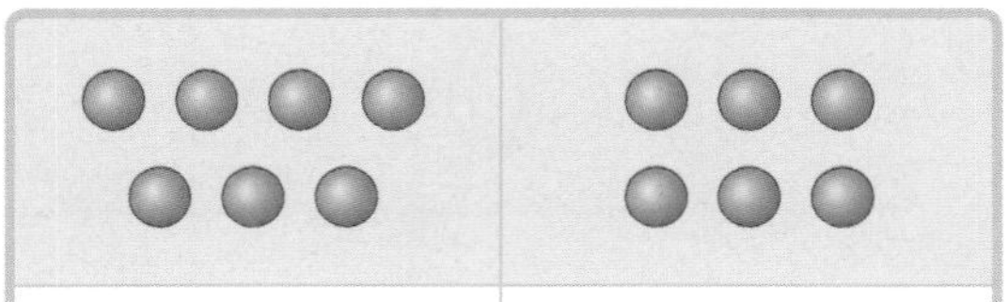

7	6

3

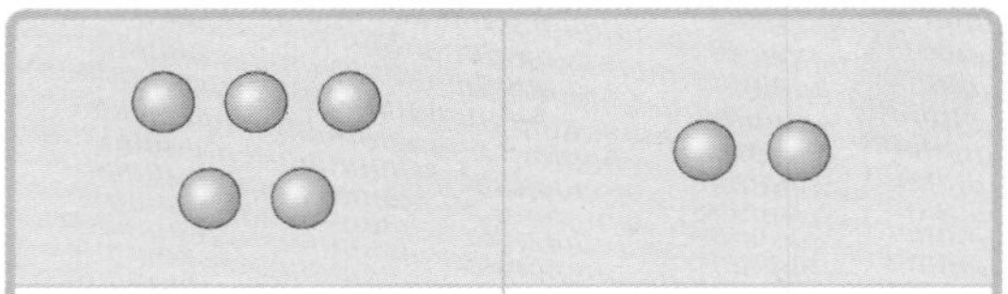

5	2

4

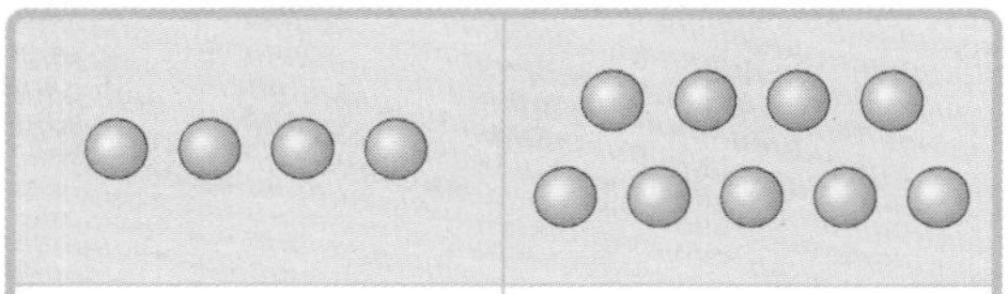

4	9

더 작은 수에 △표 하세요.

5

2	1

6

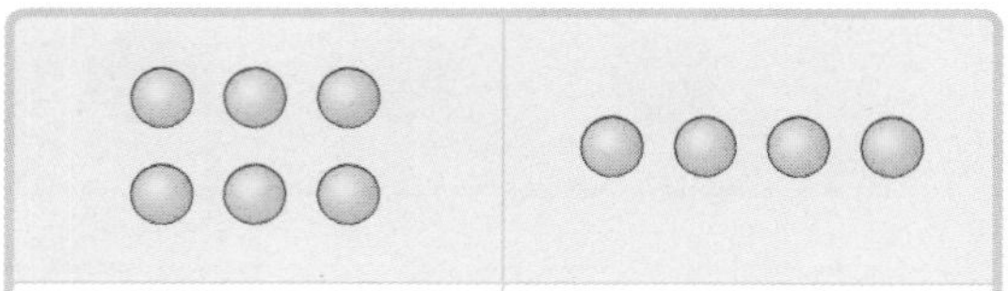

6	4

7

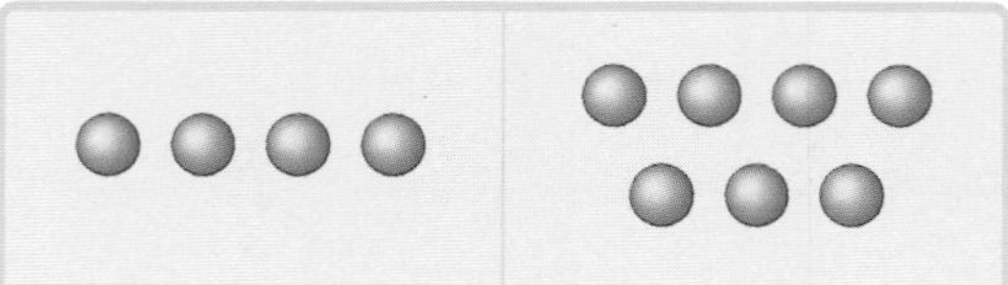

4	7

8

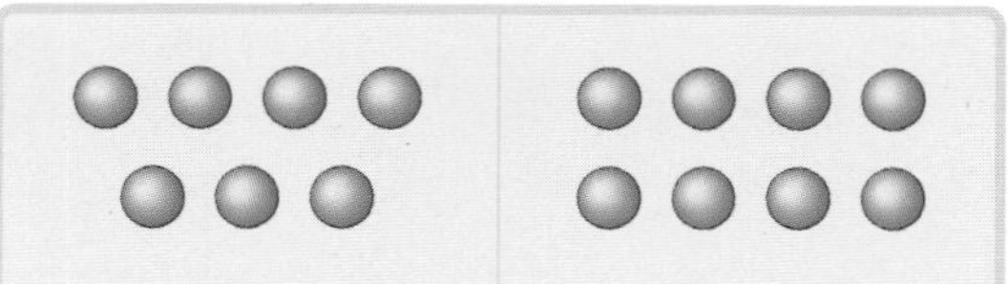

7	8

제한 시간 5분

생활 속 문제

채소의 수를 세어 쓰고, 더 작은 수에 색칠하세요.

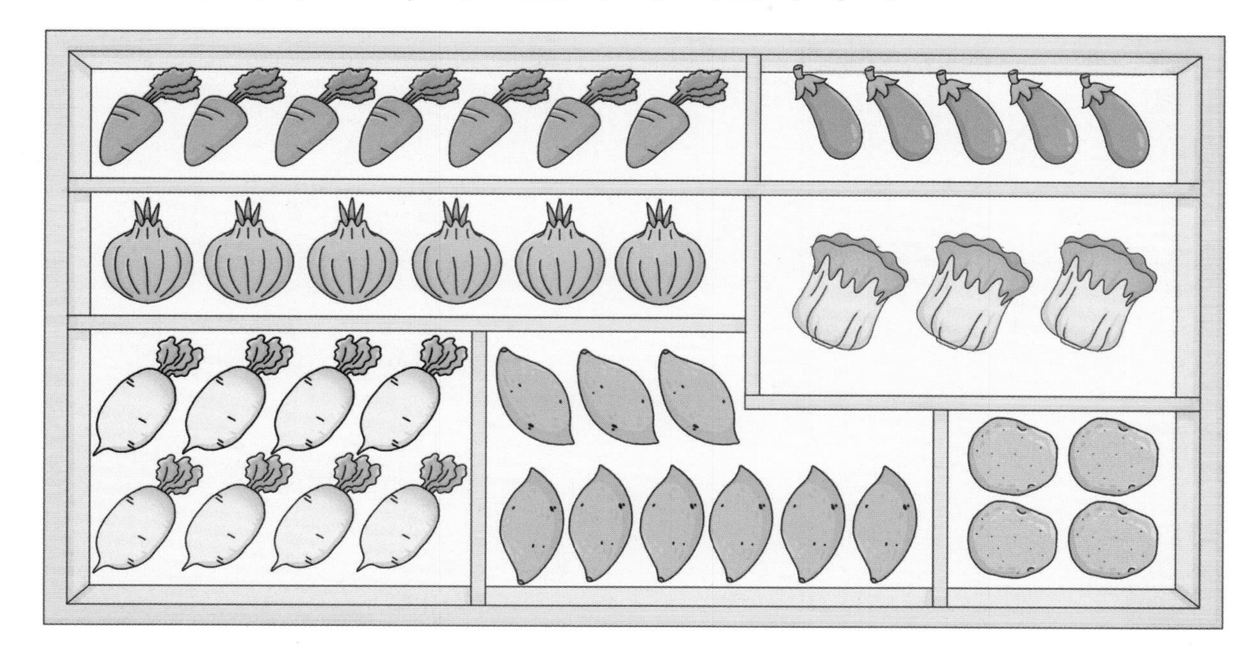

9  

7

10 

11 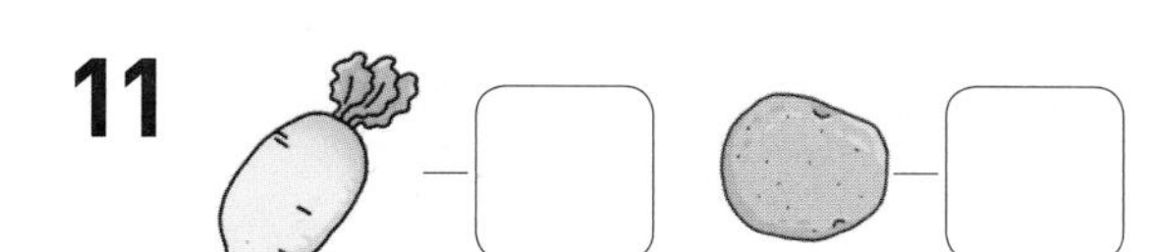

12  

13  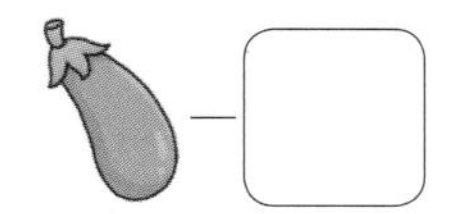

14  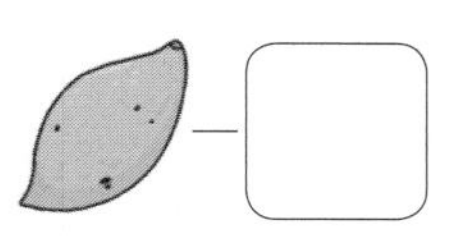

1주 평가 누구나 100점 맞는 TEST

수를 세어 □ 안에 쓰세요.

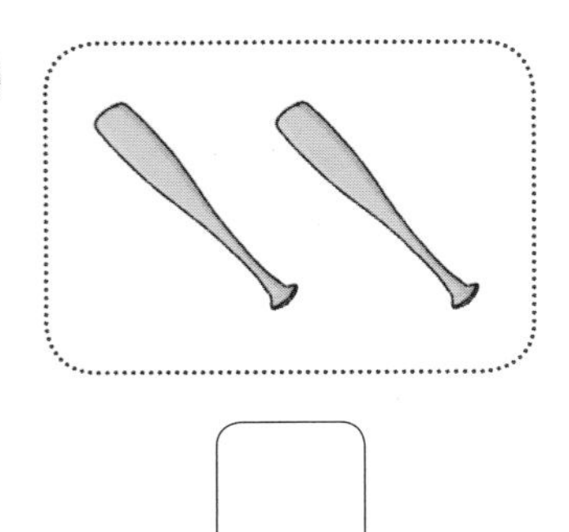

□

2

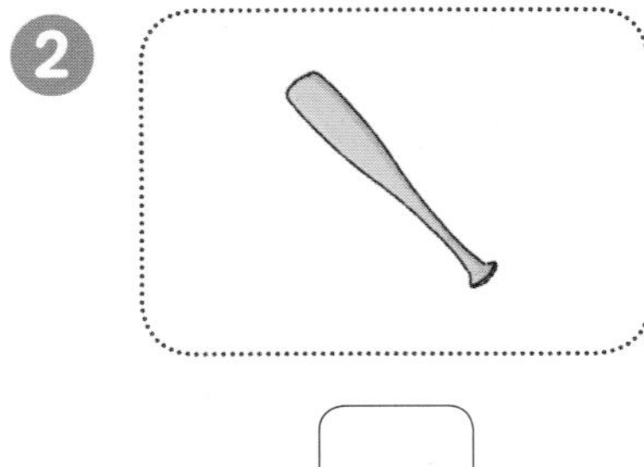

□

3

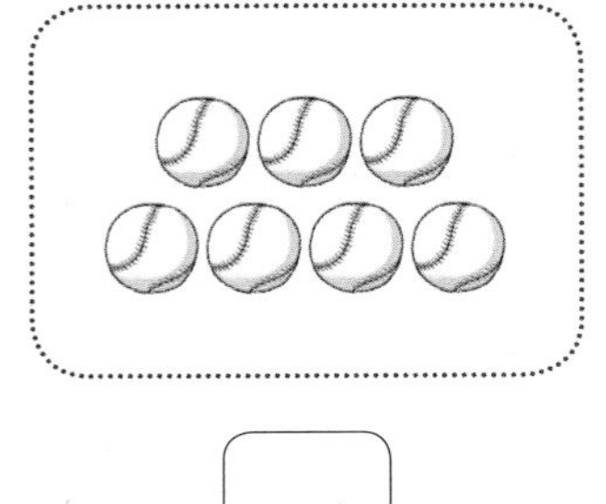

□

4

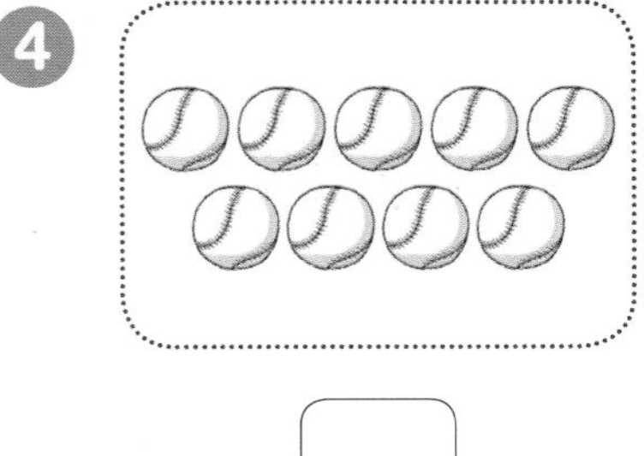

□

수의 순서에 맞게 빈칸에 알맞은 수를 쓰세요.

5 1 — 2 — 3 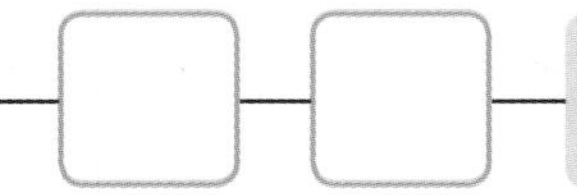 — 6 — 7 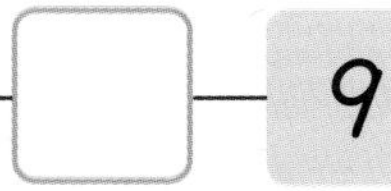 — 9

6 1 — 2 — □ — 4 — 5  — 7 — 8 — □

7  — 3 — 4  — 6  — 9

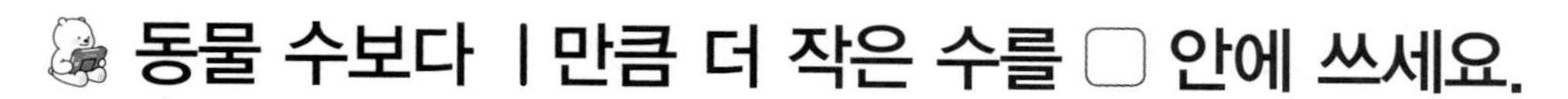

동물 수보다 1만큼 더 작은 수를 ☐ 안에 쓰세요.

8

…… ☐

9

…… ☐

더 큰 수에 ○표 하세요.

10

2	3

11

6	2

12

4	1

13

8	3

14

5	7

15

9	6

제한 시간 안에 정확하게
모두 풀었다면 여러분은 진정한 **계산왕!**

창의 · 융합 · 코딩

수 찾아 색칠하기

창의 1 같은 수를 찾아 주어진 색으로 칠하세요.

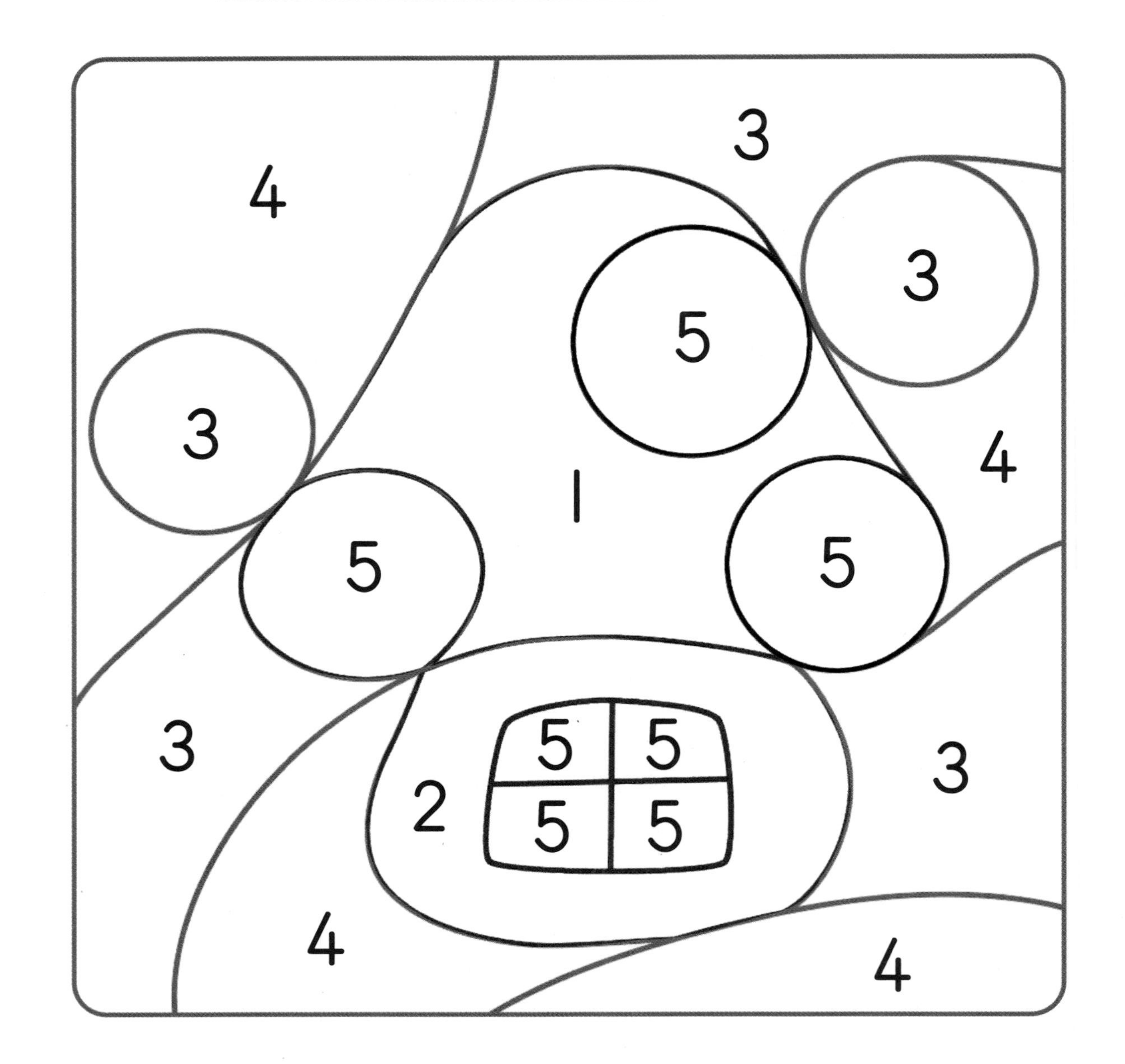

▶정답 및 풀이 5쪽

수 찾아 색칠하기

창의 2 같은 수를 찾아 주어진 색으로 칠하세요.

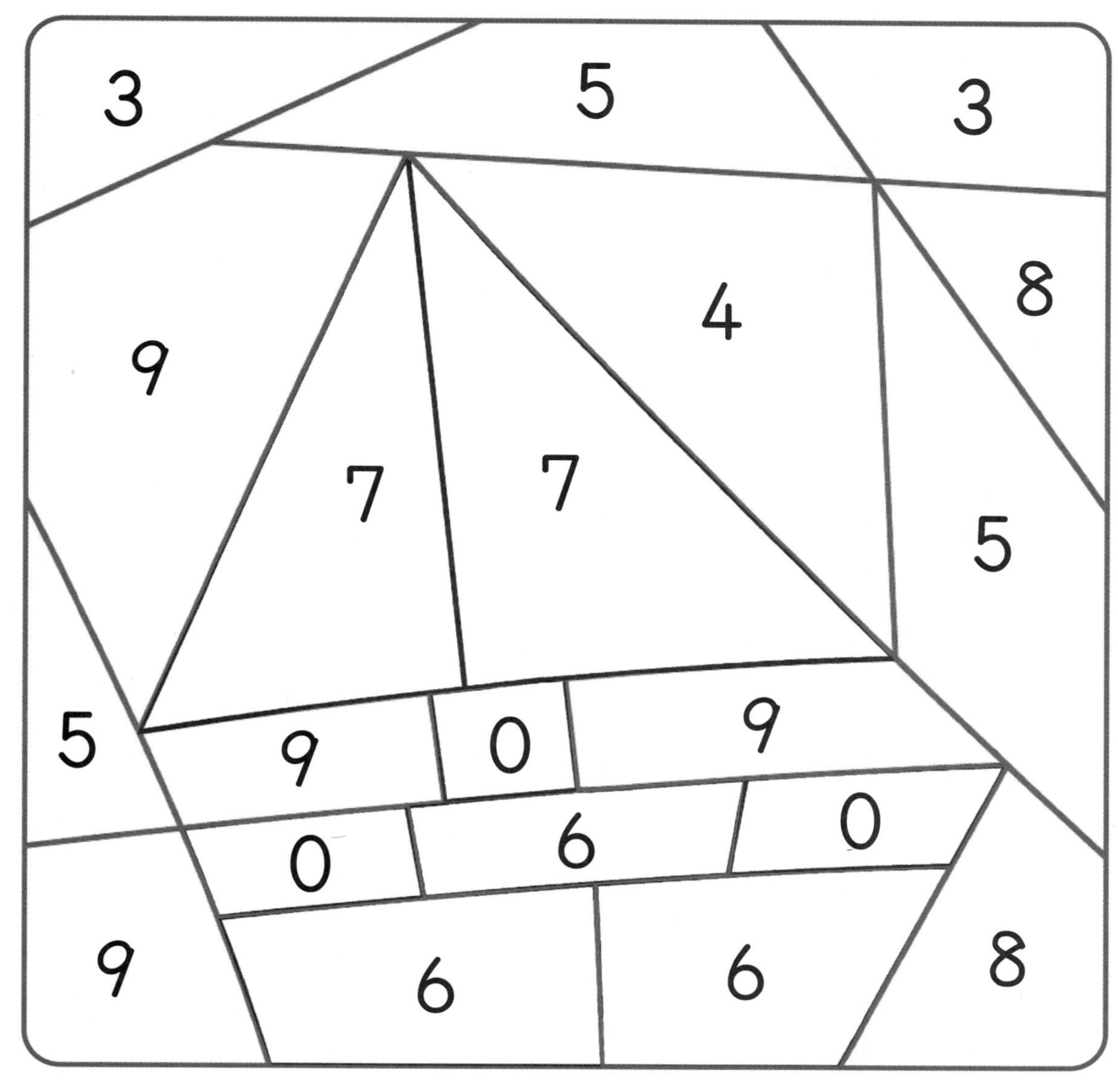

아무것도 없는 것을 0이라
쓰고, 영이라고 읽어요.

1주 특강

특강 창의·융합·코딩

달리기 시합

지윤, 세훈, 두영이가 달리기 시합을 했어요.

지윤, 세훈, 두영이는 각각 몇 등일까요?

▶정답 및 풀이 5쪽

창의 4 더 큰 수를 들고 있는 동물을 찾아 빈칸에 색칠하세요.

(1)

(2)

(3)

(4)

(5)

(6)

창의·융합·코딩

융합 5 보기 와 같이 1부터 9까지의 수를 순서대로 따라가 보세요.

보기

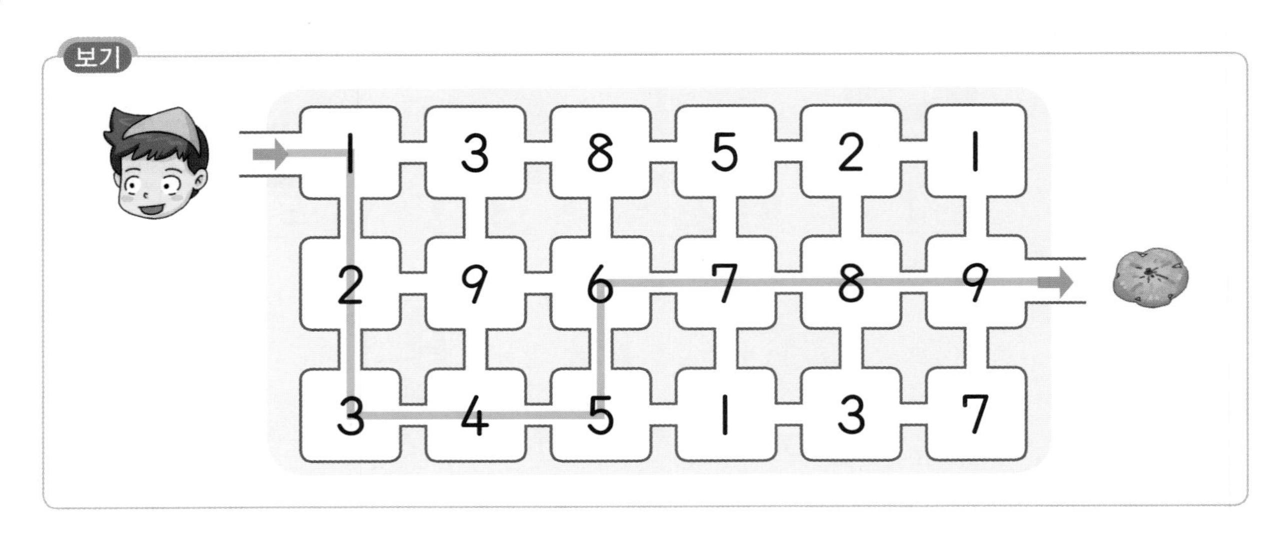

(1)

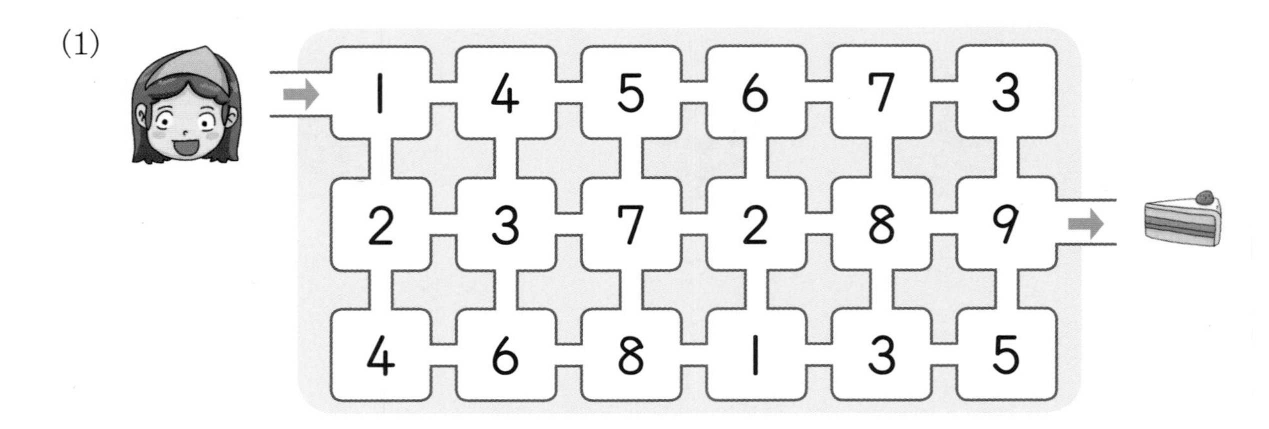

(2)

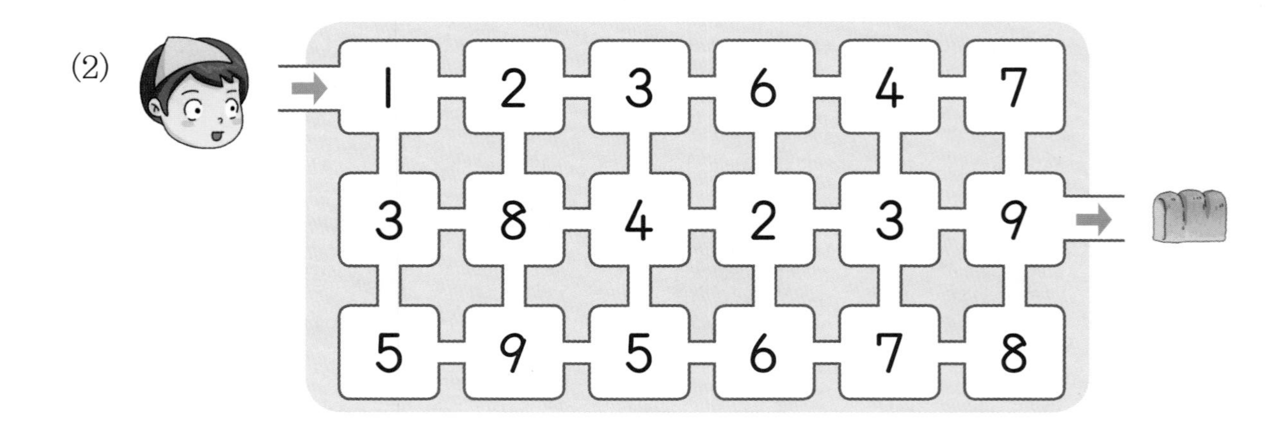

▶정답 및 풀이 5쪽

창의 6 보기 와 같이 빈 곳에 놓아야 할 타일의 수를 세어 쓰세요.

보기
6
빈 곳에 놓아야 할
타일은 6장이에요.

(1)

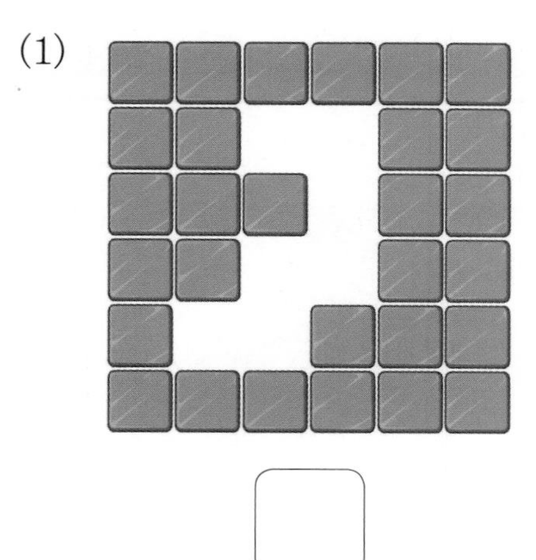

(2)

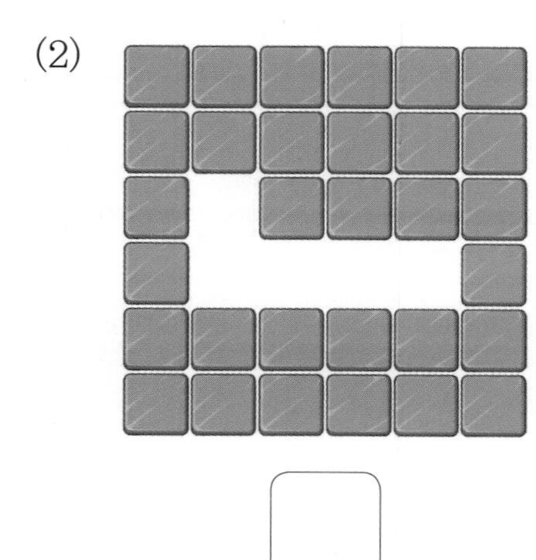

(3)

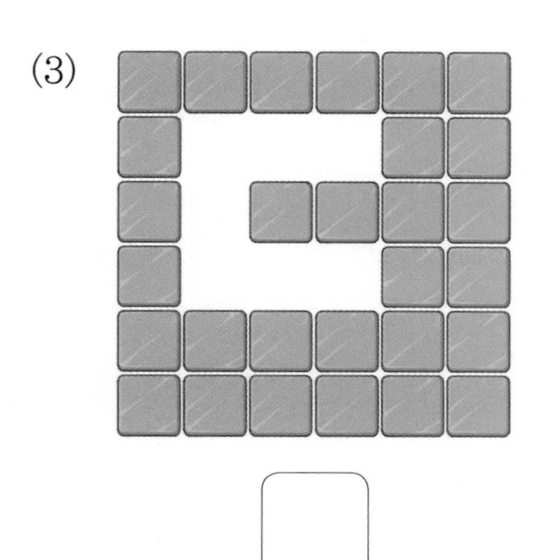

(4)

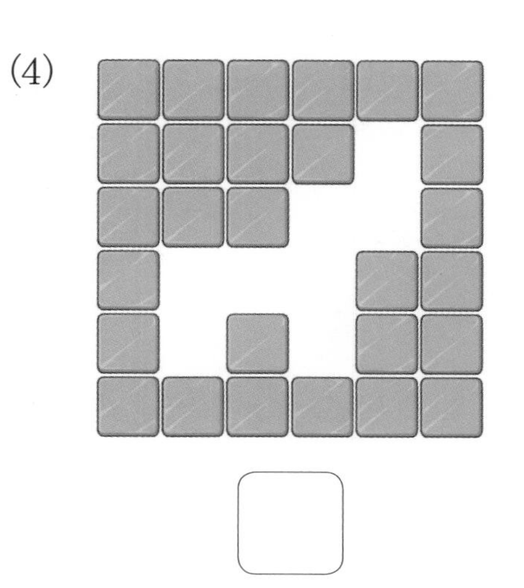

2
주

9까지 수의 덧셈

며칠 전
헨젤과 그레텔!
이 녀석들~~

마법의 쿠키를 먹여서
개구리로 만들어 버릴테다!!
찹
찹
찹

펑

어?
이게 아닌가?
부들
부들

지렁이 입술 가루 3 숟갈!
지네 더듬이 가루 1 숟갈!
모두 4숟갈이네.
마법

마법~쿠키를 만들자♬
룰루
룰루
냥~ 냥~

2주에 배울 내용을 알아볼까요? ①

1일 모으기 2일 덧셈 알아보기 3일 그림 보고 덧셈하기
4일 색칠하고 덧셈하기 5일 이어 세어 덧셈하기

2주에 배울 내용을 알아볼까요? ②

구슬은 모두 몇 개인지 세어 봐요.

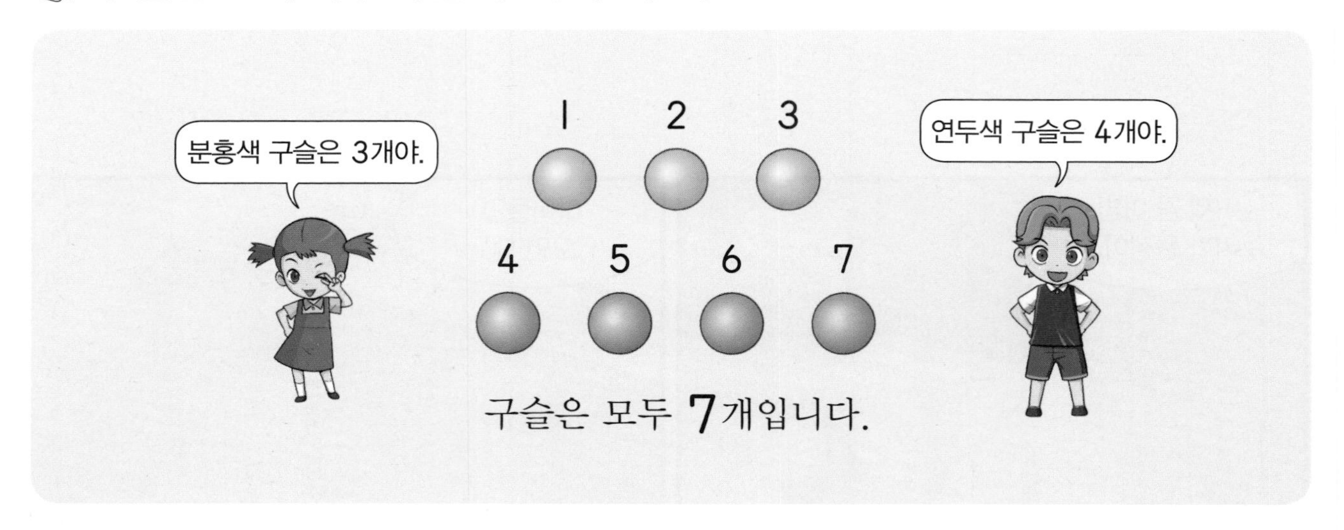

분홍색 구슬은 3개야.
1 2 3
4 5 6 7
연두색 구슬은 4개야.
구슬은 모두 7개입니다.

구슬은 모두 몇 개인지 세어 보세요.

1 ●●●● ●● □개

2 ●●●●●● ● □개

3 ●●●●● ●●● □개

4 ●●●●● ●●●● □개

수 만큼 ○를 더 그리고 모두 몇 개인지 알아봐요.

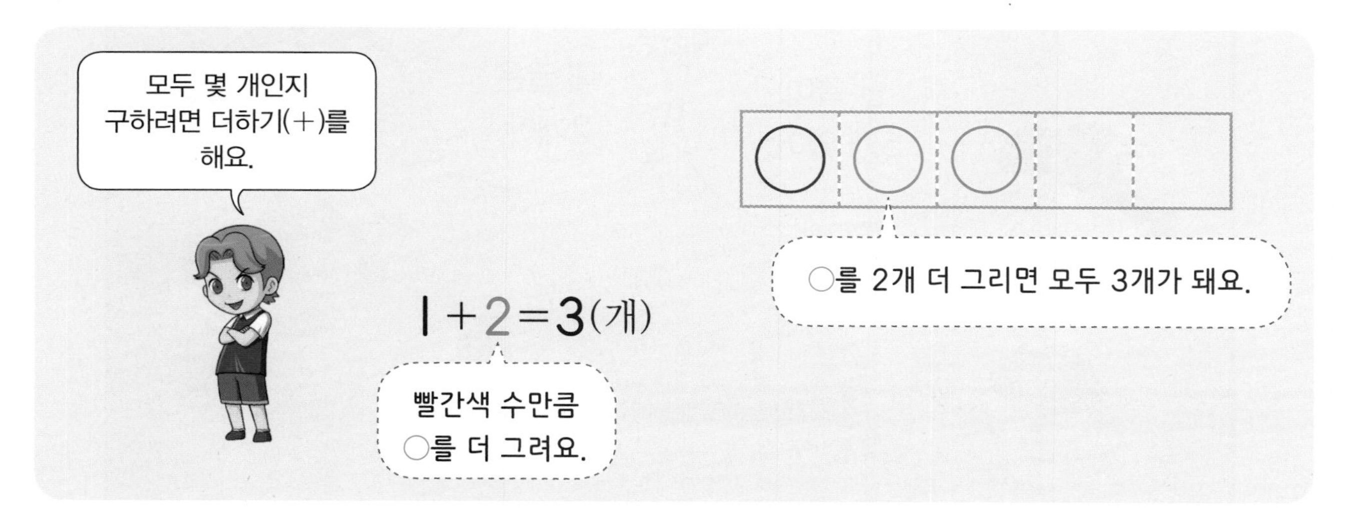

빨간색 수만큼 ○를 더 그리고 모두 몇 개인지 구하세요.

5 1+4=☐(개)

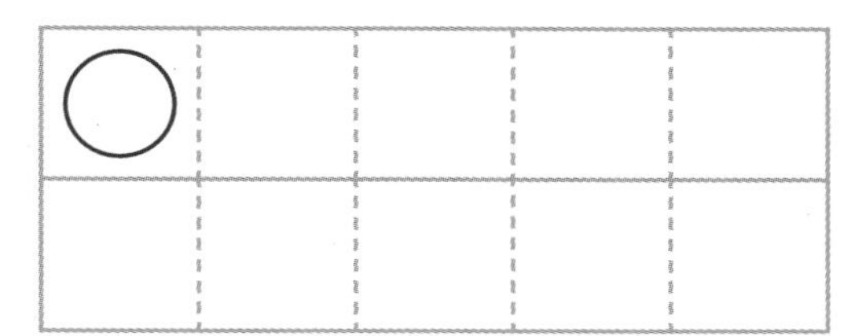

6 2+6=☐(개)

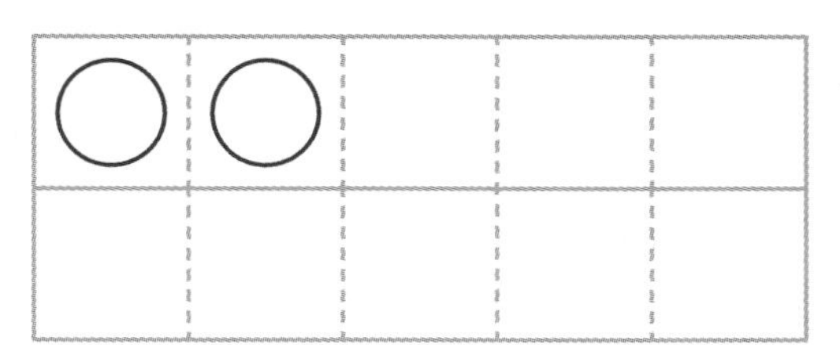

7 1+5=☐(개)

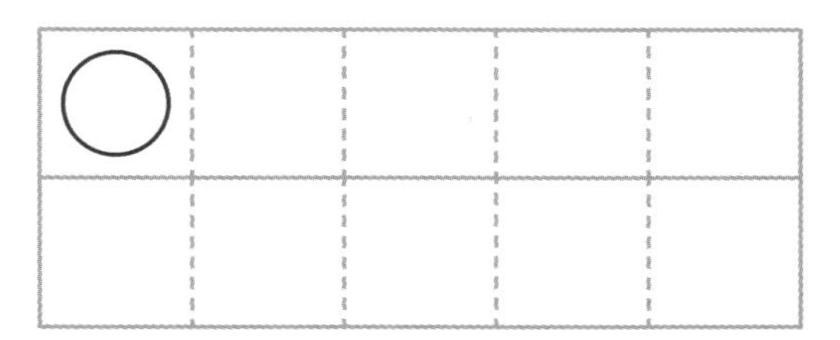

8 3+4=☐(개)

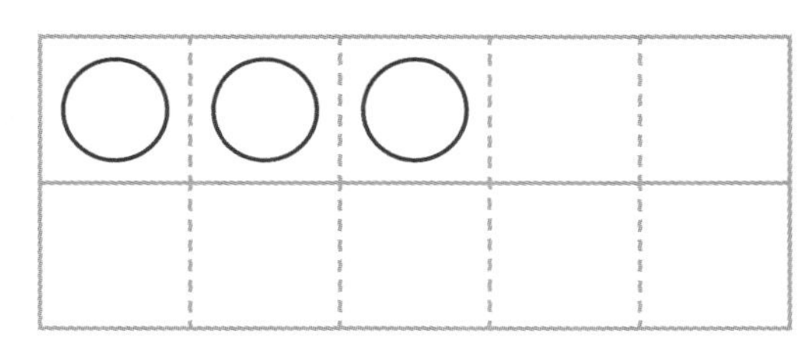

1 일

모으기

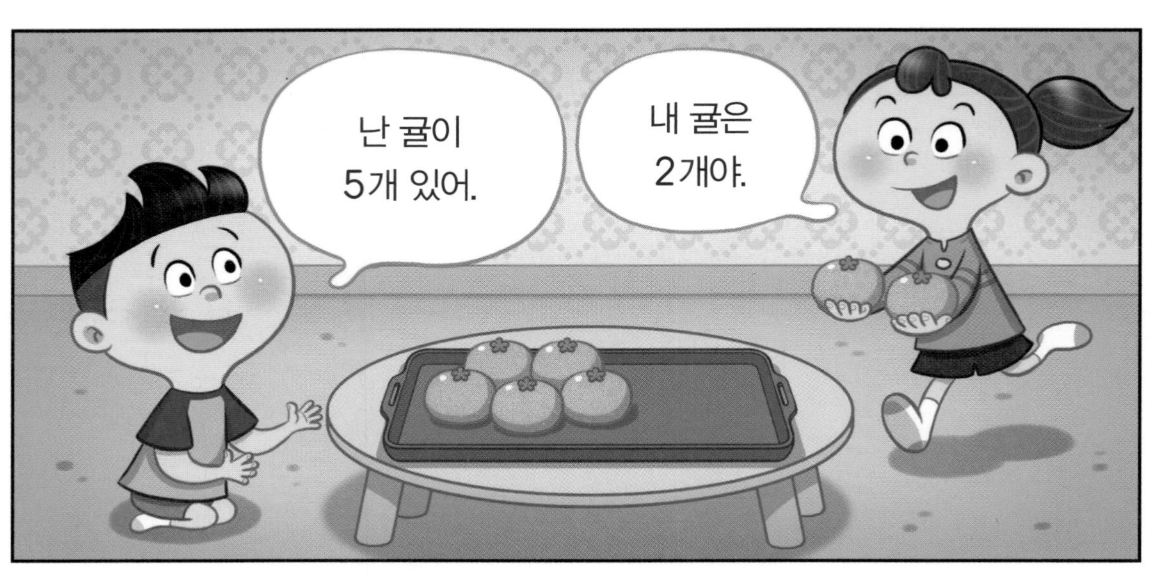
난 귤이
5개 있어.
내 귤은
2개야.

5와 2를
모으면
7이야.
빨리 먹자.

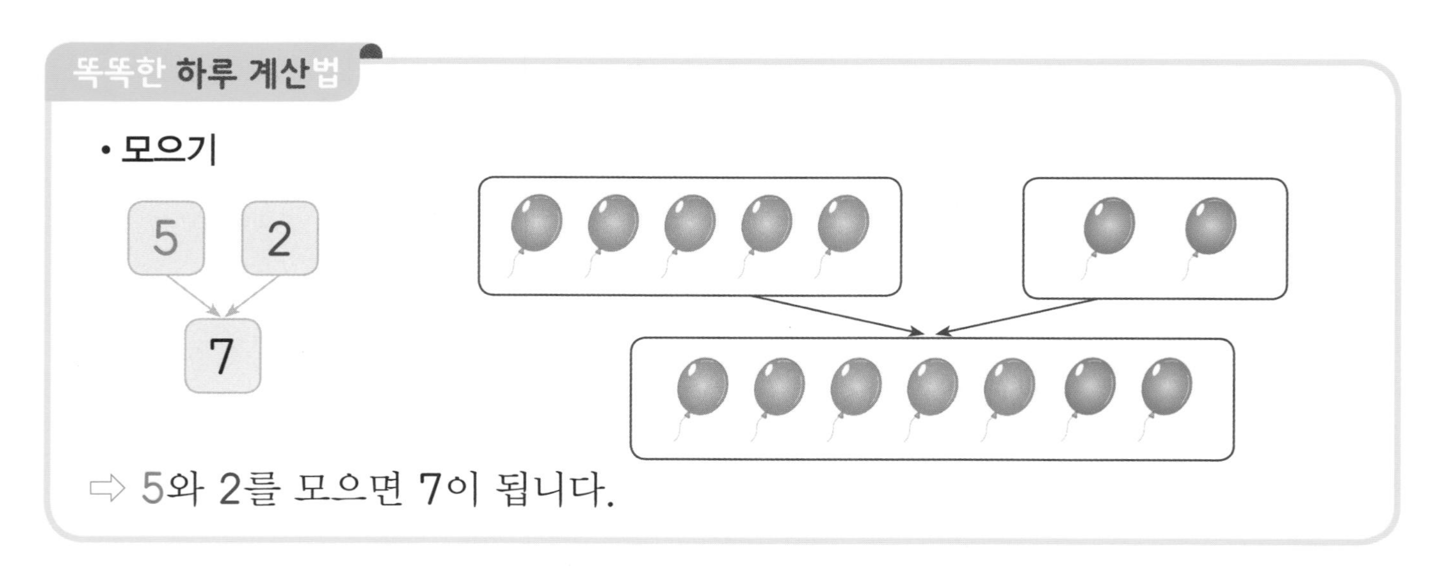
똑똑한 하루 계산법
• 모으기
5
2
7
⇨ 5와 2를 모으면 7이 됩니다.

똑똑한 계산 연습

제한 시간 3분

모두 몇 마리인지 알맞은 수를 쓰세요.

1

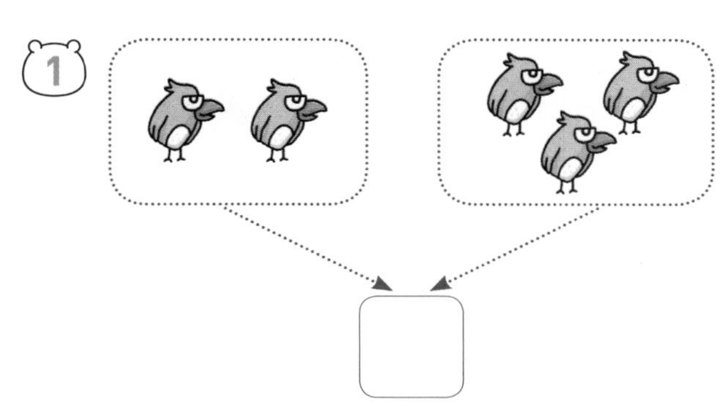

2

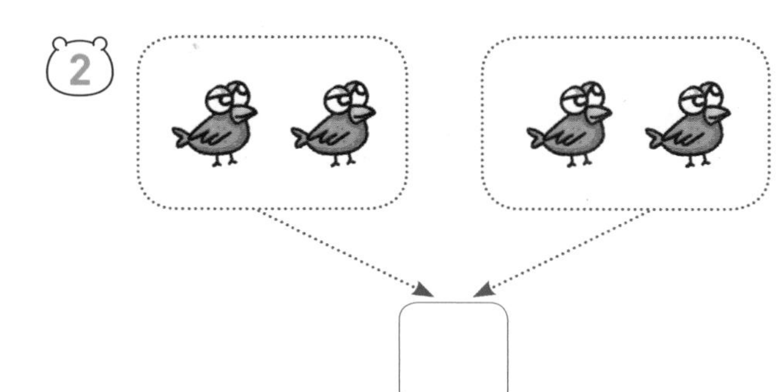

3

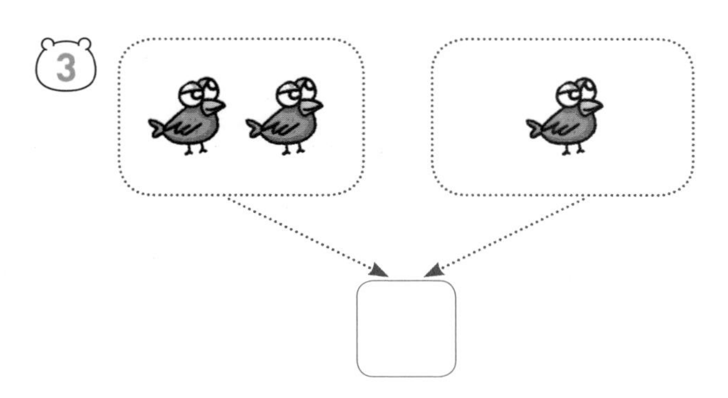

4

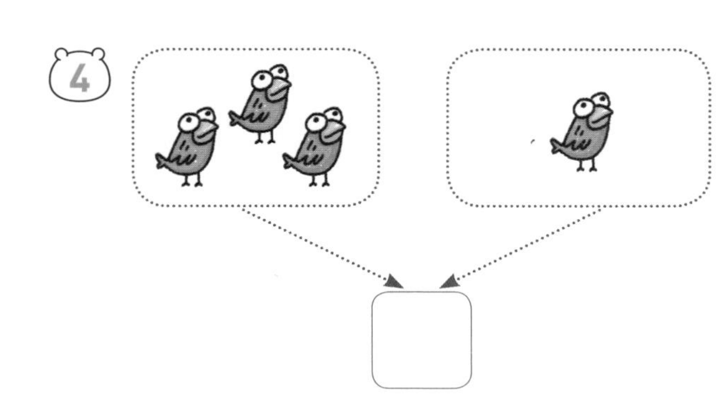

5

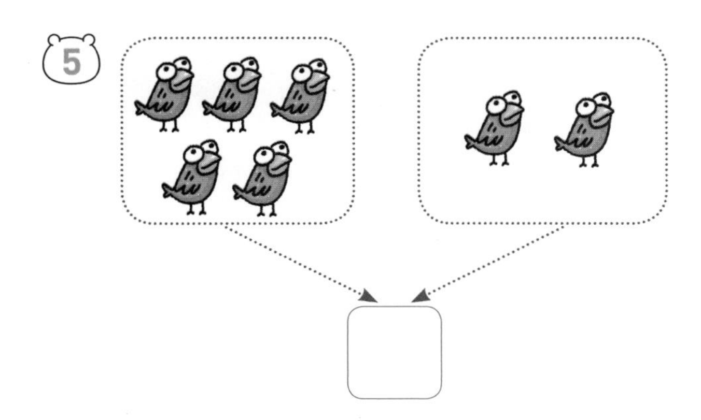

6

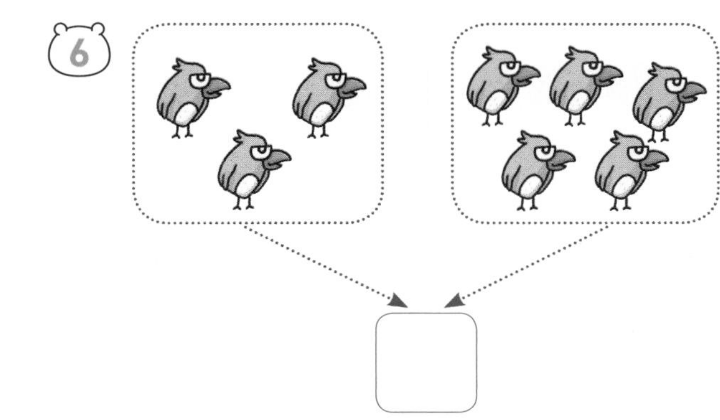

7

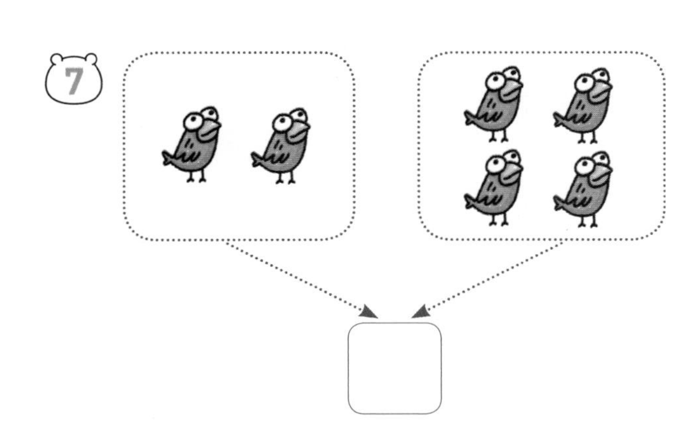

8

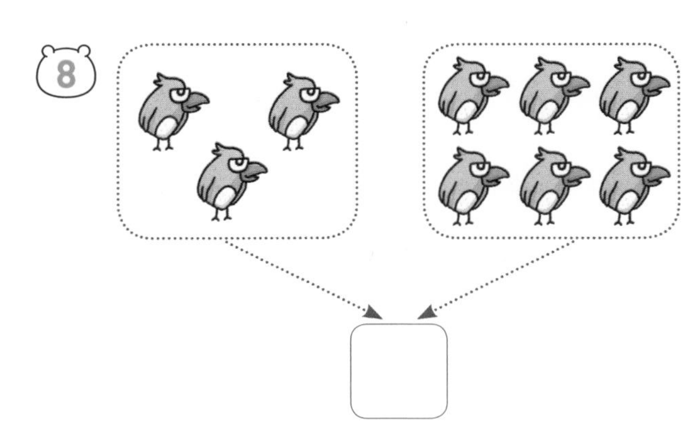

기초 집중 연습

수를 모아 빈칸에 알맞은 수를 써넣으세요.

1

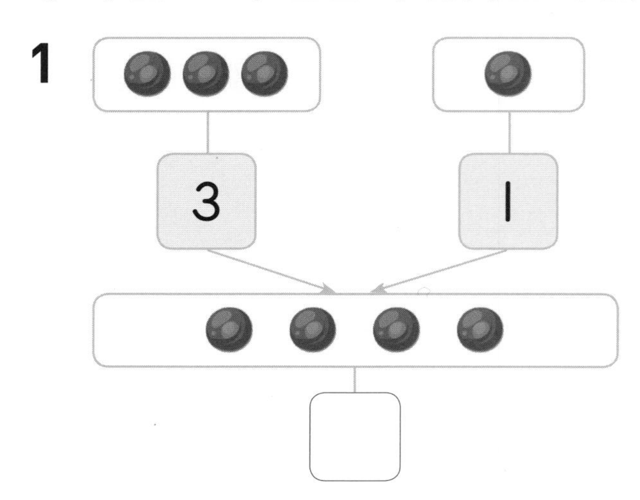

2

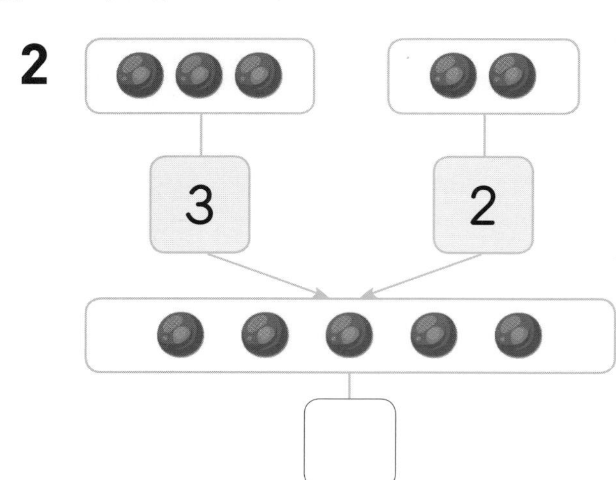

3

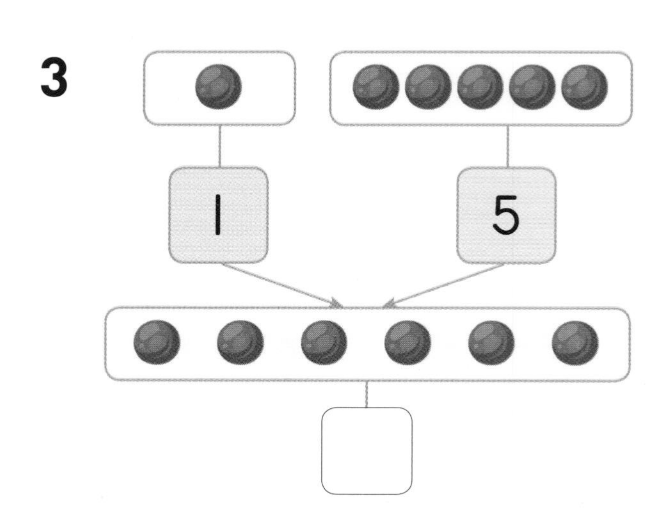

4

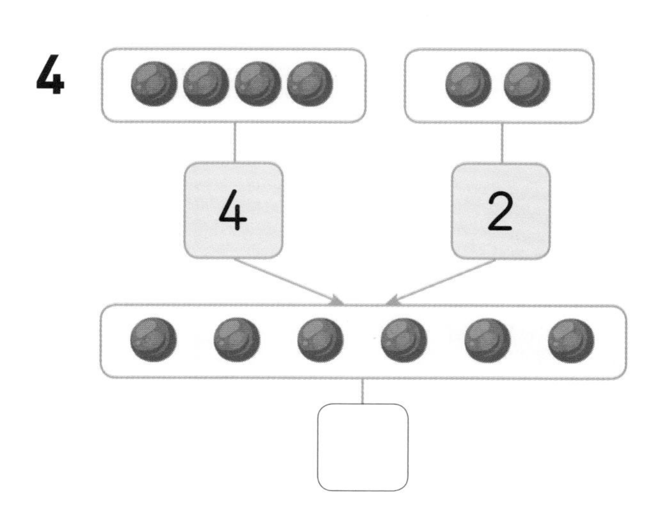

5

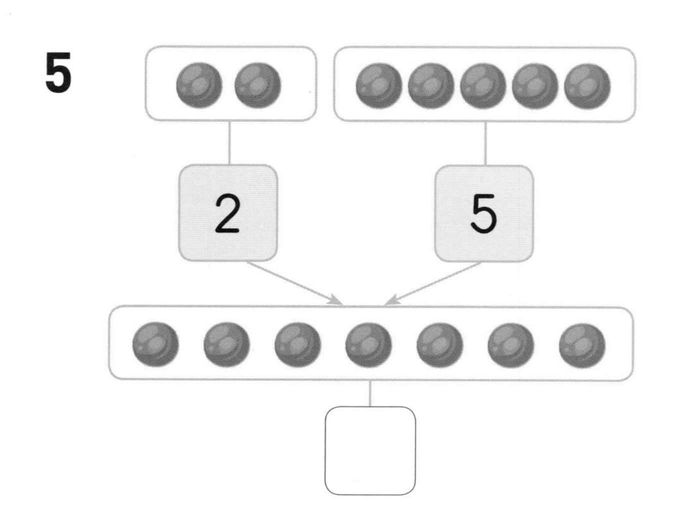

6

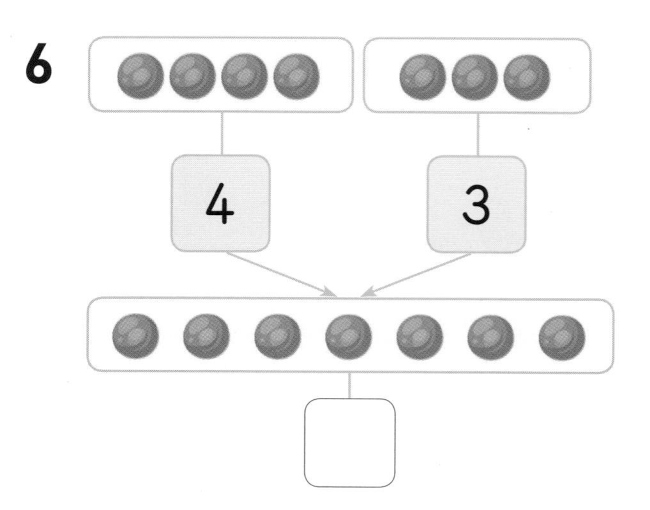

제한 시간 4분

생활 속 문제

수를 모아 빈칸에 알맞은 수를 써넣으세요.

7

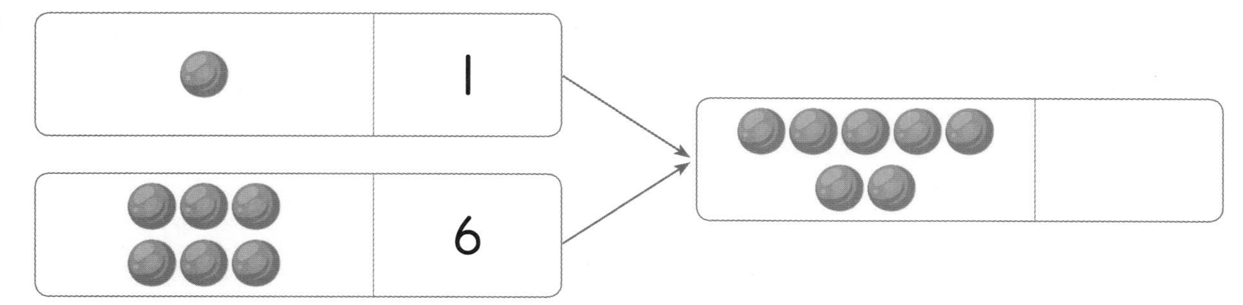

8

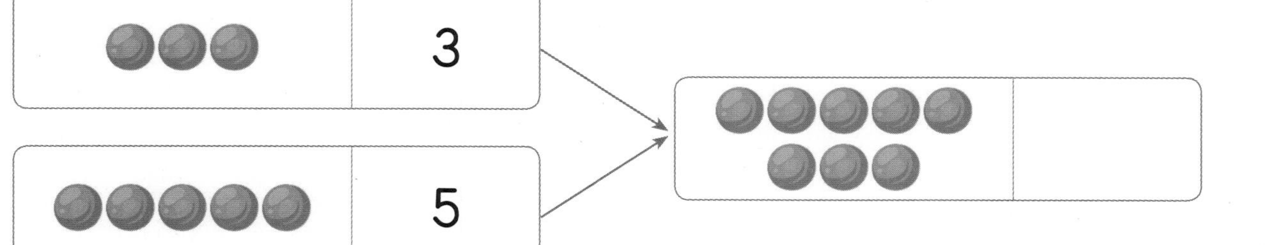

9

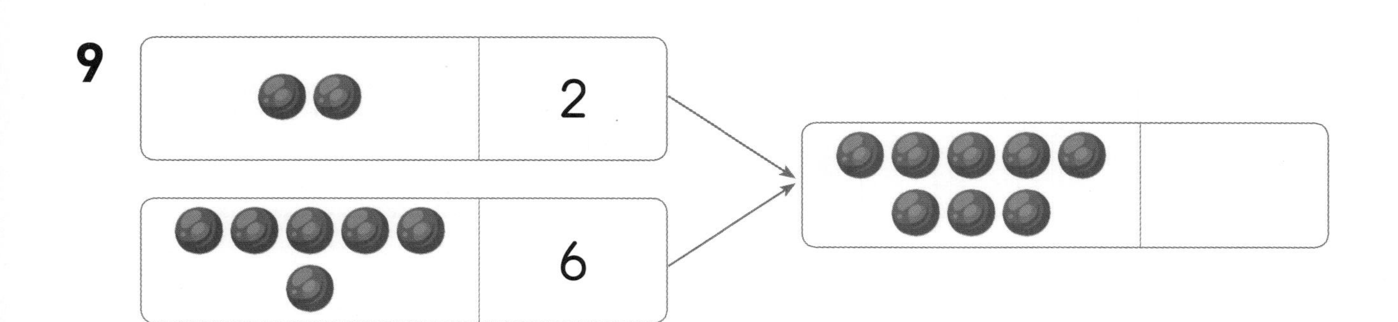

10

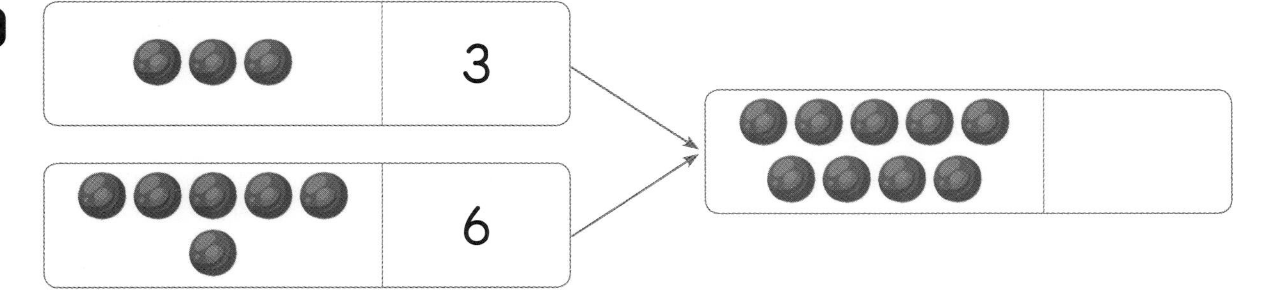

덧셈 알아보기

너와 내가
함께 있을 방법이
없을까?

내가 도와줄게.

나도 함께
있고 싶어.

그건 내가
도와줄게.

3 + 1 = 4
삼 더하기 일 은 사
(와 같습니다)
3+1=4이니까
우리는 항상 같이
있을 수 있어.
나는 같다는
뜻이야.

똑똑한 하루 계산법

• 3+1 알아보기

3+1=4 ⇨ 3 더하기 1은 4와 같습니다.

더하기는 +로,
같습니다는 =로 나타내요.

똑똑한 계산 연습

▶정답 및 풀이 6쪽

제한 시간 3분

더하기로 나타내어 보세요.

1

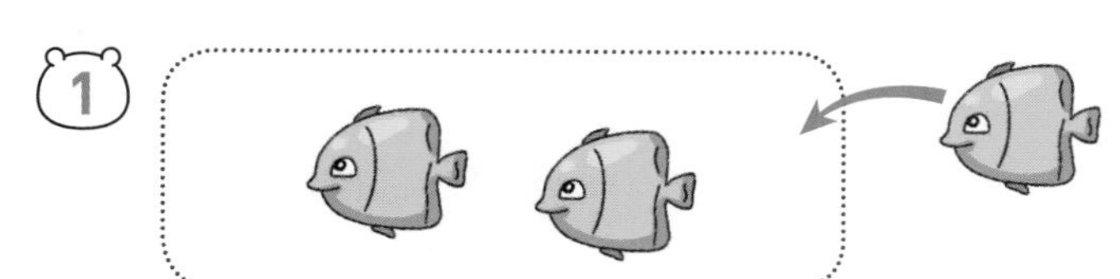

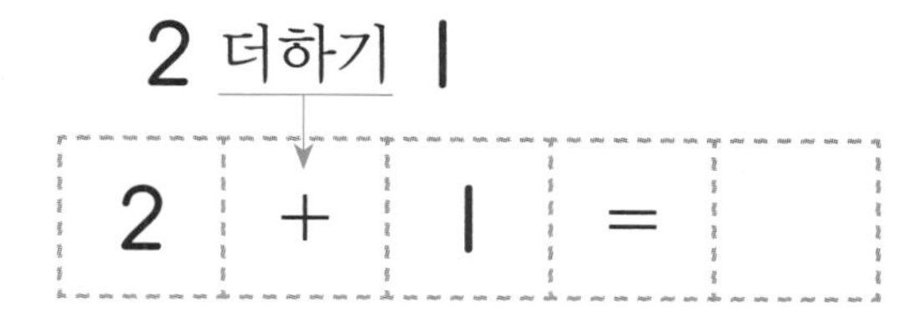

2

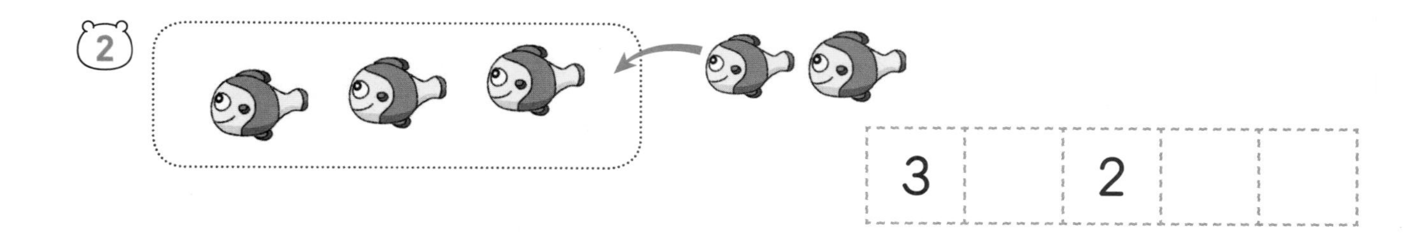

3

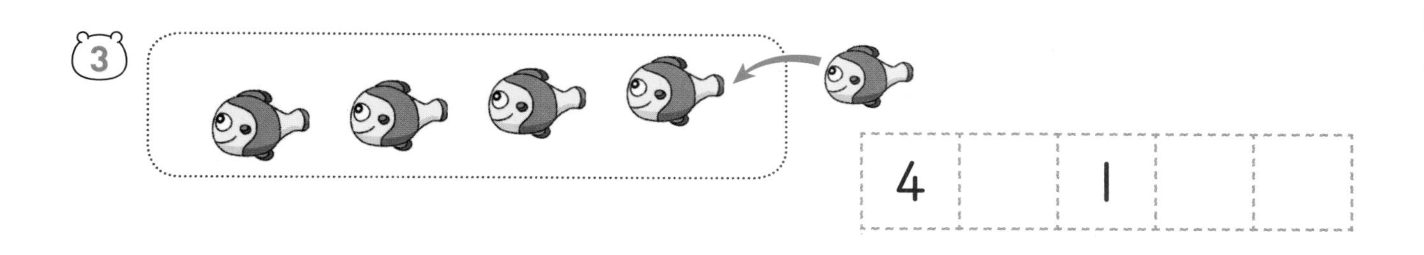

4

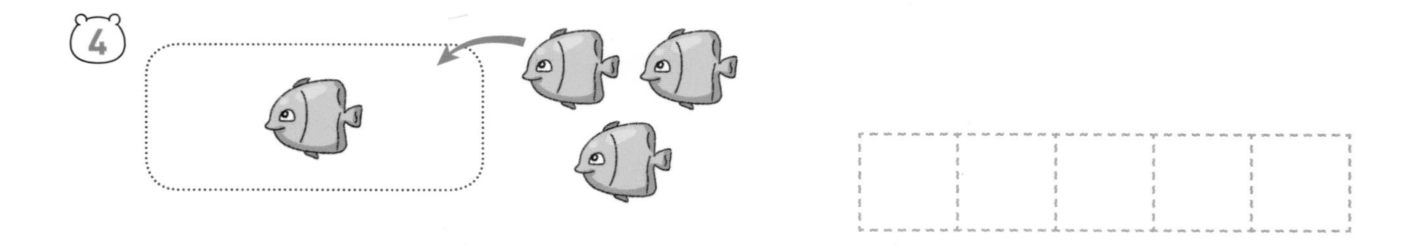

5

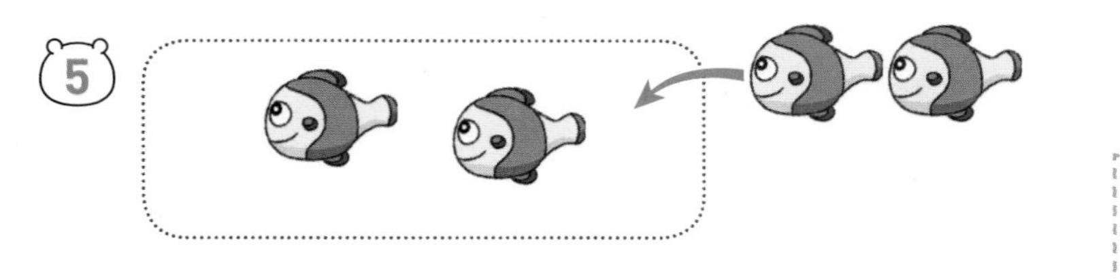

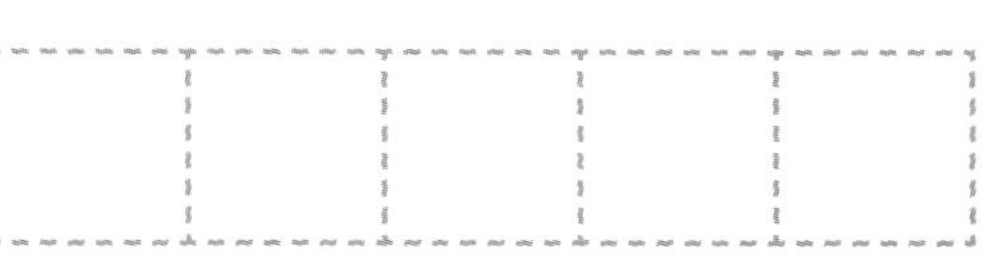

2일 기초 집중 연습

덧셈을 하세요.

1

$1+2=\square$

2

$3+1=\square$

3

$4+1=\square$

4

$2+2=\square$

5

$5+3=\square$

6

$6+3=\square$

▶정답 및 풀이 7쪽

제한 시간 4분

생활 속 문제

그림에 알맞은 덧셈식을 찾아 ○표 하세요.

7

3+3=6	4+3=7	1+3=4

8

5+3=8	4+3=7	6+3=9

9

7+2=9	5+2=7	6+2=8

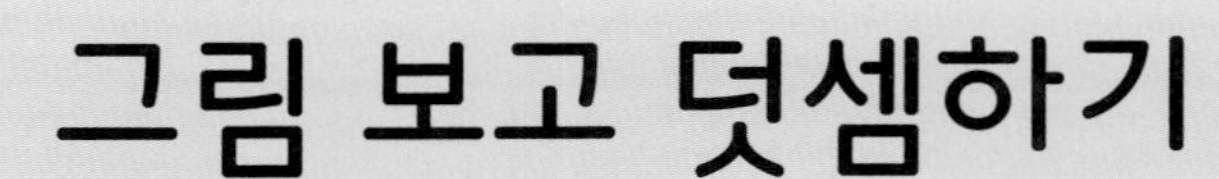

그림 보고 덧셈하기

똑똑한 하루 계산법

• 그림을 보고 덧셈하기

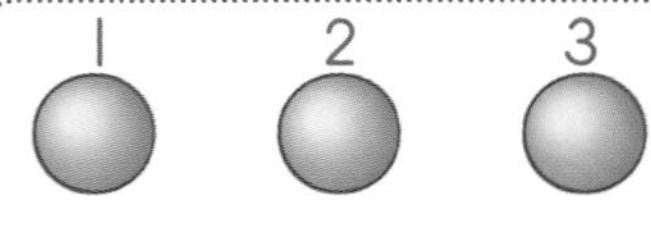

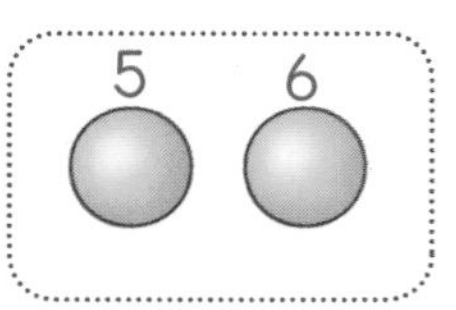

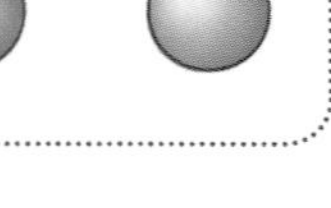

$4+2=6$

구슬은 모두
6개예요.

똑똑한 계산 연습

▶정답 및 풀이 7쪽

제한 시간 | 3분

그림을 보고 덧셈을 하세요.

1

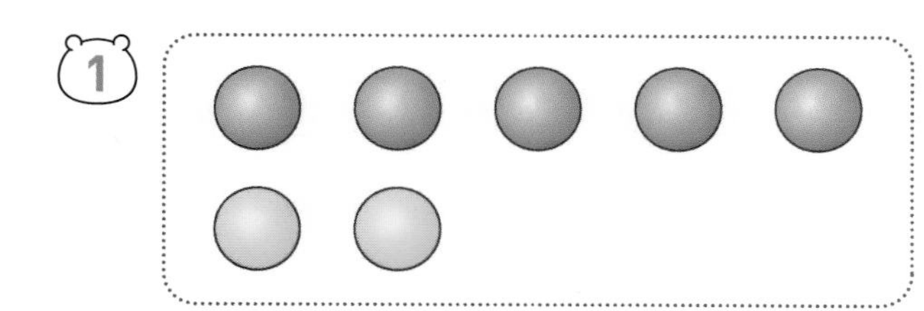

5+2=□

2

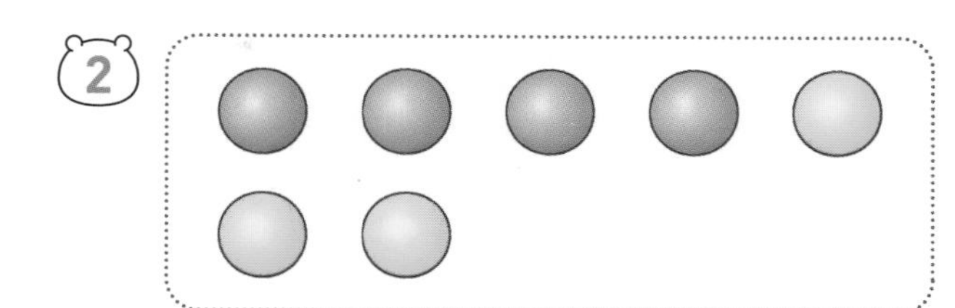

4+3=□

3

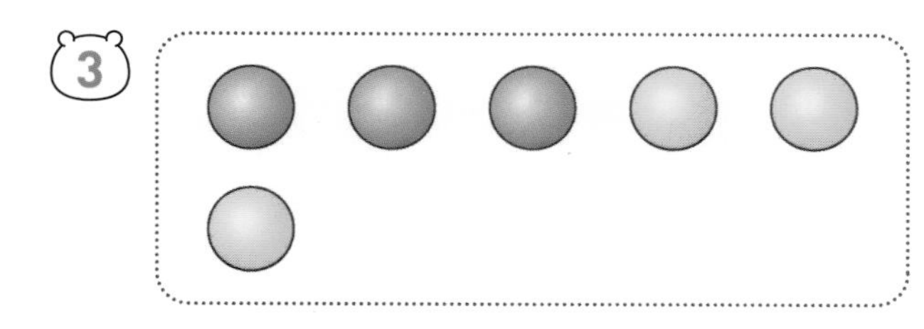

3+3=□

4

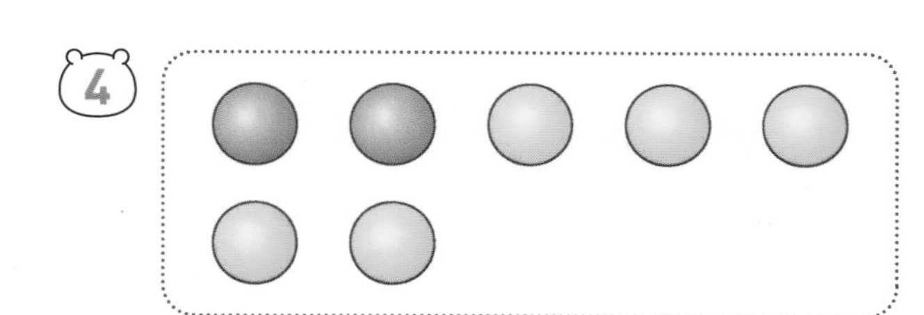

2+5=□

5

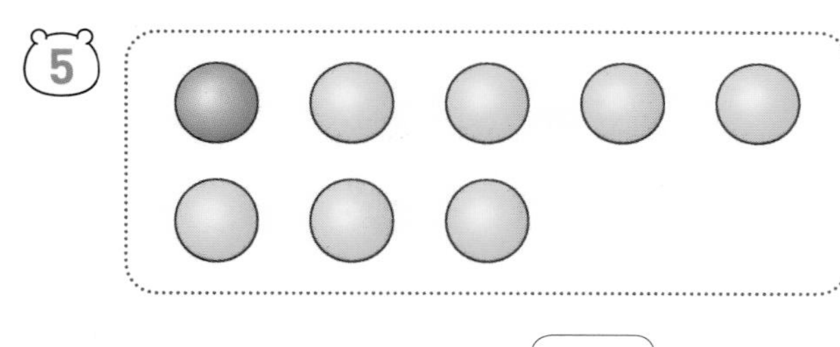

1+7=□

6

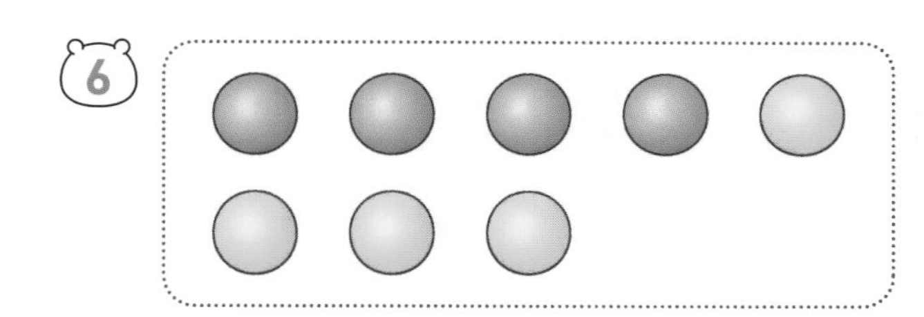

4+4=□

7

5+3=□

8

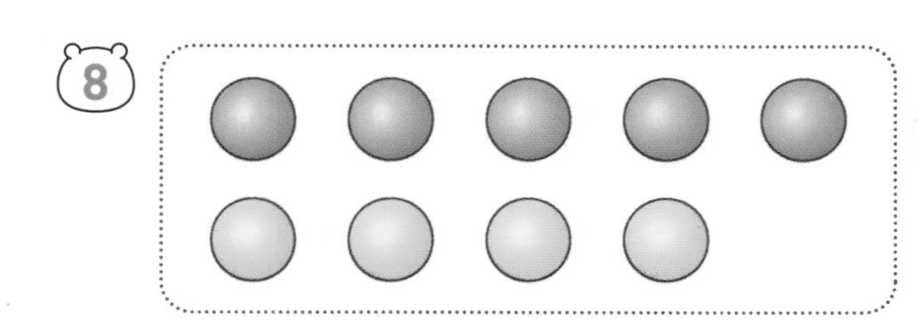

5+4=□

3일 기초 집중 연습

그림을 보고 덧셈을 하세요.

1

$1+2=\square$

2

 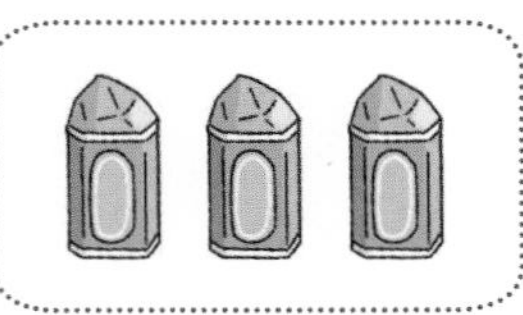

$1+3=\square$

3

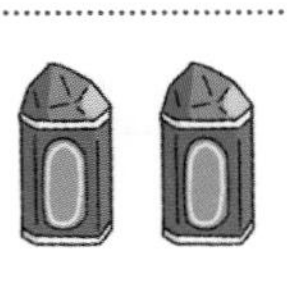 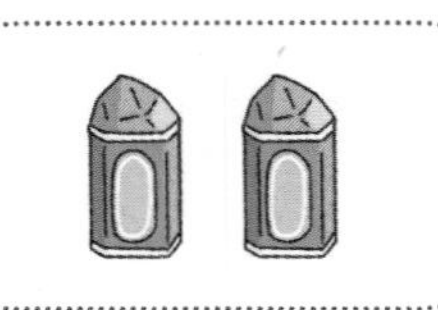

$2+2=\square$

4

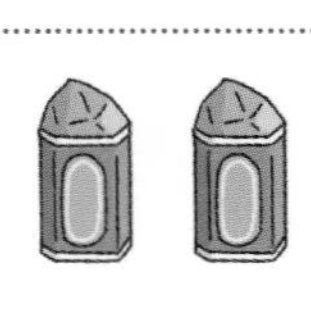 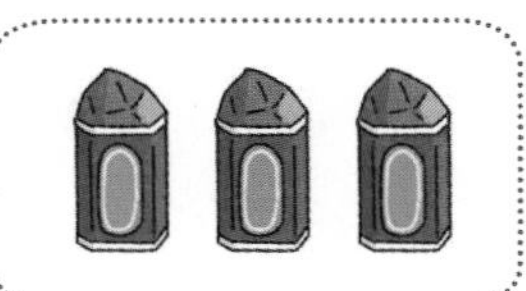

$2+3=\square$

5

$3+5=\square$

6

 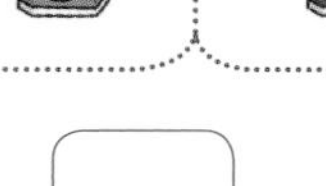

$5+1=\square$

7

$8+1=\square$

8

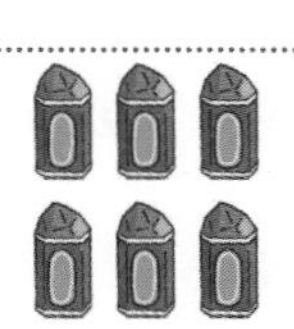 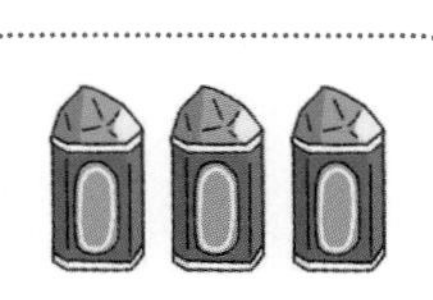

$6+3=\square$

제한 시간 4분

생활 속 문제

그림을 보고 덧셈을 하세요.

9

4+2=☐

10

5+2=☐

11

7+2=☐

12

6+2=☐

색칠하고 덧셈하기

똑똑한 하루 계산법

• 색칠하고 1+2 계산하기

$1 + 2 = 3$

2개 더
색칠해요.

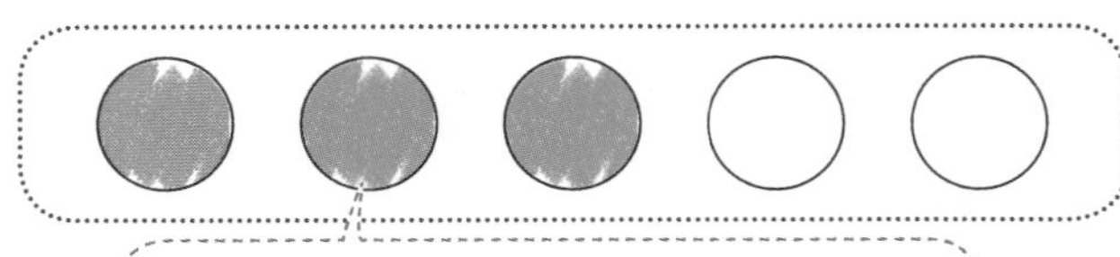

2개 더 색칠하면 3개가 돼요.

똑똑한 계산 연습

▶정답 및 풀이 8쪽

제한 시간 3분

초록색 수만큼 더 색칠하고 덧셈을 하세요.

1 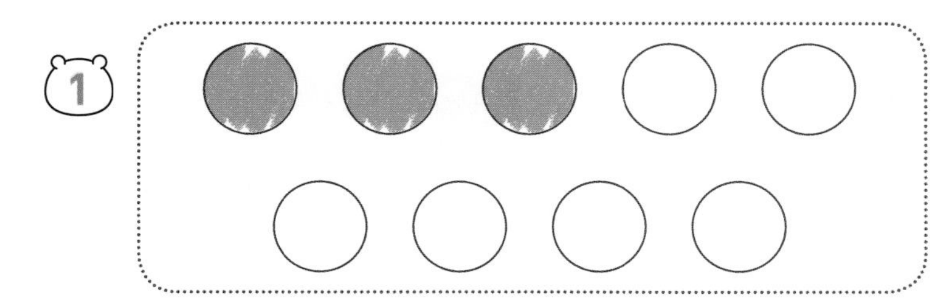

3 + 3 = ☐

3개 더 색칠해요.

2 5 + 1 = ☐

3 6 + 3 = ☐

4 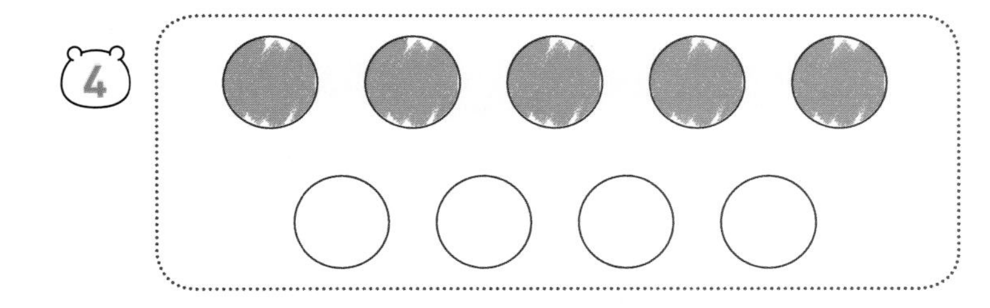

5 + 4 = ☐

5 2 + 4 = ☐

6 1 + 7 = ☐

2주 4일

기초 집중 연습

주사위 눈의 수만큼 구슬을 더 색칠하고 덧셈을 하세요.

1 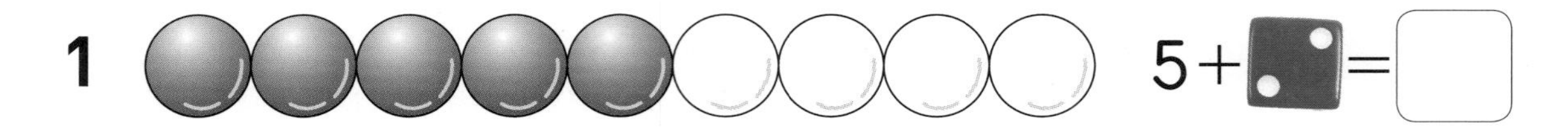 5+ =

2 1+ =

3 6+ =

4 3+ =

5 4+ =

6 2+ =

제한 시간 4분

생활 속 문제

펼친 손가락의 수만큼 ○를 더 색칠하고 덧셈을 하세요.

7

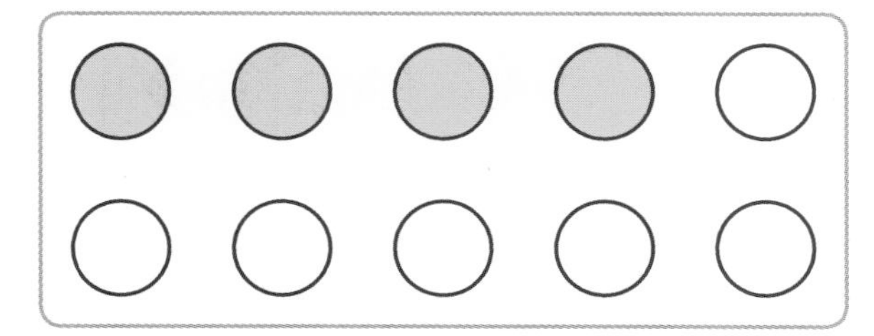

2

4+ =

8

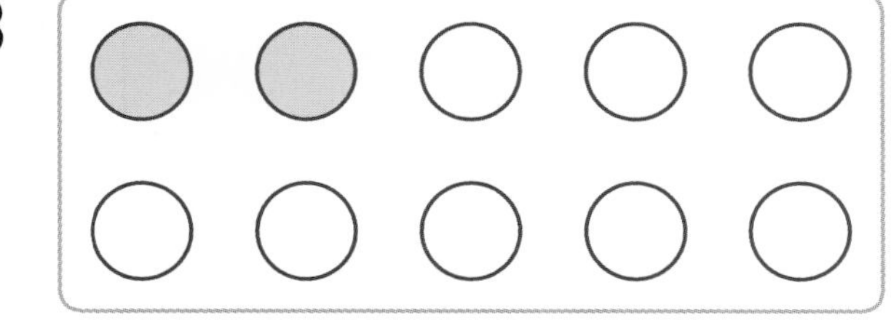

2+ =

9

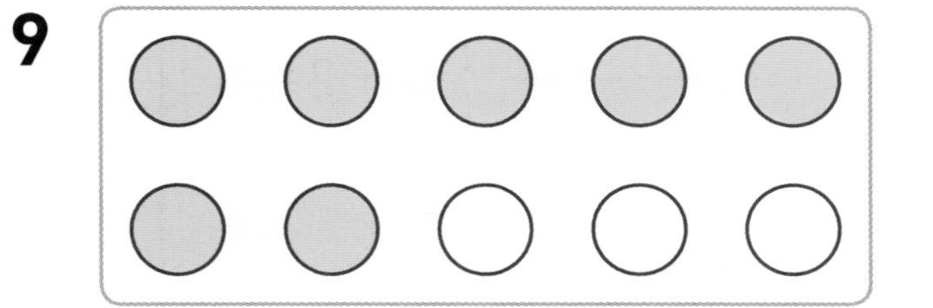

7+ =

10

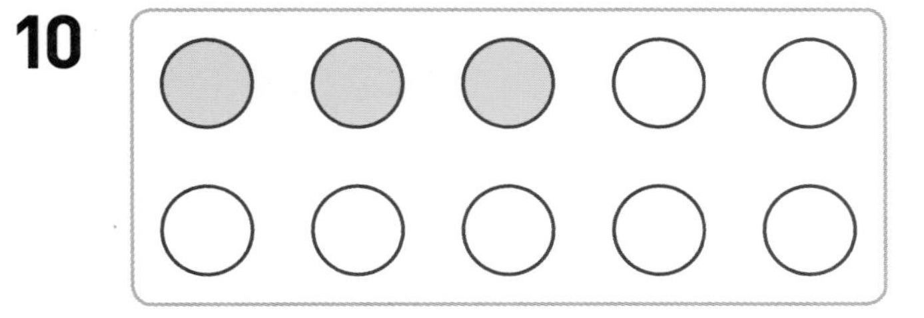

3+ =

11

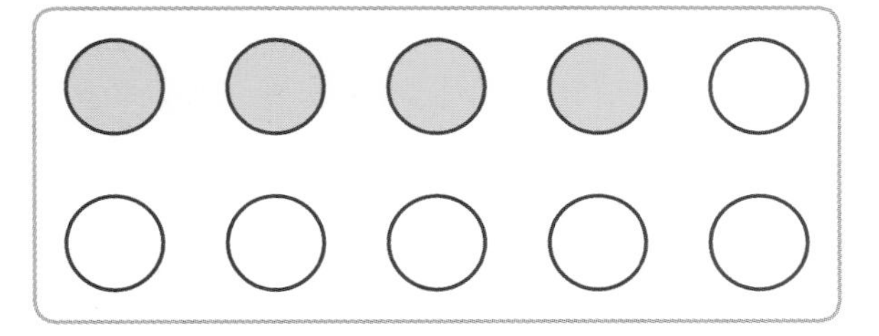

4+ =

이어 세어 덧셈하기

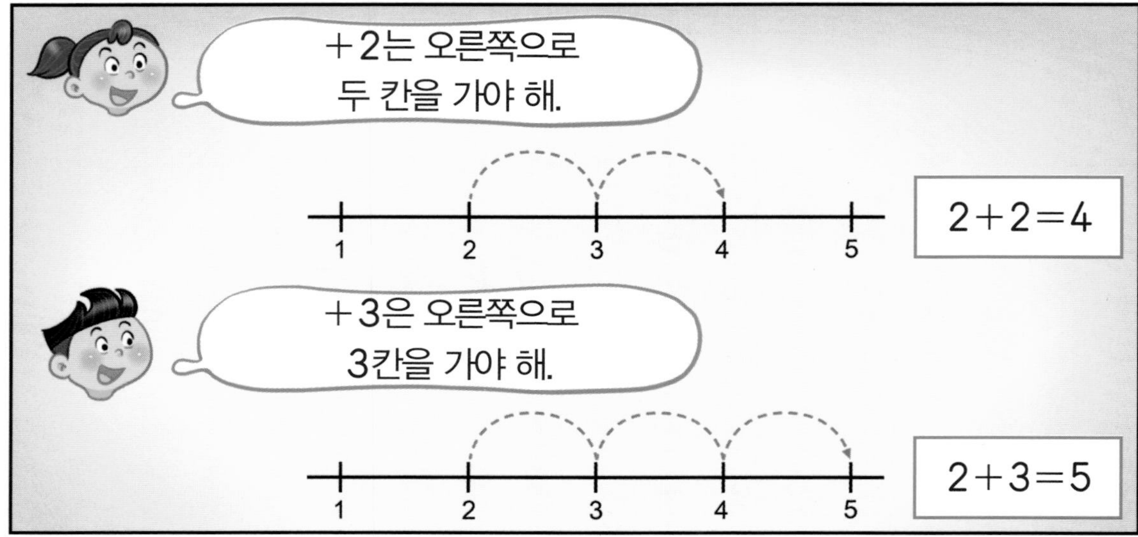

+2는 오른쪽으로
두 칸을 가야 해.
1 2 3 4 5
2+2=4
+3은 오른쪽으로
3칸을 가야 해.
1 2 3 4 5
2+3=5

똑똑한 하루 계산법

• 이어 세어 보고 1+2 계산하기

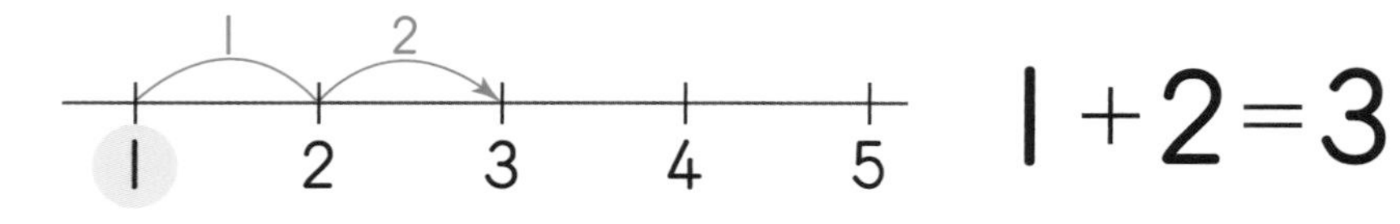

1+2는 1에서 오른쪽으로
2칸 가는 거예요.

똑똑한 계산 연습

▶정답 및 풀이 9쪽

제한 시간 3분

이어 세어 덧셈을 하세요.

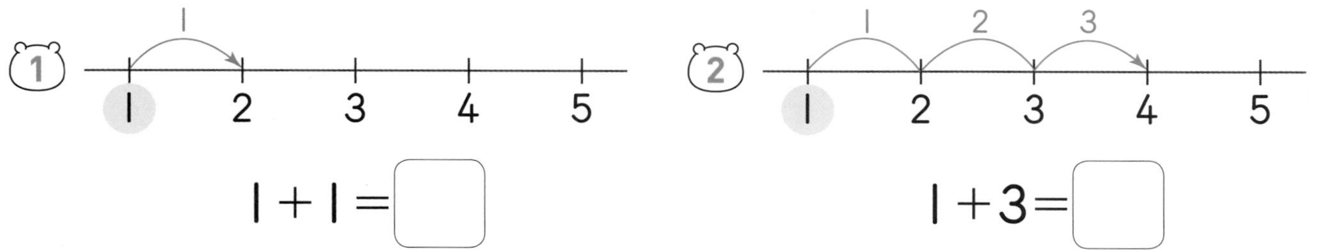
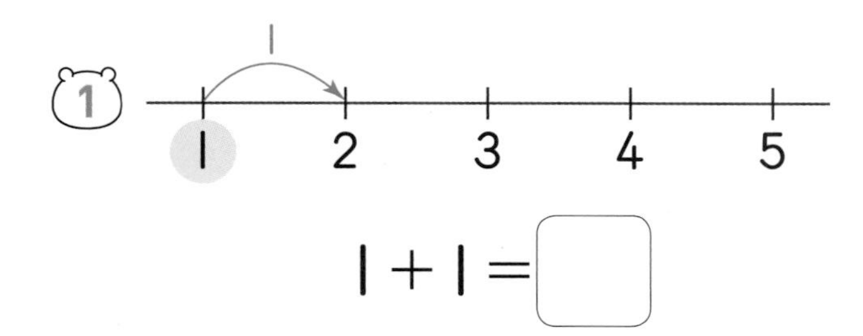

① $1+1=\square$

② $1+3=\square$

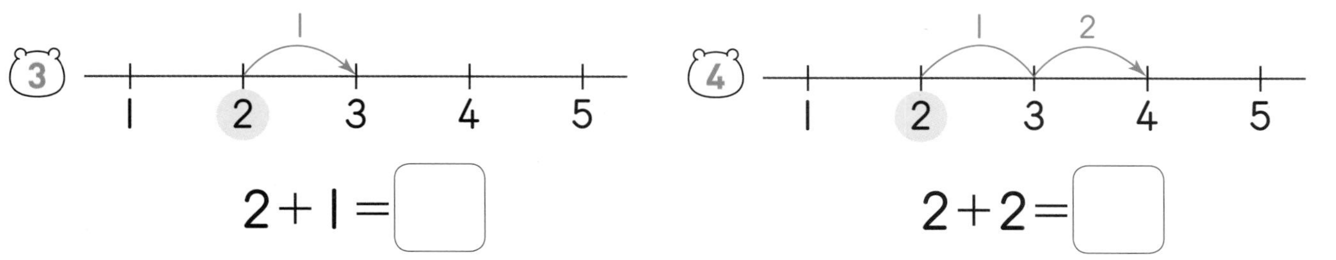
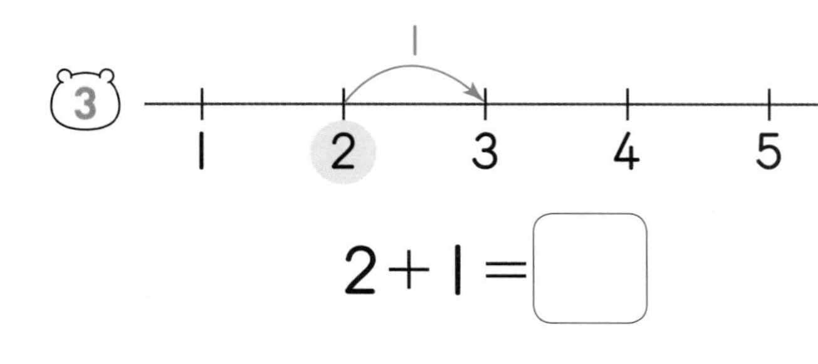

③ $2+1=\square$

④ $2+2=\square$

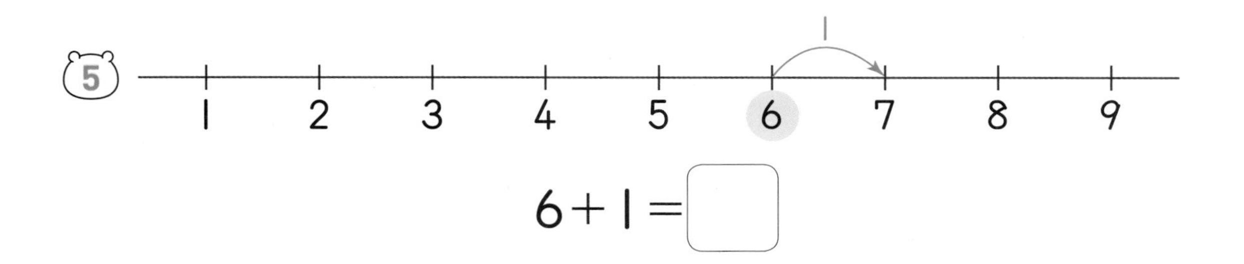

⑤ $6+1=\square$

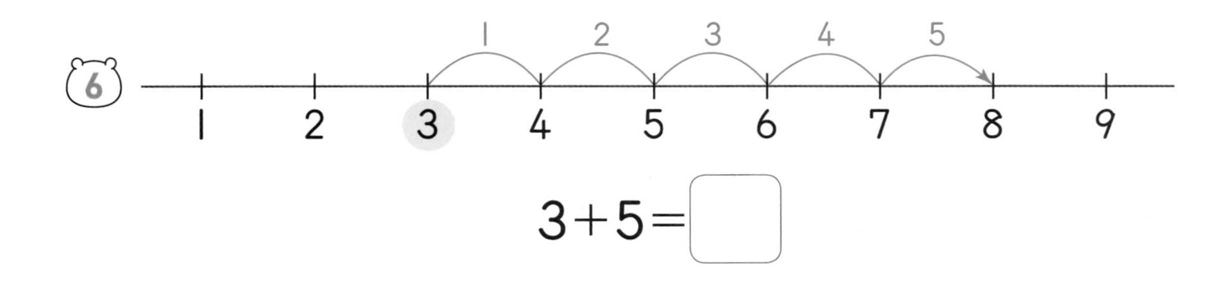

⑥ $3+5=\square$

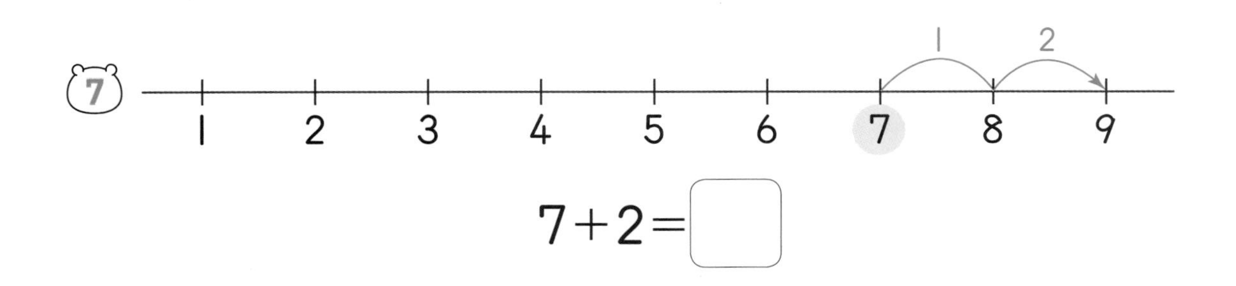

⑦ $7+2=\square$

5일 기초 집중 연습

이어 세어 덧셈을 하세요.

1

1 2 3 **4** 5 (1)

$4+1=\square$

2

1 2 **3** 4 5 (1 2)

$3+2=\square$

3

4 **5** 6 7 8 9 (1 2 3 4)

$5+4=\square$

4

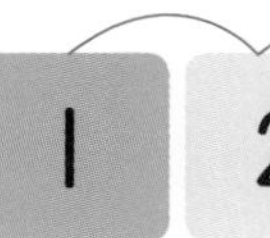

1 2 3 4 5 (1 2 3)

$1+3=\square$

5

2 3 4 5 6 7 8 (1 2 3 4)

$2+4=\square$

6

3 **4** 5 6 7 8 9 (1 2 3 4 5)

$4+5=\square$

7

2 3 4 5 6 7 8 (1 2 3 4 5)

$2+5=\square$

▶정답 및 풀이 9쪽

제한 시간 4분

생활 속 문제

빈 곳에 알맞은 수를 쓰고 덧셈을 하세요.

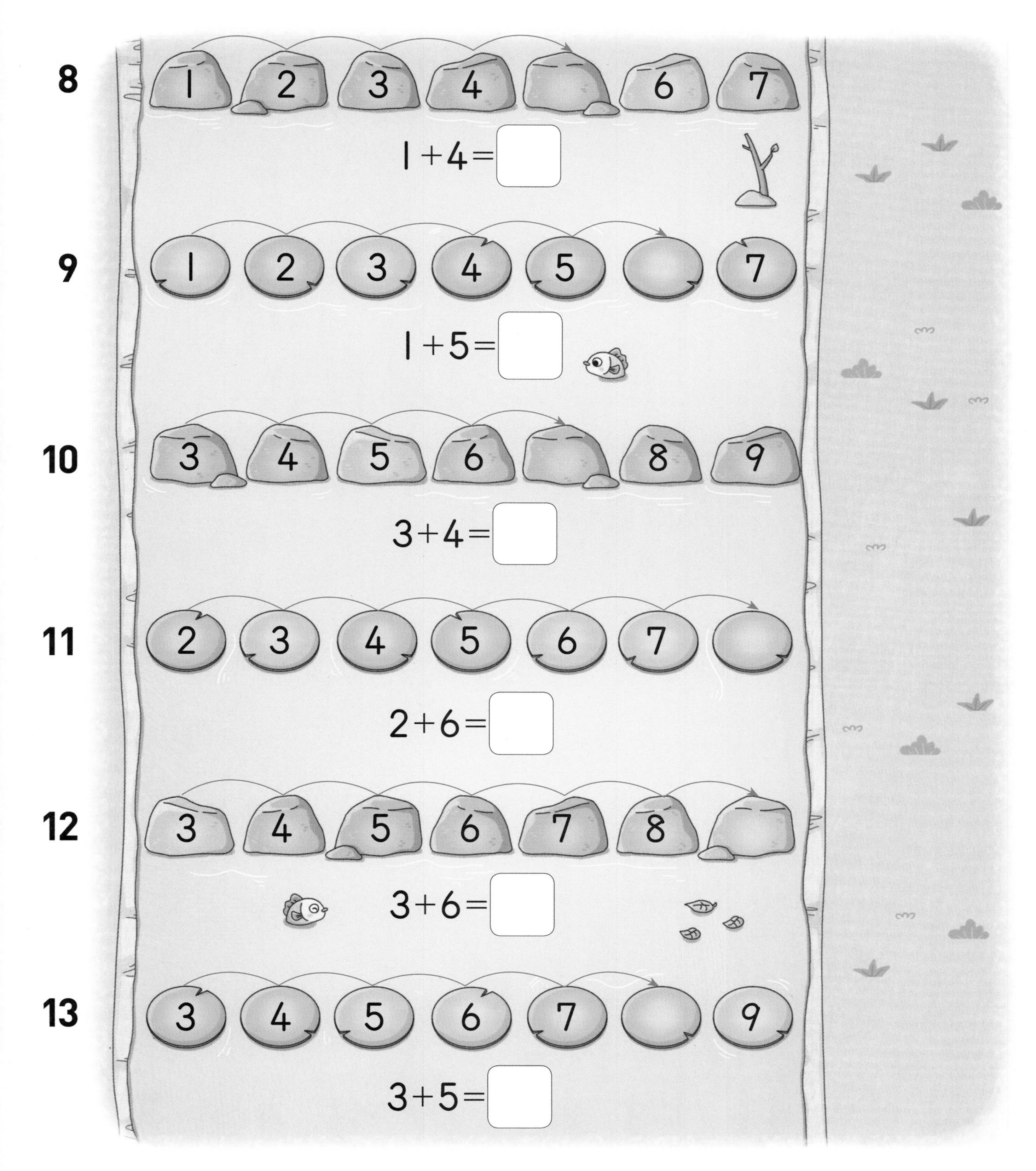

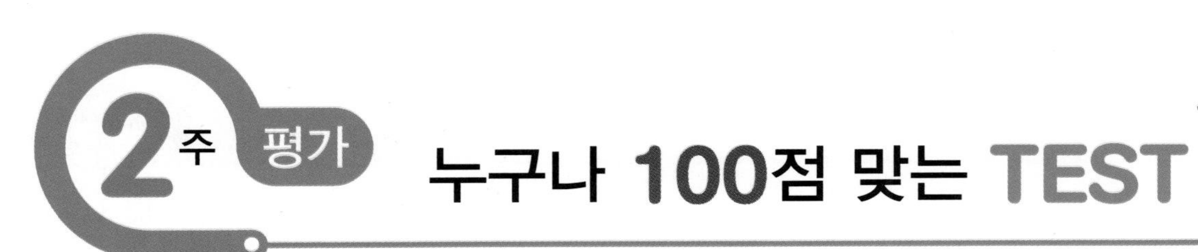

모으기를 하세요.

❶
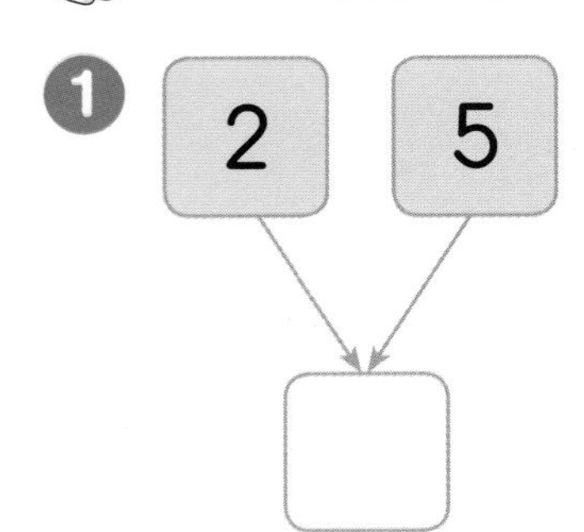

❷
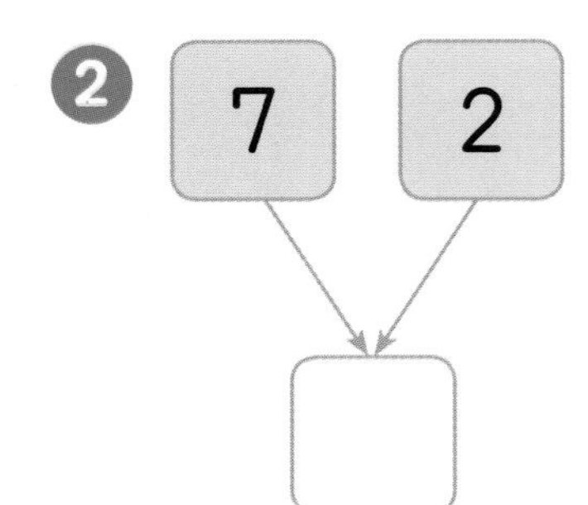

❸
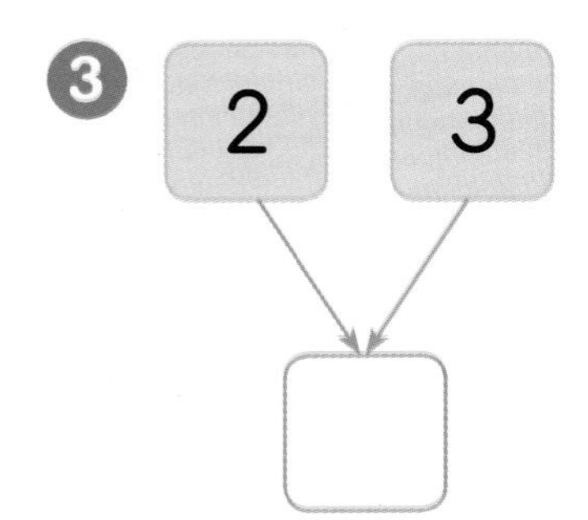

❹
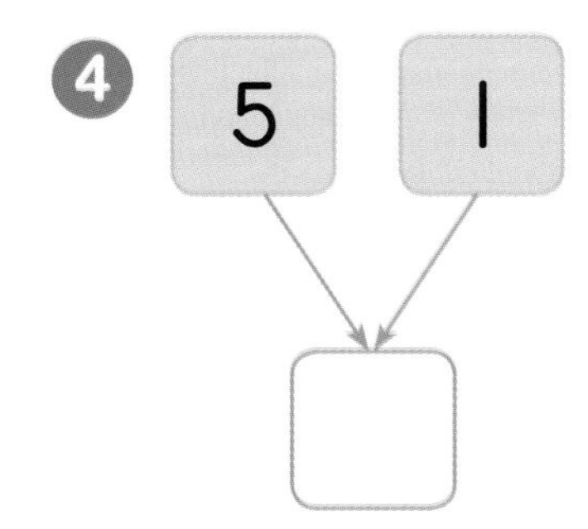

❺
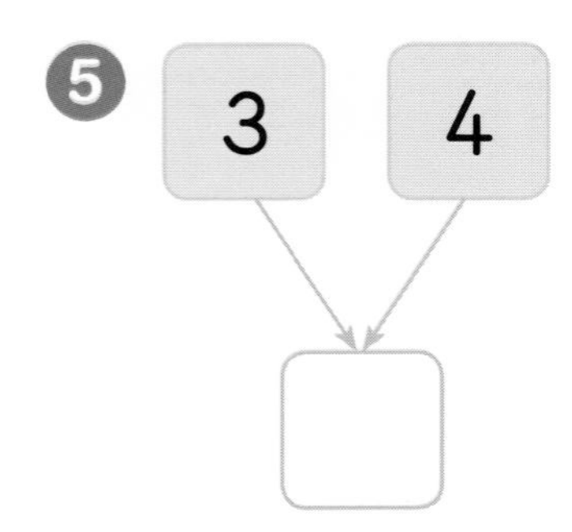

❻
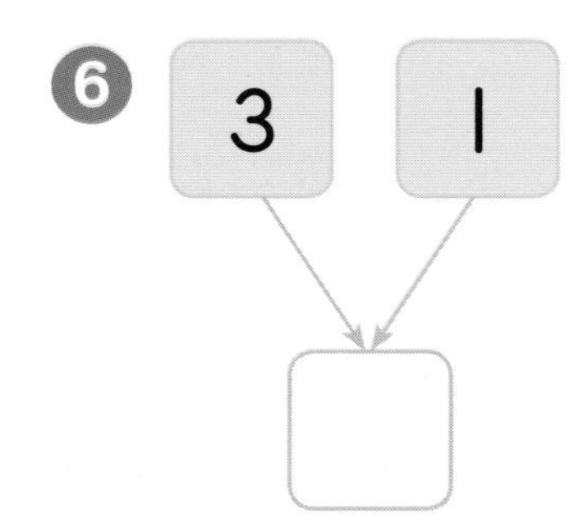

❼
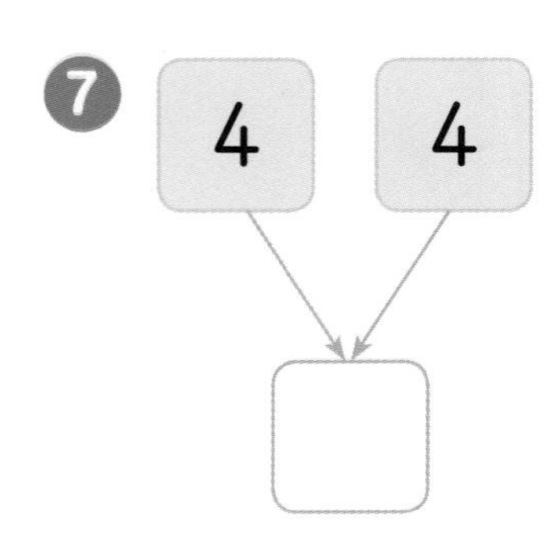

❽
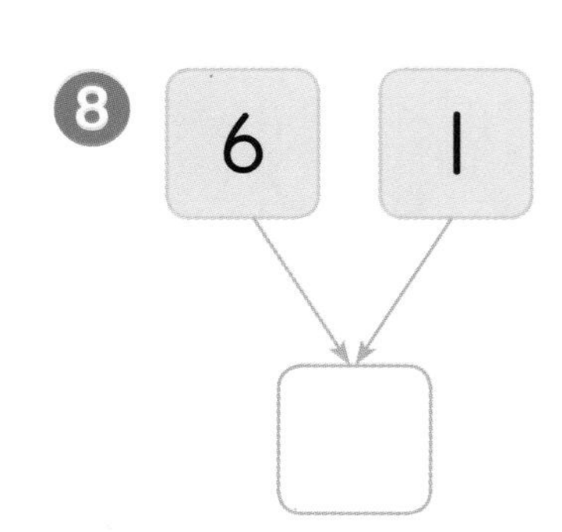

▶정답 및 풀이 10쪽

맞은 개수 / 20개

제한 시간 5분

덧셈을 하세요.

⑨ $3+2=\square$

⑩ $1+4=\square$

⑪ $6+2=\square$

⑫ $2+1=\square$

⑬ $4+2=\square$

⑭ $3+5=\square$

⑮ $7+1=\square$

⑯ $4+5=\square$

⑰ $3+3=\square$

⑱ $4+3=\square$

⑲ $8+1=\square$

⑳ $6+3=\square$

제한 시간 안에 정확하게
모두 풀었다면 여러분은 진정한 **계산왕!**

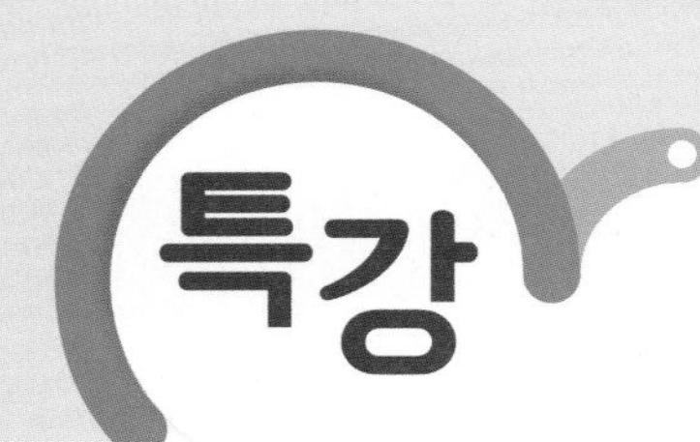

특강 창의·융합·코딩

바나나를 가장 많이 먹은 사람은?

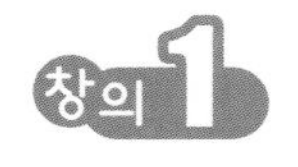

창의 1 희재네 집에 유민이와 현수가 놀러 왔어요.

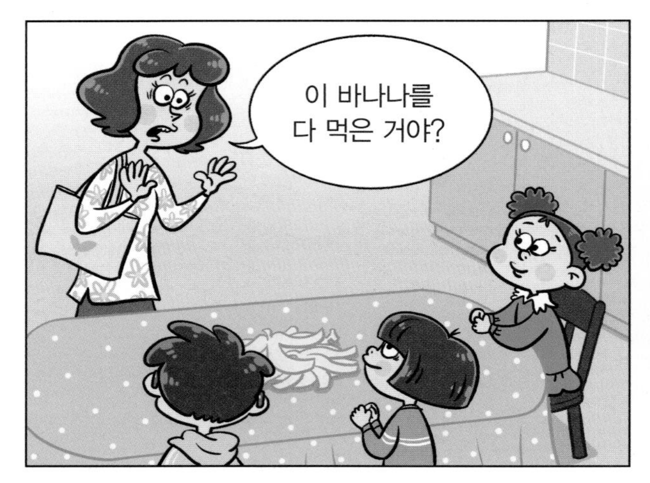

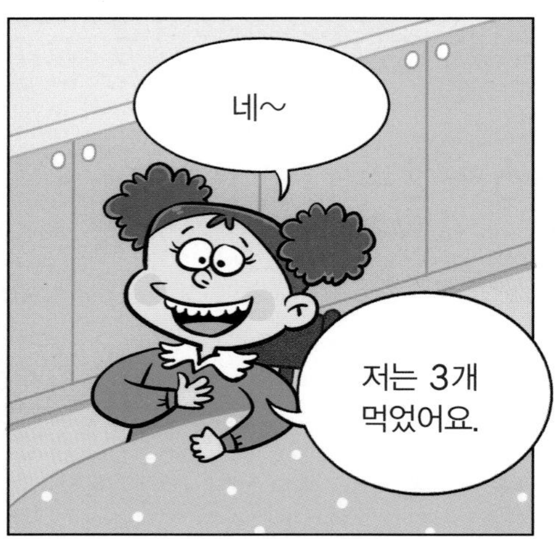

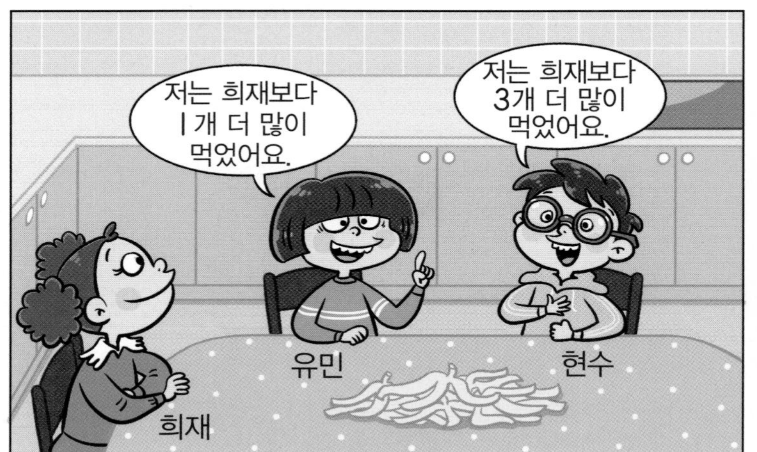

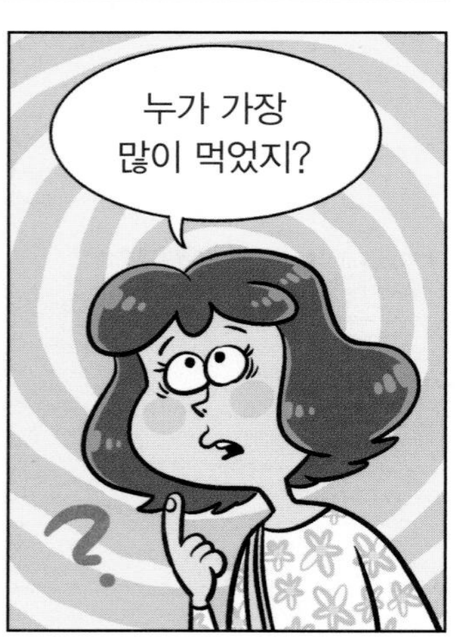

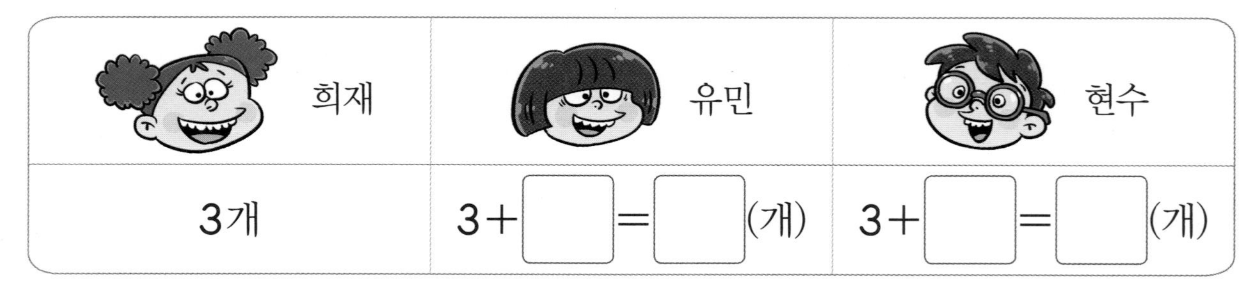

희재	유민	현수
3개	3+□=□(개)	3+□=□(개)

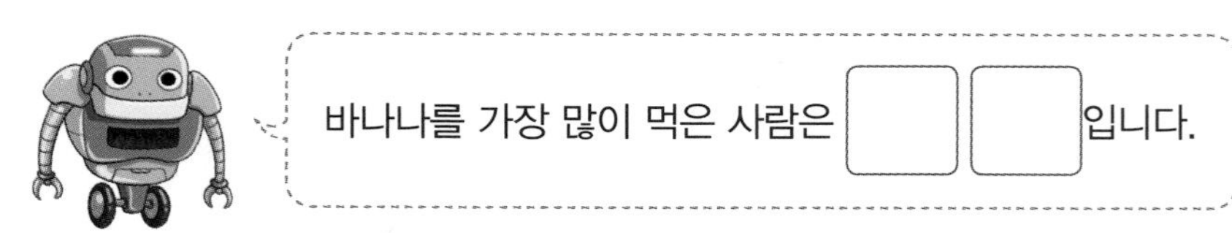

바나나를 가장 많이 먹은 사람은 □□입니다.

▶정답 및 풀이 10쪽

승아가 먹은 샌드위치는 모두 몇 개?

창의 2 재호, 승아, 유현이가 샌드위치를 사러 갔어요.

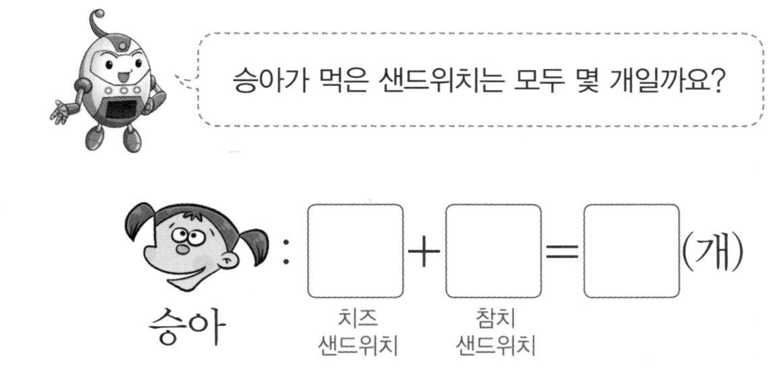

특강 창의·융합·코딩

 각각의 수를 세어 쓰고 덧셈을 하세요.

(고래) + (물고기) = [1] + [ ] = [ ]

(오징어) + (조개) = [ ] + [ ] = [ ]

(조개) + (새우) = [ ] + [ ] = [ ]

▶정답 및 풀이 10쪽

창의 4 빈칸에 알맞은 수를 써넣어 덧셈식을 완성해 보세요.

1	+	3	=	
+	◆◆◆◆	+	♣♣♣	+
2	+	2	=	
=	♠	=	♥♥	=
3	+		=	

1+2=3과 같이
덧셈식을 완성해요.

창의 · 융합 · 코딩

창의 5 그림에 알맞은 덧셈식을 찾아 ○표 하세요.

2+3=5	5+3=8	4+3=7

창의 6 바르게 계산한 길을 따라 선을 그어 보세요.

(1)

6 더하기 3

6+2

6+3

9

(2)

7 더하기 2

7+2

7+1

9

▶정답 및 풀이 10쪽

왼쪽의 명령에 따라 토끼가 지나간 길을 그리고, 지나간 길에 있는 당근은 모두 몇 개인지 구하세요.

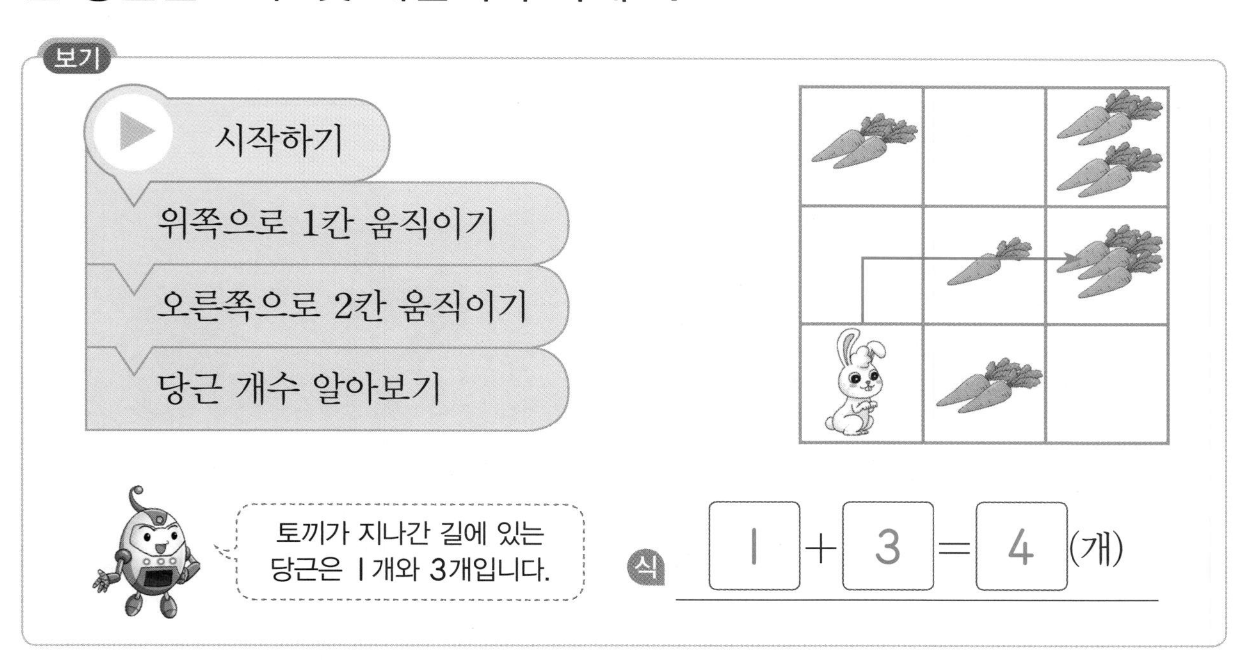

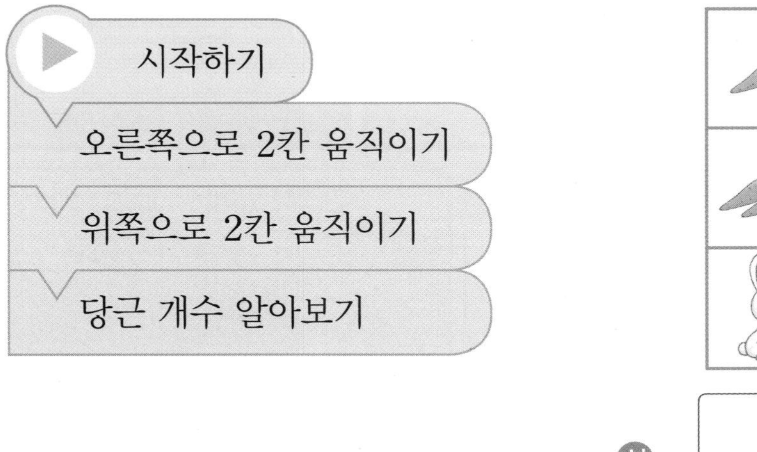

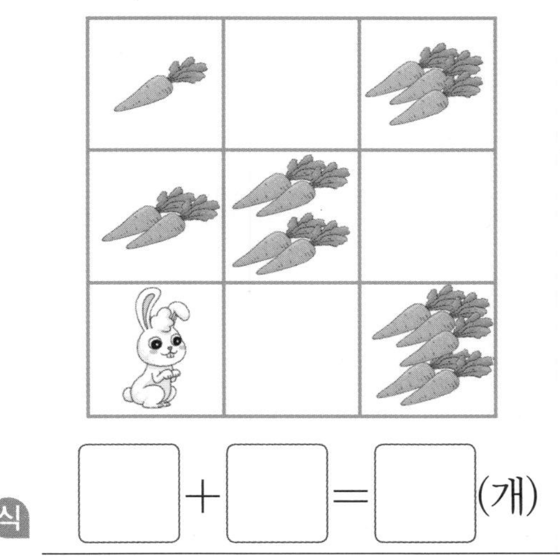

식 □ + □ = □ (개)

2주 특강

9까지 수의 뺄셈

불쌍한 동물을 보면
도와줘야 해.
나도 알아.
총
총
총

그런데
어떻게 도와주지?
오빤 그것도 몰라?

고양이 목에 방울이 있으니까
주인이 있다는 거지!
그 안경은
뭐야!!
냥~
딸랑

힘드니까
조금만 쉬자.
털썩

다리도 아프고
배도 고파.
잠깐만.
꼬르륵
주섬
주섬

간식이 있어!
와~ 쿠키잖아!
짠~

3주에 배울 내용을 알아볼까요? ①

1일 가르기 2일 뺄셈 알아보기 3일 그림 보고 뺄셈하기
4일 지우고 뺄셈하기 5일 거꾸로 세어 뺄셈하기

3주에 배울 내용을 알아볼까요? ②

헨젤이 가지고 있는 귤이 몇 개 더 많은지 알아봐요.

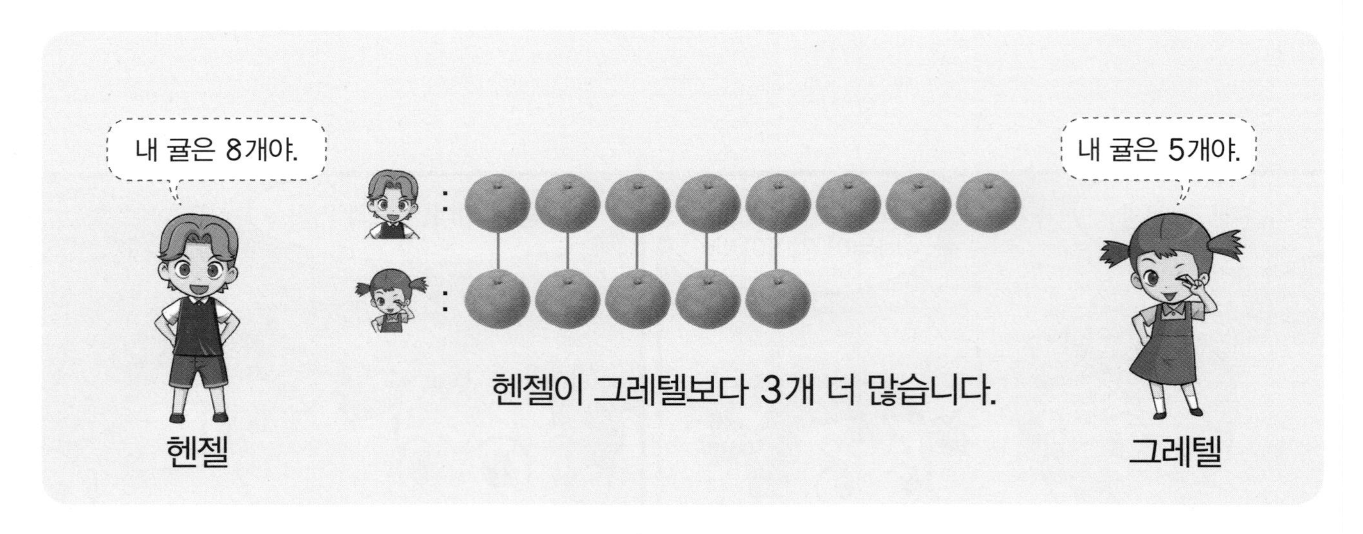

내 귤은 8개야.
내 귤은 5개야.
:
:
헨젤이 그레텔보다 3개 더 많습니다.
헨젤
그레텔

사과는 감보다 몇 개 더 많을까요?

1

☐개

2

☐개

3

☐개

먹고 남은 딸기 수를 알아봐요.

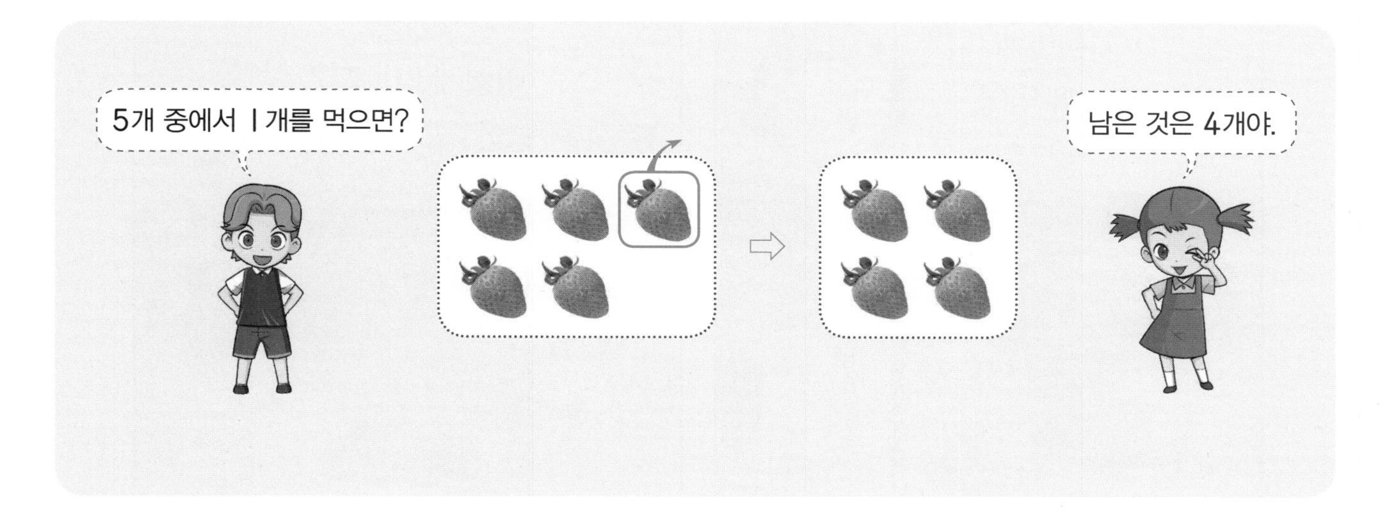

남은 것은 몇 개일까요?

4

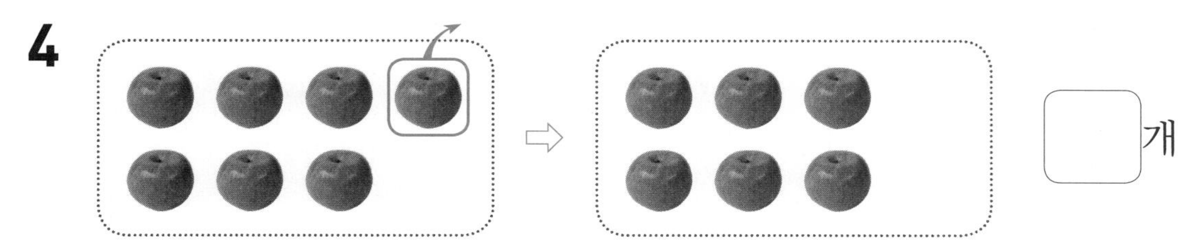

☐개

5

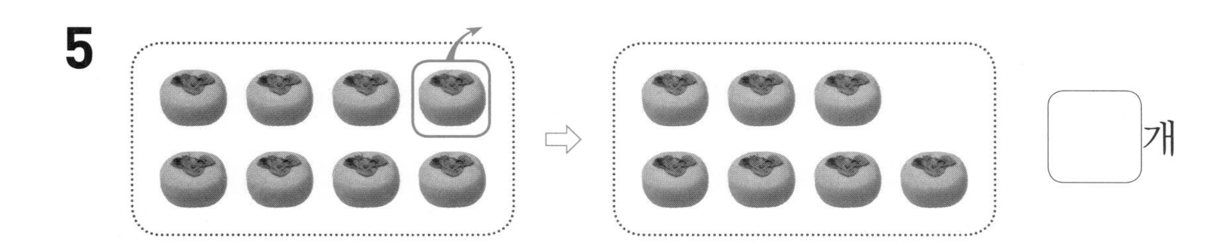

☐개

6

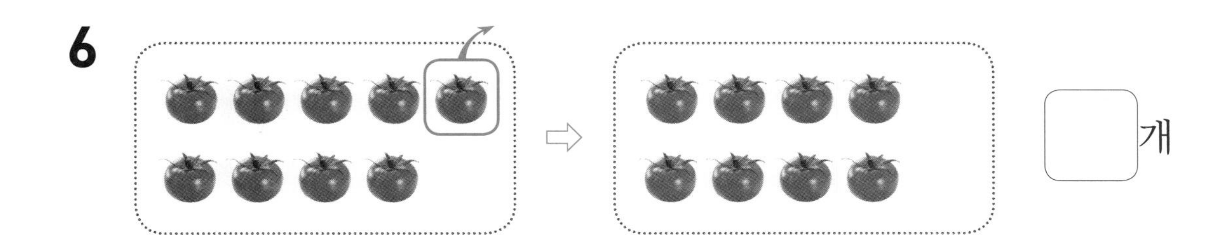

☐개

가르기

똑똑한 하루 계산법

• 가르기

7

4　3

7은 4와 3으로
가를 수 있어요.

▶정답 및 풀이 11쪽

제한 시간 1분

수를 가르기 해서 ☐ 안에 알맞은 수를 쓰세요.

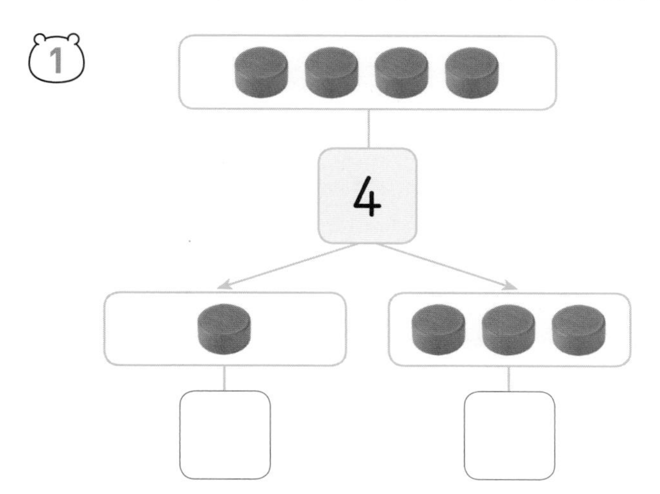

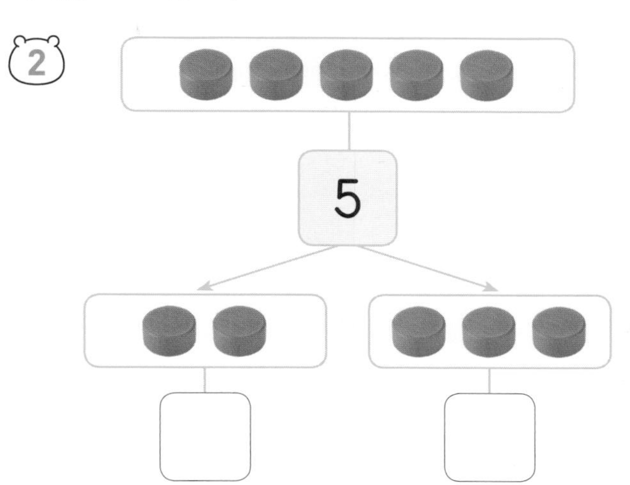

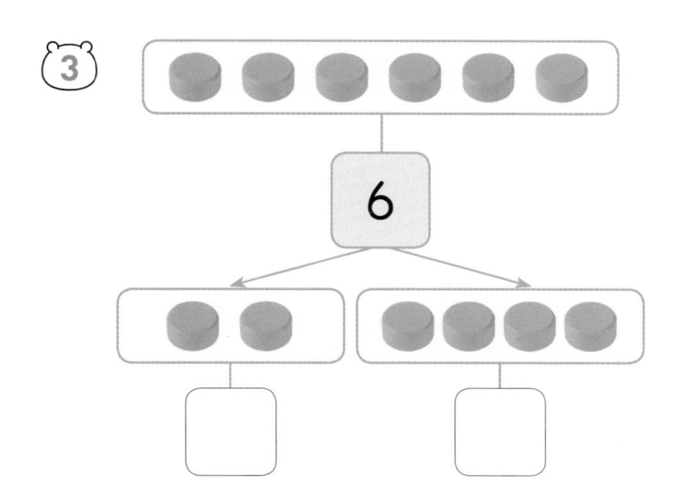

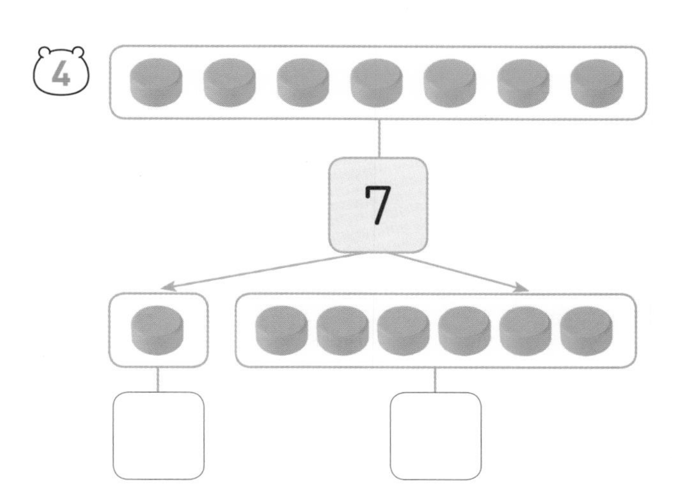

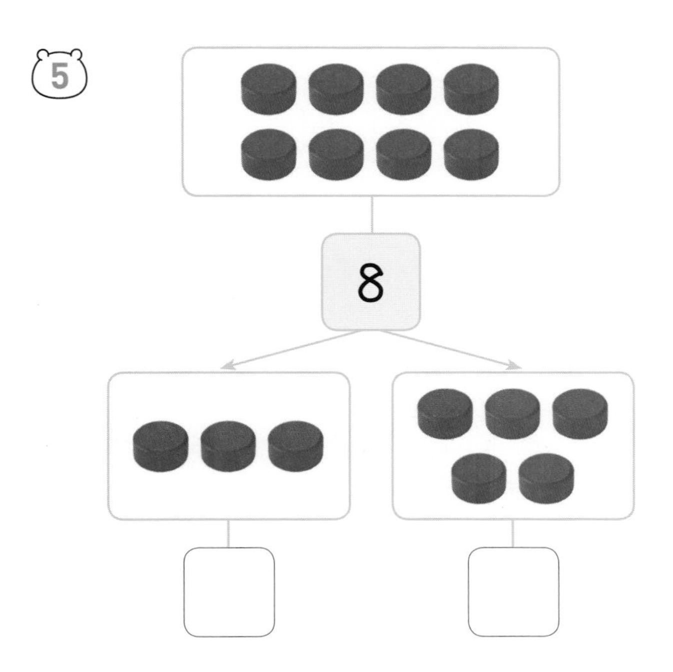

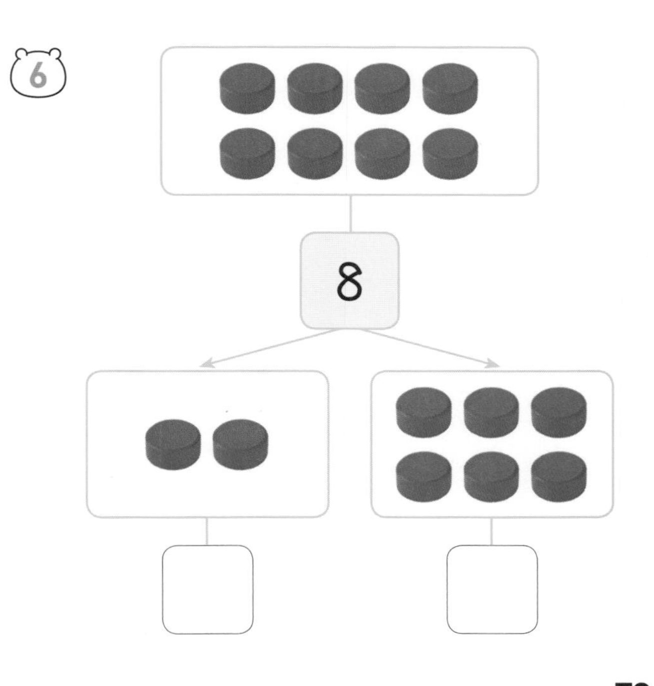

기초 집중 연습

수를 가르기 해서 빈칸에 알맞은 수를 쓰세요.

1

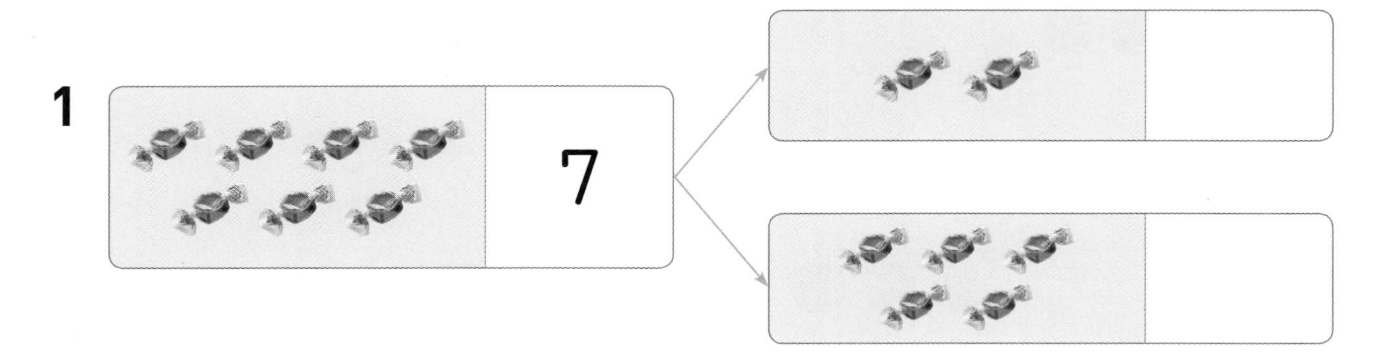

2

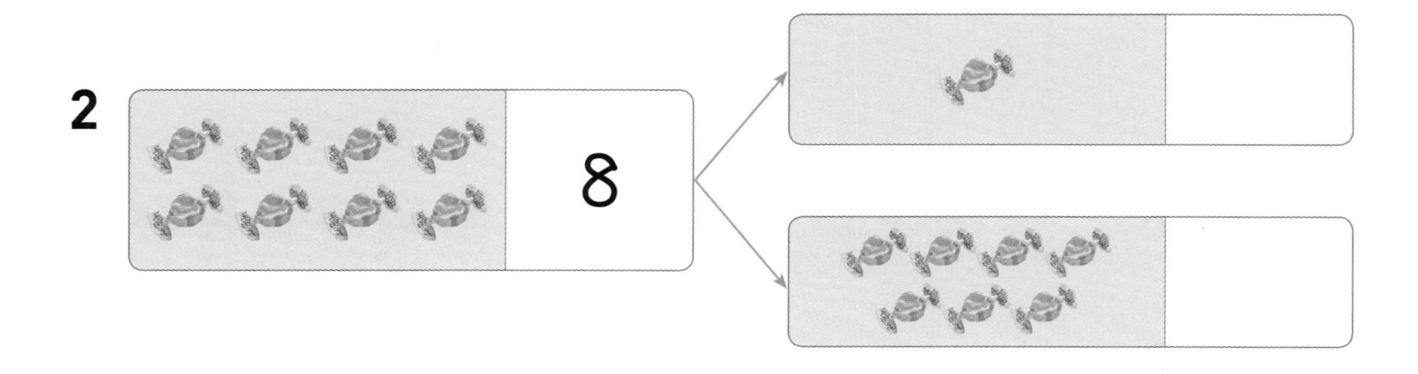

3

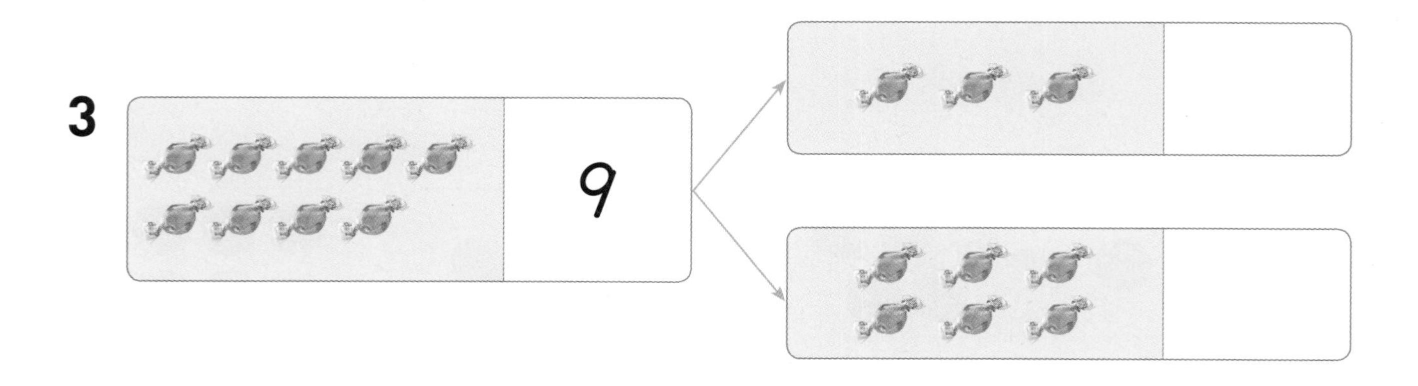

▶정답 및 풀이 11쪽

제한 시간 2분

생활 속 문제

그림을 보고 ☐ 안에 알맞은 수를 쓰세요.

4

8개

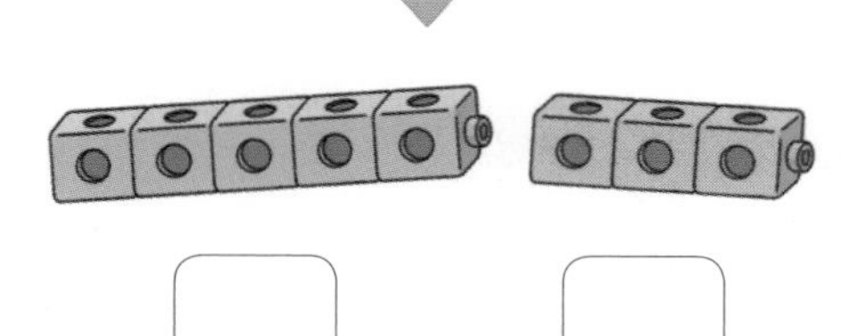

5

7개

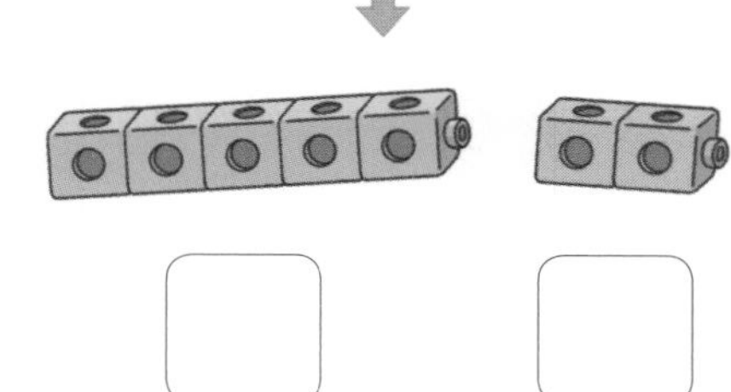

6

6개

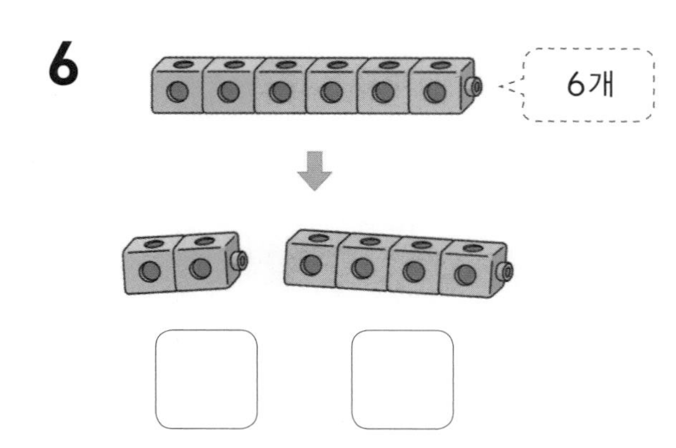

7

7개

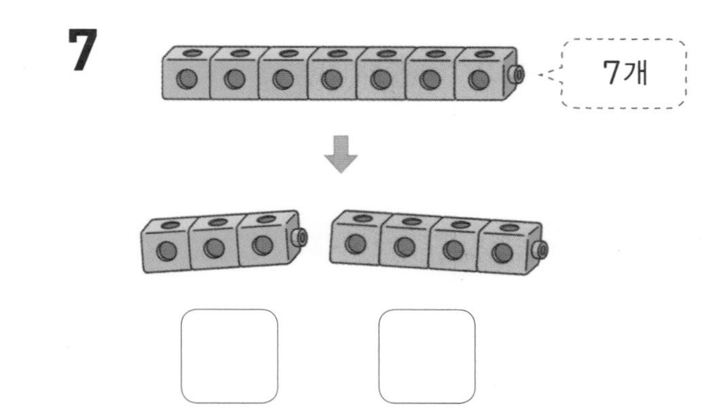

8

8개

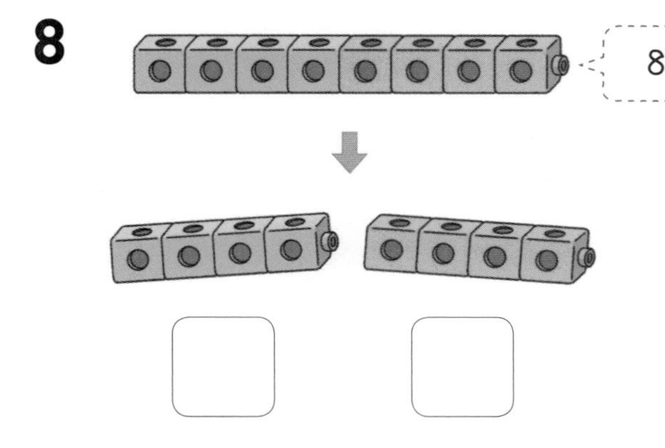

9

9개

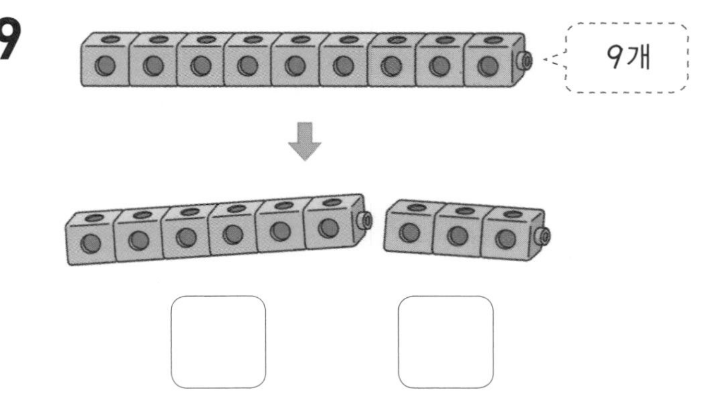

3주 1일

뺄셈 알아보기

똑똑한 하루 계산법

• 3－1 알아보기

$$3-1=2$$

3 빼기 1은 2와 같습니다.

▶정답 및 풀이 11쪽

제한 시간 1분

빼기로 나타내어 보세요.

1 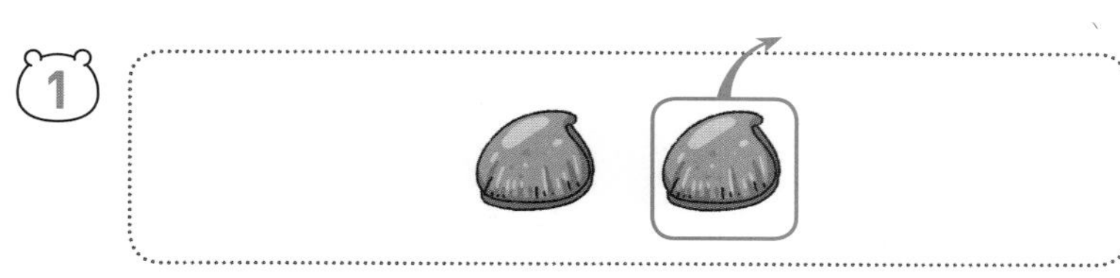

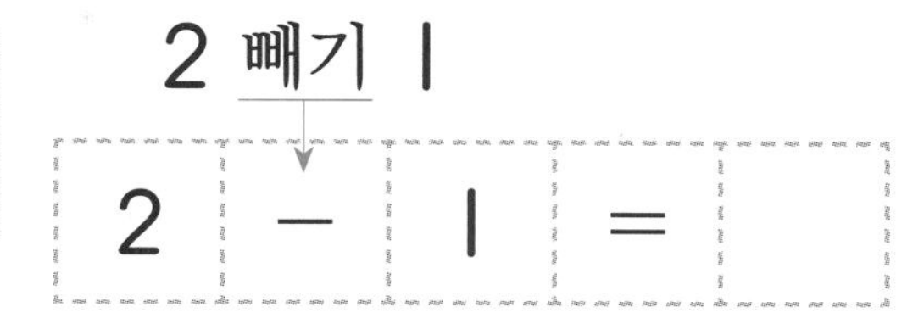

2 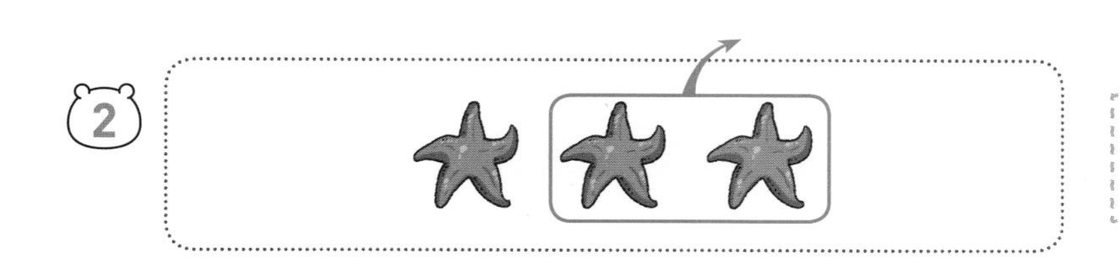

3 

4 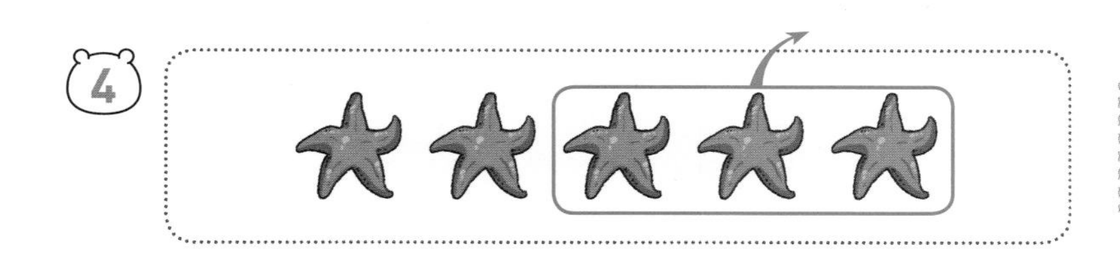

5 

6 

2일

기초 집중 연습

빨셈을 하세요.

1

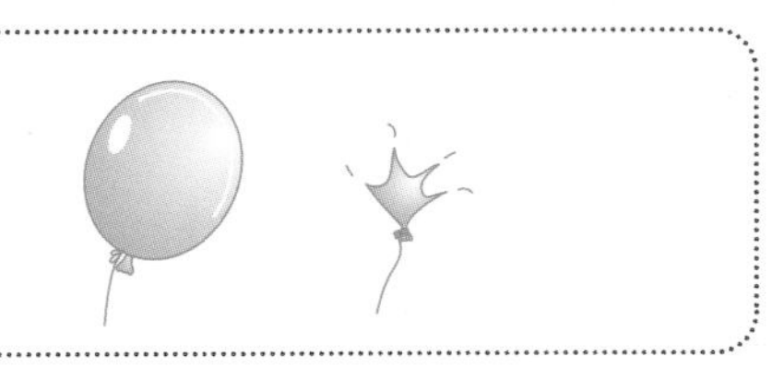

$2-1=\square$

2

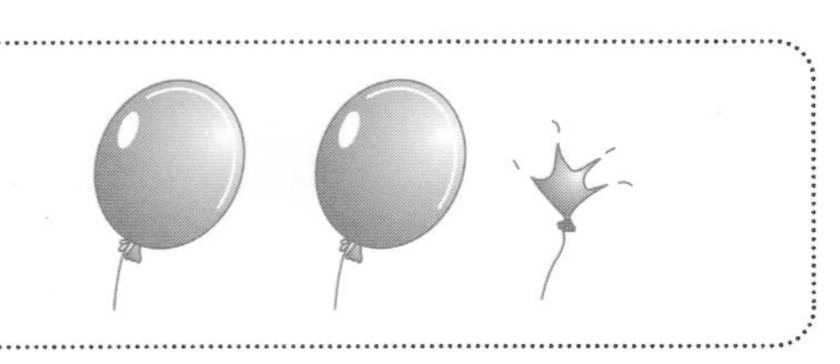

$3-1=\square$

3

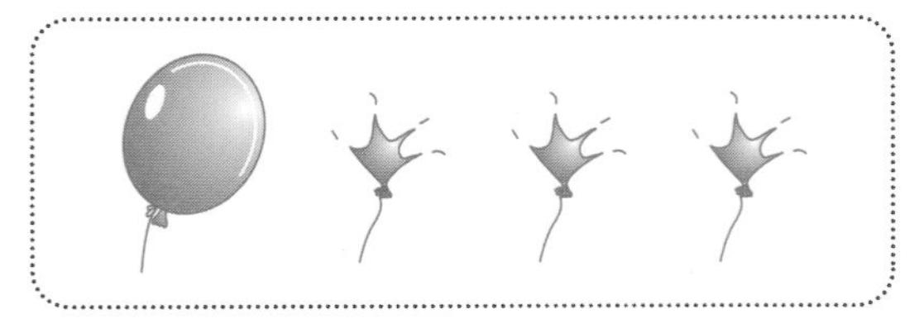

$4-3=\square$

4

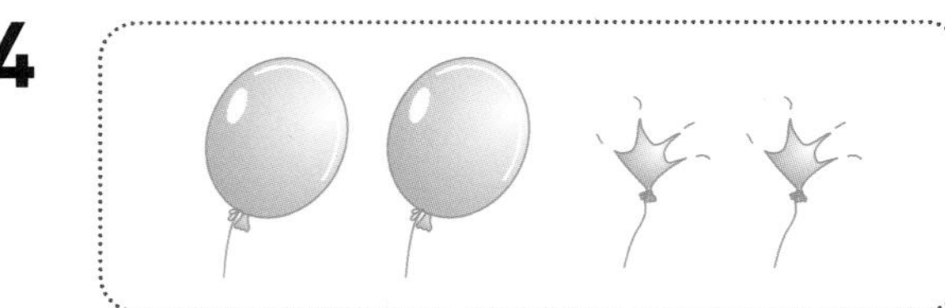

$4-2=\square$

5

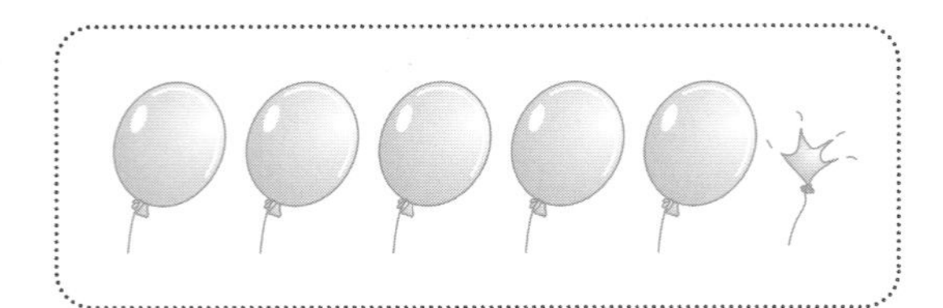

$6-1=\square$

6

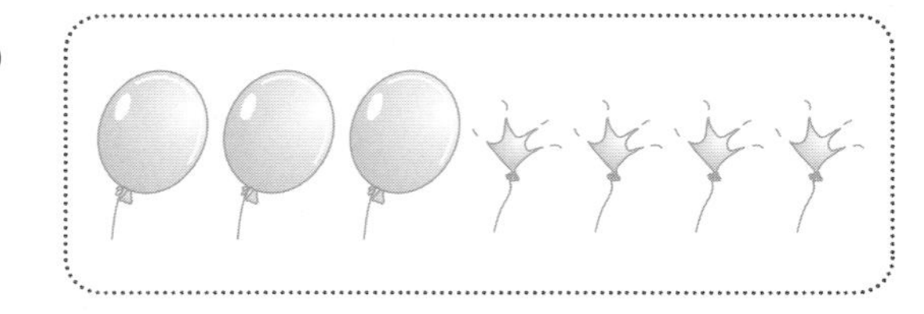

$7-4=\square$

7

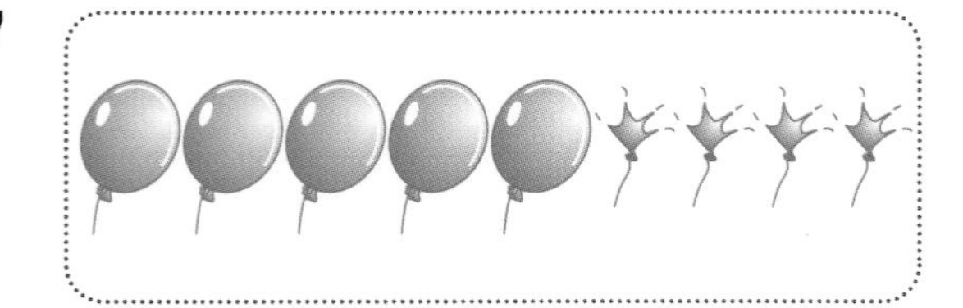

$9-4=\square$

8

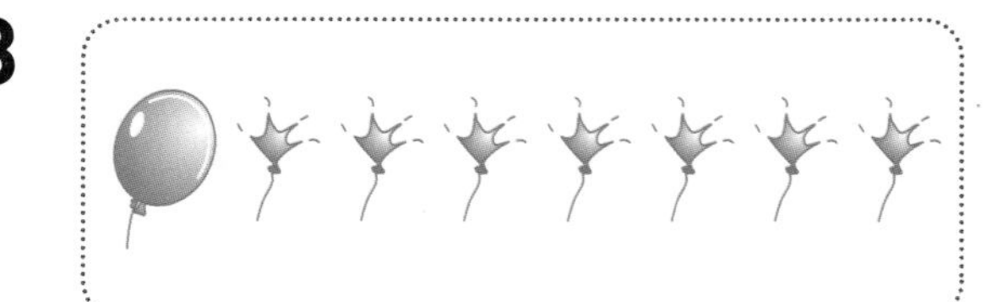

$8-7=\square$

▶정답 및 풀이 12쪽

제한 시간 2분

생활 속 문제

그림에 알맞은 뺄셈식을 찾아 ○표 하세요.

9

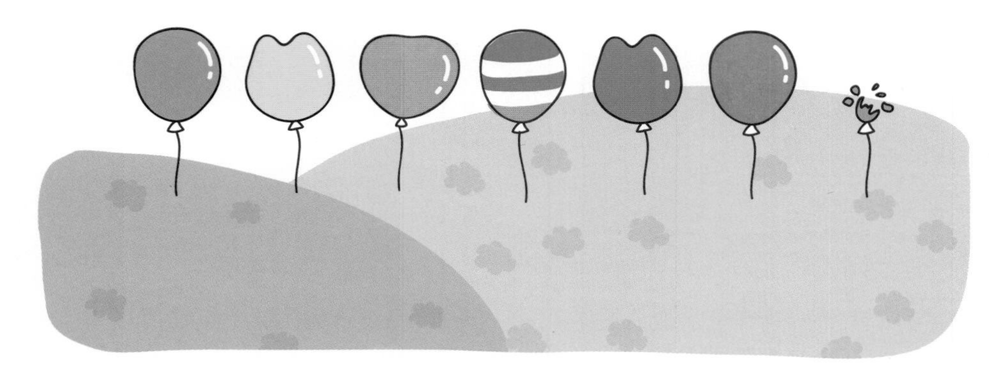

5－1＝4	8－1＝7	7－1＝6

10

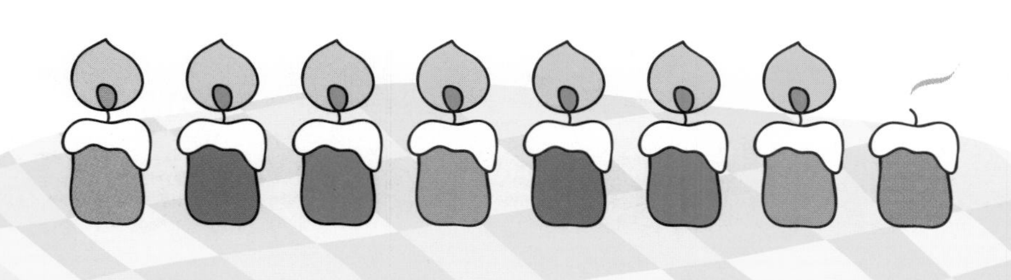

6－1＝5	8－1＝7	5－1＝4

11

5－2＝3	6－2＝4	7－2＝5

그림 보고 뺄셈하기

똑똑한 하루 계산법

• 그림을 보고 6－3 알아보기

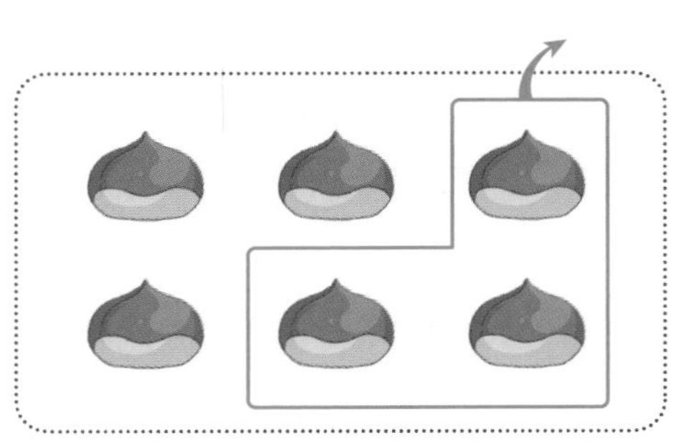

$6-3=3$

6 빼기 3은 3과 같습니다.

▶정답 및 풀이 12쪽

똑똑한 계산 연습

제한 시간 1분

그림을 보고 뺄셈을 하세요.

1

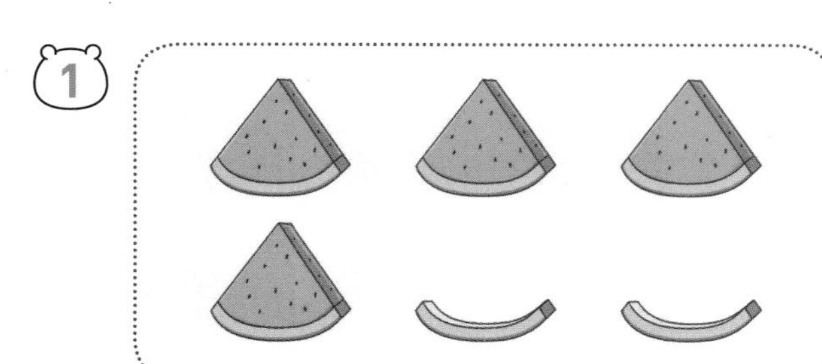

$6-2=\square$

2

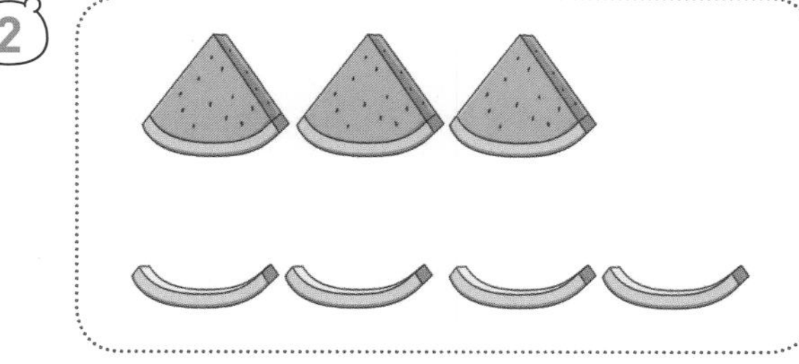

$7-4=\square$

3

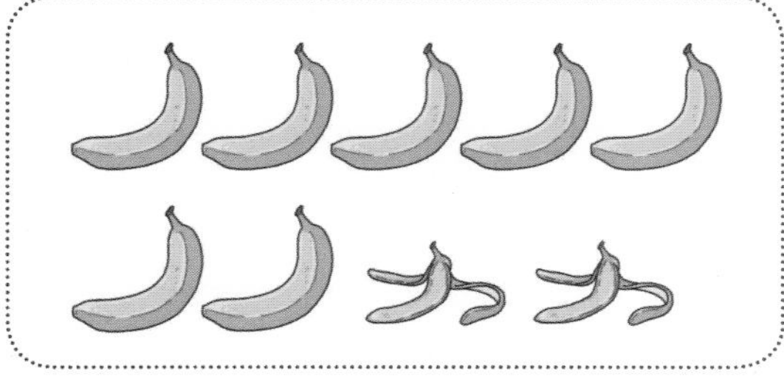

$9-2=\square$

4

$8-6=\square$

5

$7-2=\square$

6

$6-1=\square$

3일 기초 집중 연습

그림을 보고 뺄셈을 하세요.

1

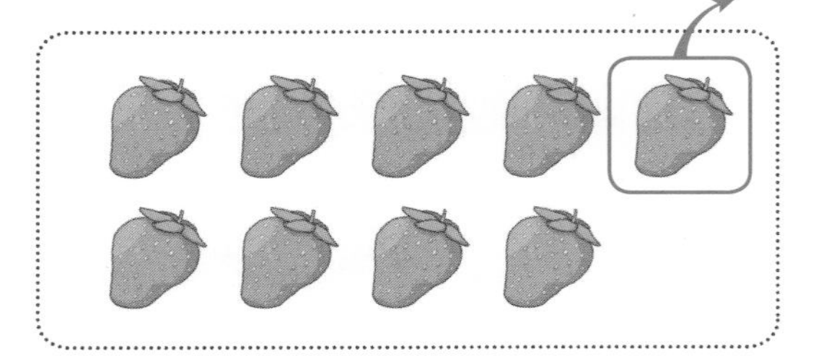

$9-1=\square$

2

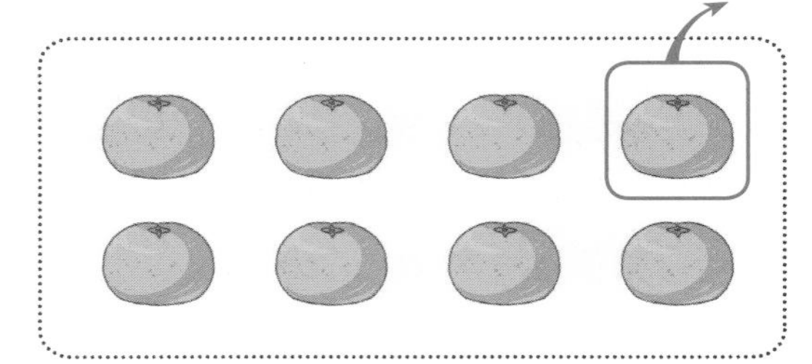

$8-1=\square$

3

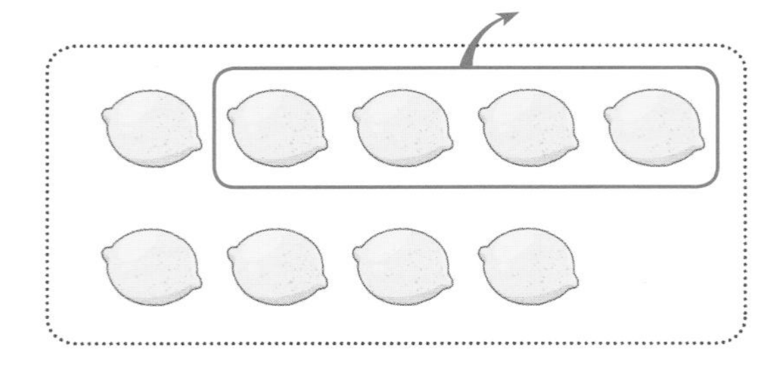

$9-4=\square$

4

$9-5=\square$

5

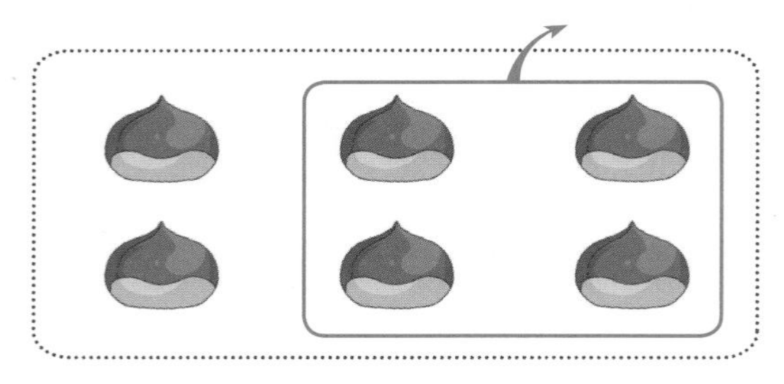

$6-4=\square$

6

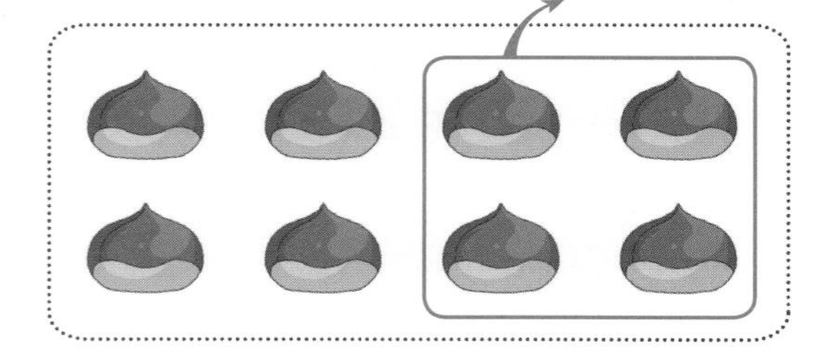

$8-4=\square$

7

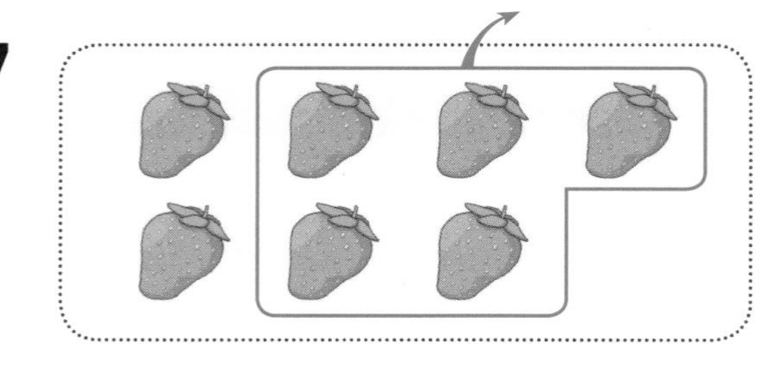

$7-5=\square$

8

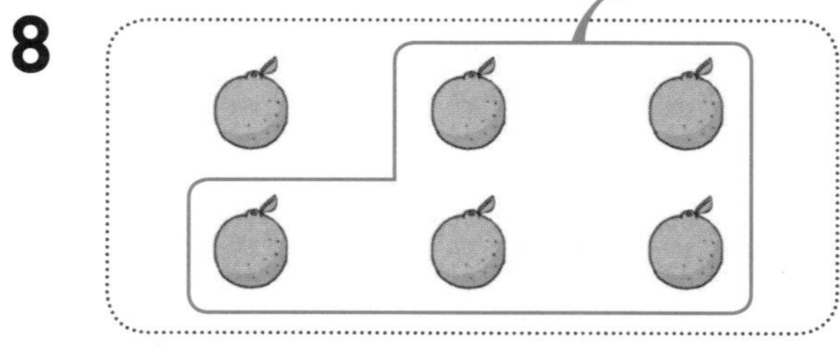

$6-5=\square$

제한 시간 2분

생활 속 문제

남은 자동차의 수를 뺄셈으로 알아보세요.

9

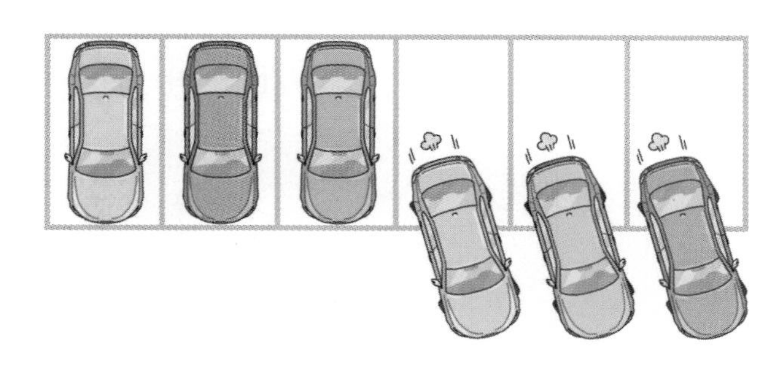

$6-3=$ □

10

$8-3=$ □

11

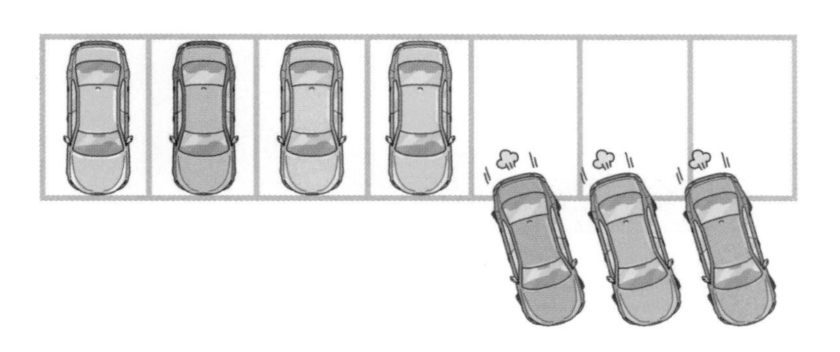

$7-3=$ □

12

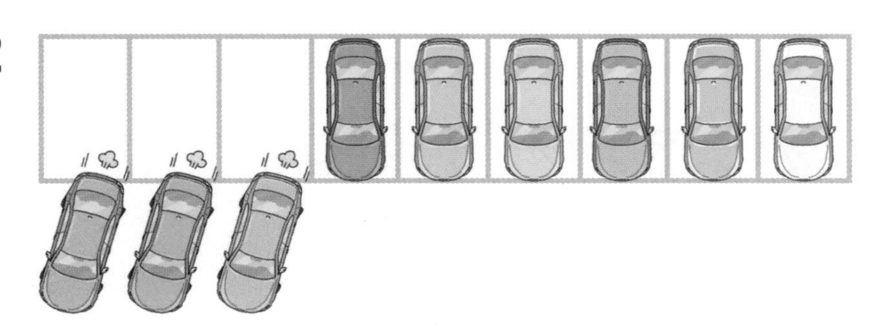

$9-3=$ □

지우고 뺄셈하기

똑똑한 하루 계산법

• /으로 지우고 8－5 알아보기

8－5＝3

8 빼기 5는 3과 같습니다.

똑똑한 계산 연습

▶정답 및 풀이 13쪽

제한 시간 1분

빨간색 수만큼 /으로 지우고 뺄셈을 하세요.

1 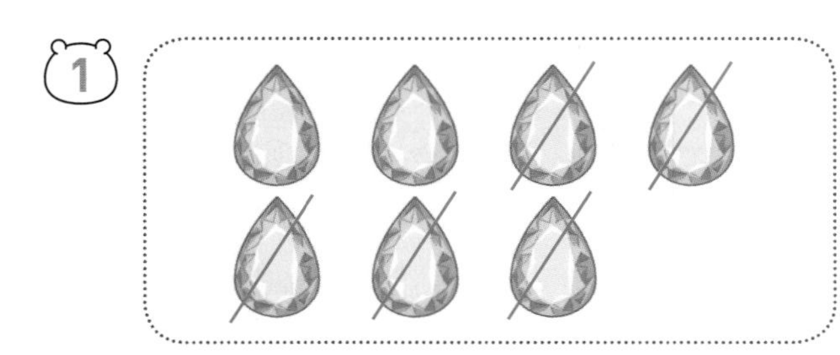

7－5＝□

2  

6－3＝□

3  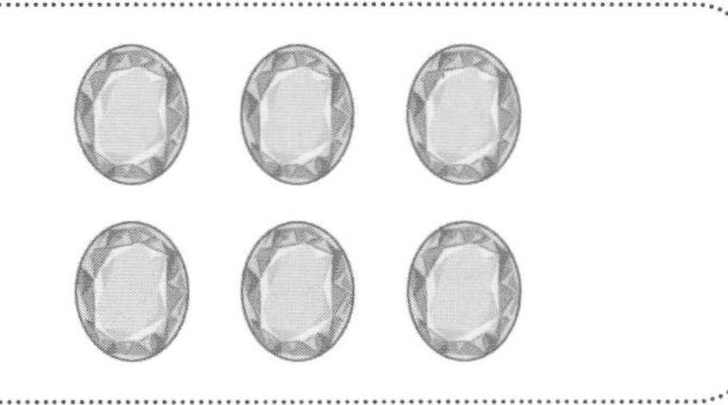

6－4＝□

4  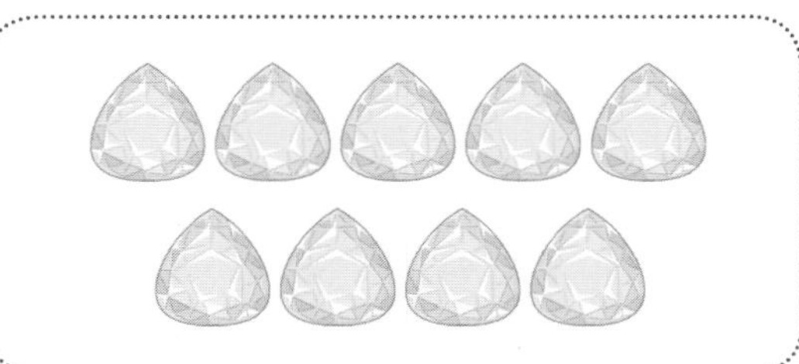

9－2＝□

5  

4－2＝□

6  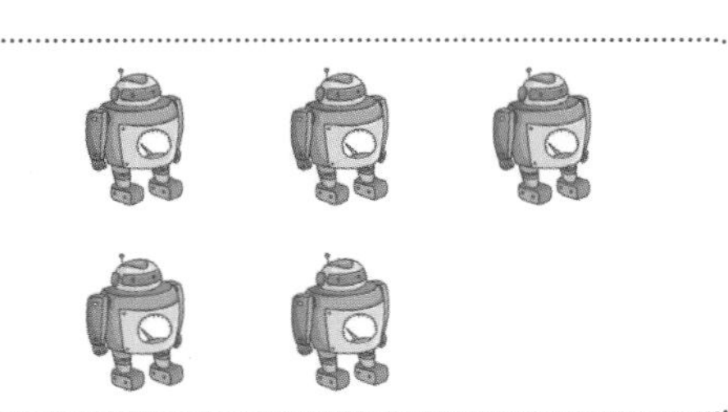

5－4＝□

7 

7－3＝□

8 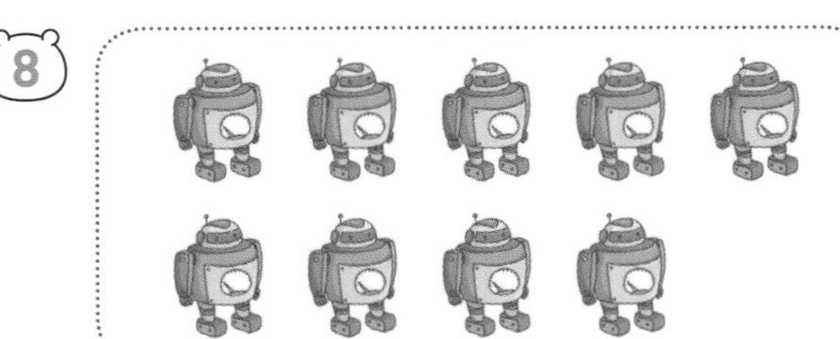

9－3＝□

기초 집중 연습

빼셈식에 알맞게 /으로 지우고 뺄셈을 하세요.

1

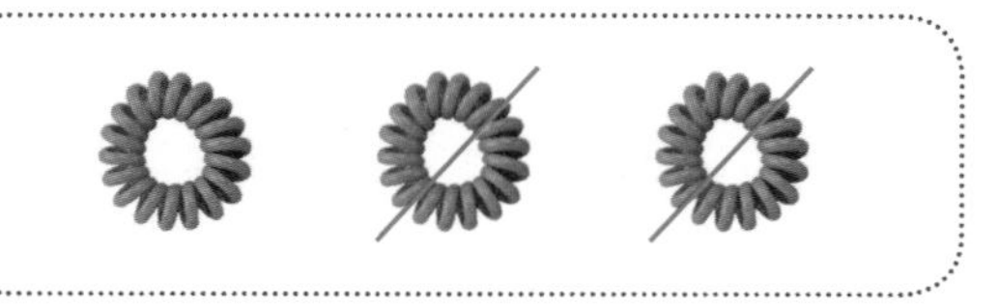

$3-2=\square$

2

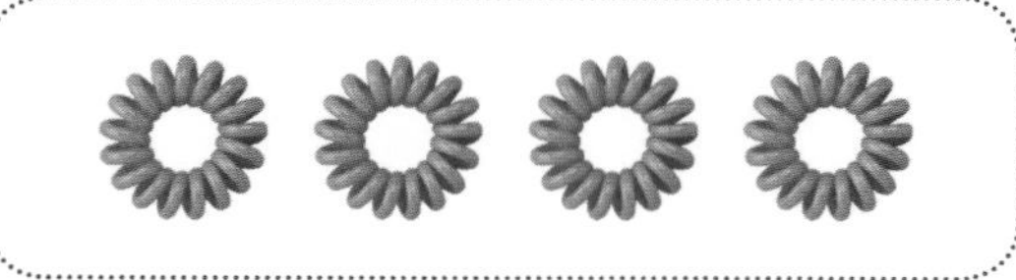

$4-3=\square$

3

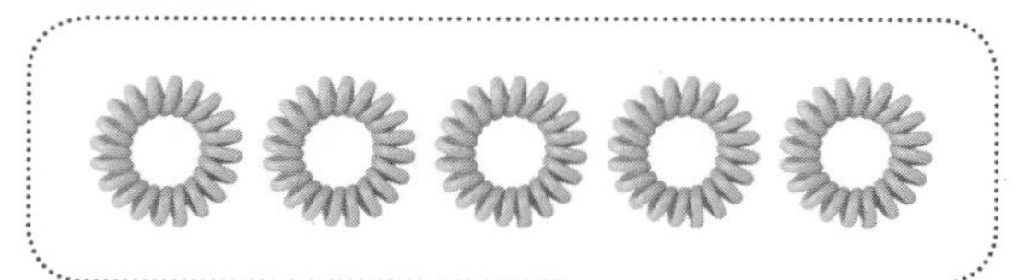

$5-2=\square$

4

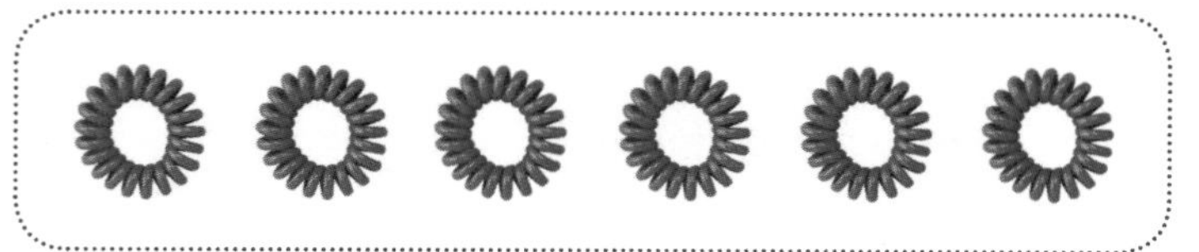

$6-3=\square$

5

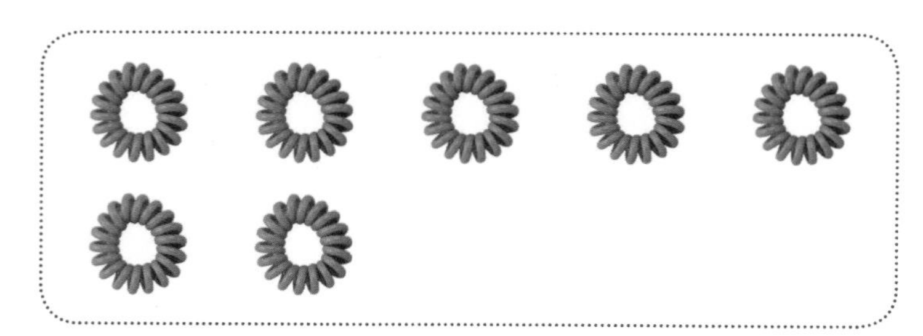

$7-3=\square$

6

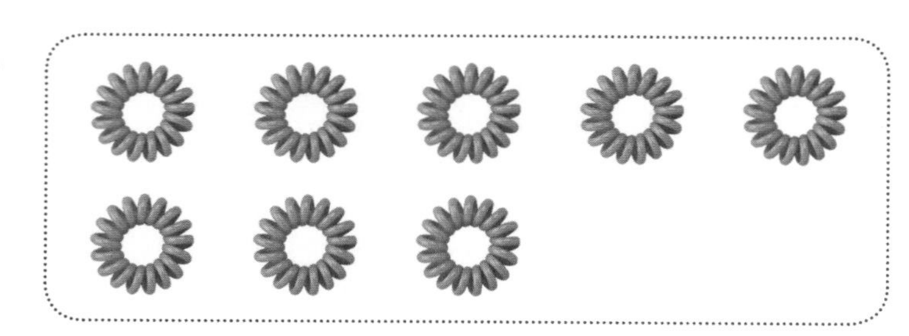

$8-2=\square$

▶정답 및 풀이 13쪽

제한 시간 2분

생활 속 문제

그림에 알맞은 뺄셈식을 찾아 ○표 하세요.

7

9－3＝6   9－4＝5   9－2＝7

8

9－2＝7   9－3＝6   9－1＝8

9

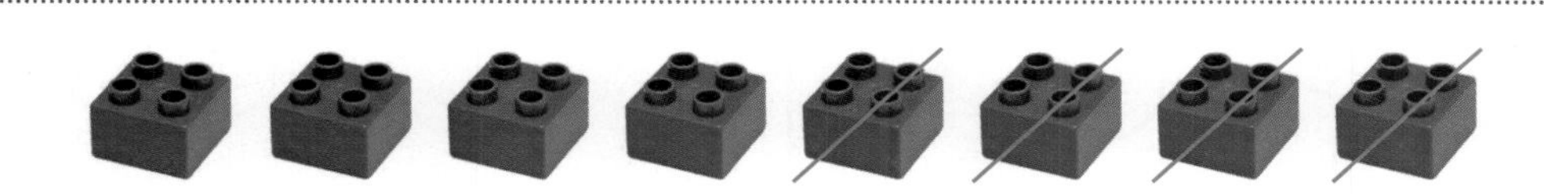

8－1＝7   8－3＝5   8－4＝4

10

8－2＝6   8－4＝4   8－5＝3

5일 거꾸로 세어 뺄셈하기

똑똑한 하루 계산법

• 거꾸로 세어 4−3 알아보기

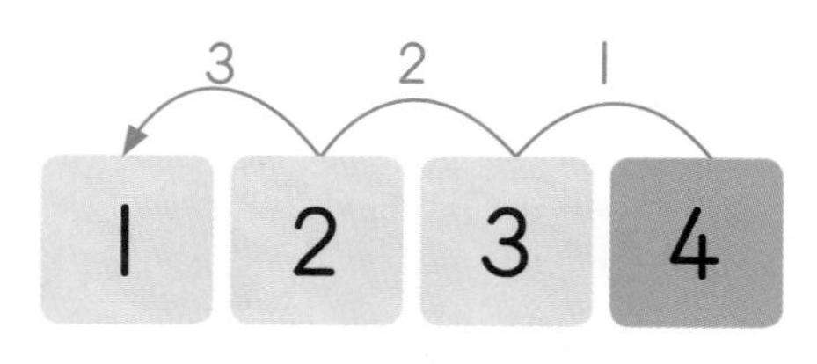

$$4-3=1$$

4에서 왼쪽으로 3칸 가면 1이 돼요.

▶정답 및 풀이 13쪽

제한 시간 2분

그림을 보고 뺄셈을 하세요.

① 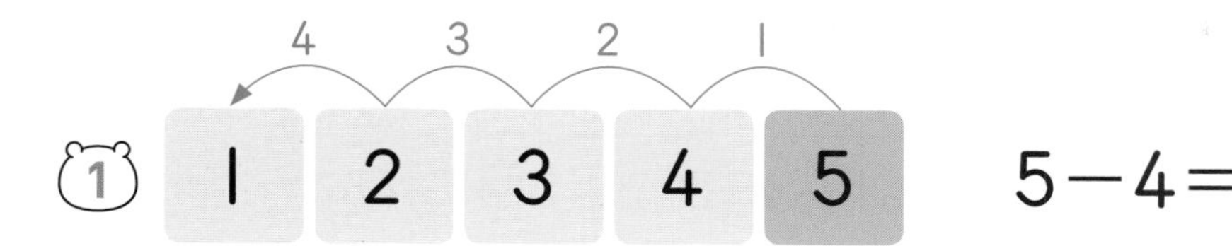

$5-4=\square$

②

2 1

2	3	4	5	6	7

$7-2=\square$

③

2 1

3	4	5	6	7	8

$8-2=\square$

④ 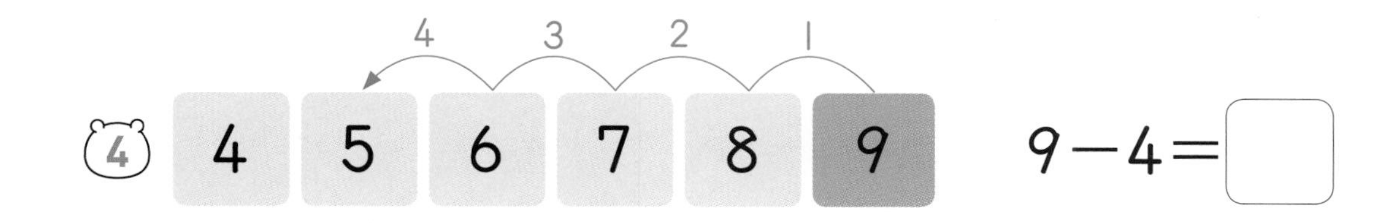

$9-4=\square$

⑤ 

$7-6=\square$

⑥ 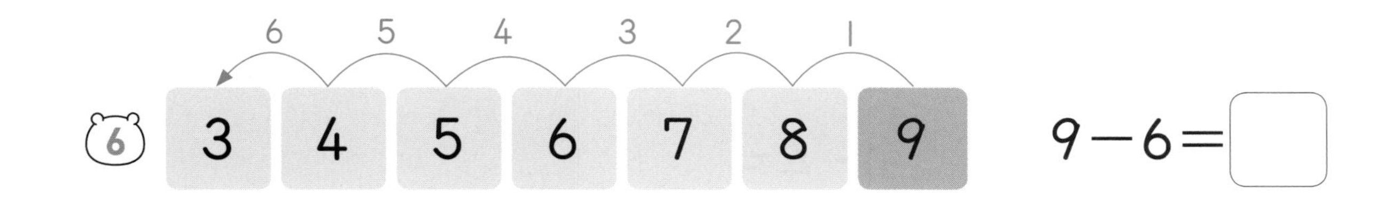

$9-6=\square$

3주 5일

5일

기초 집중 연습

그림을 보고 뺄셈을 하세요.

1

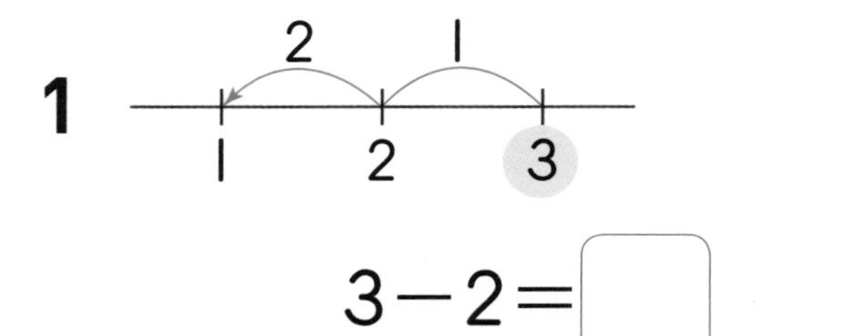

$3-2=\square$

2

3 2 1

1 2 3 4

$4-3=\square$

3

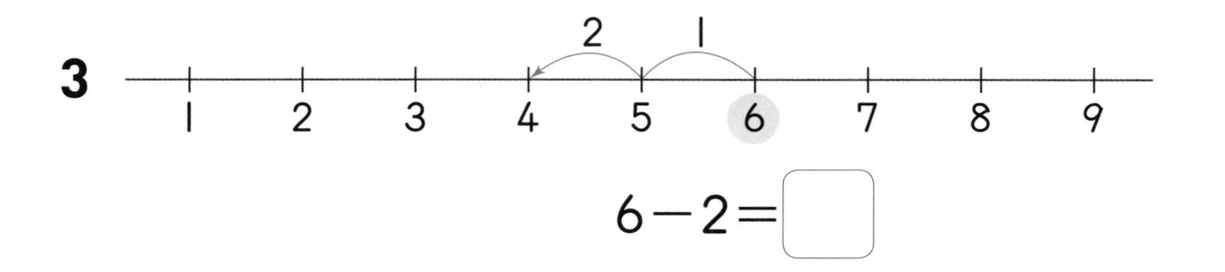

$6-2=\square$

4

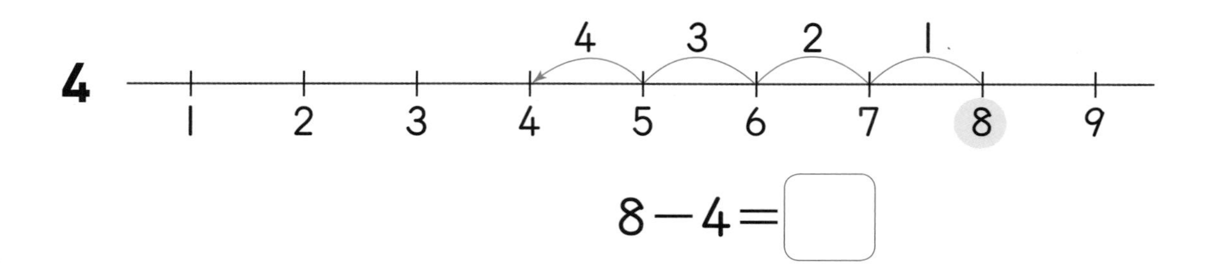

$8-4=\square$

5

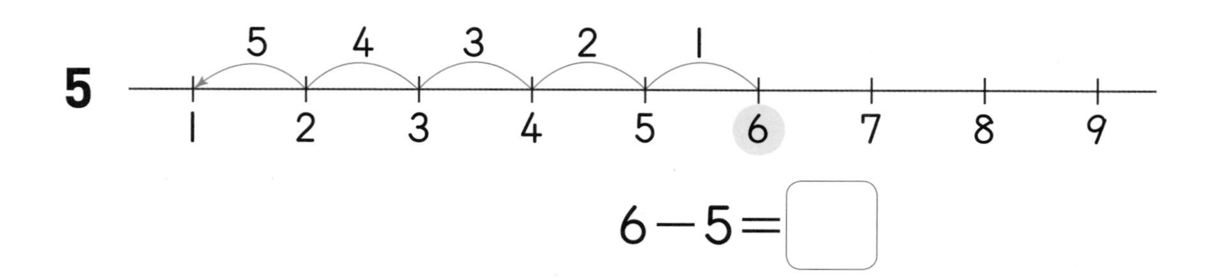

$6-5=\square$

6

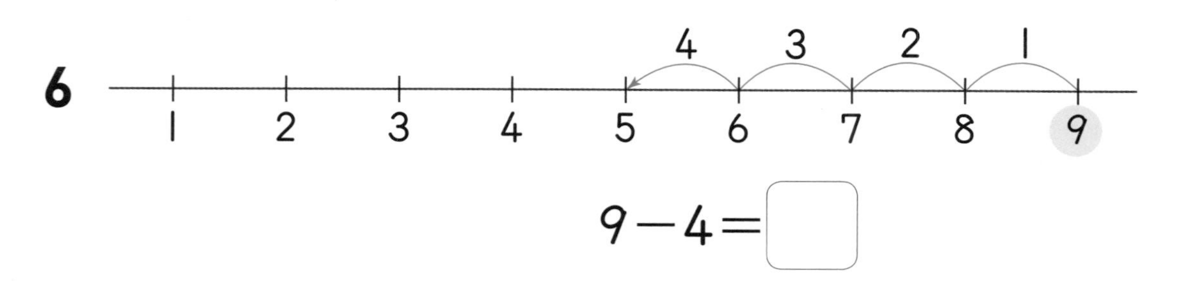

$9-4=\square$

제한 시간 3분

생활 속 문제

그림을 보고 뺄셈을 하세요.

7

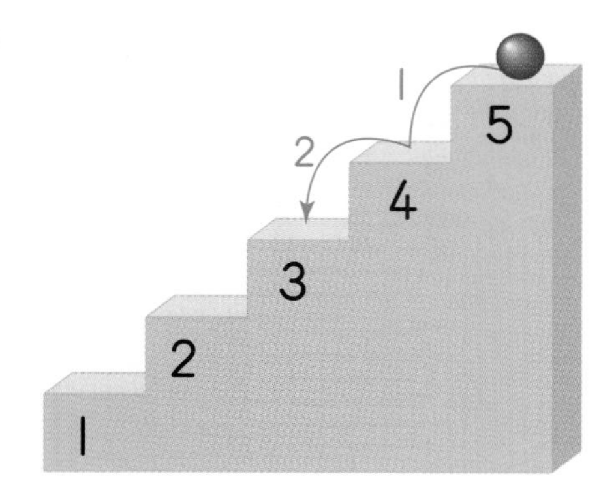

$5-2=\square$

8

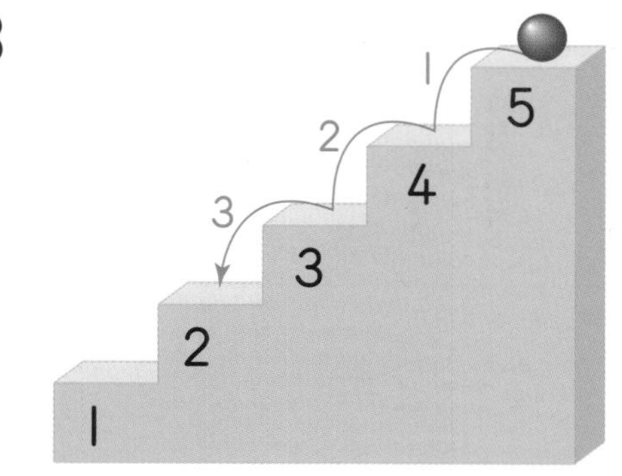

$5-3=\square$

9

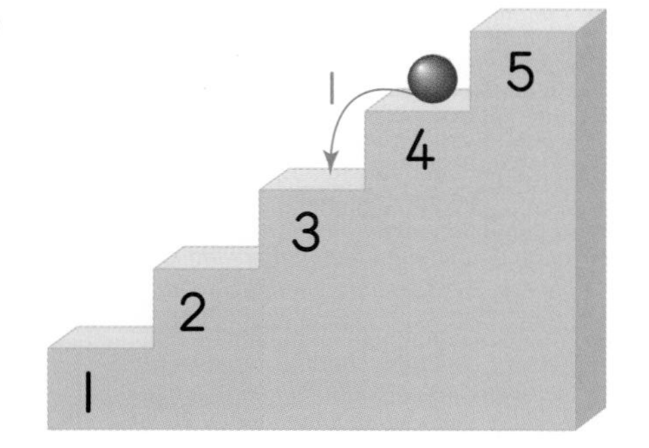

$4-1=\square$

10

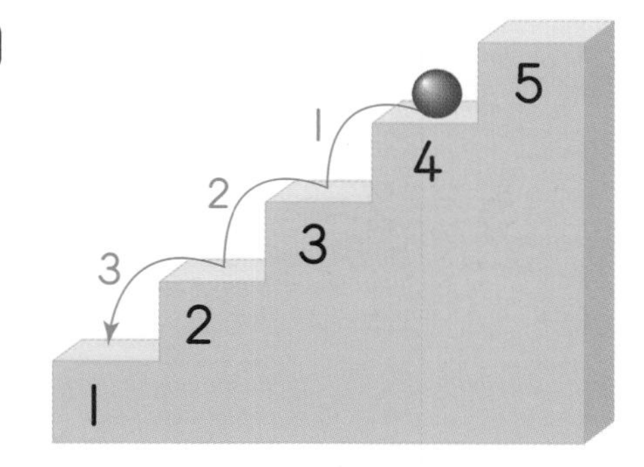

$4-3=\square$

11

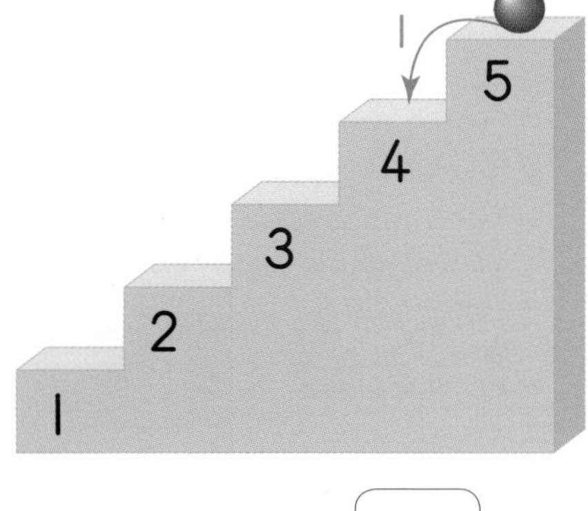

$5-1=\square$

12

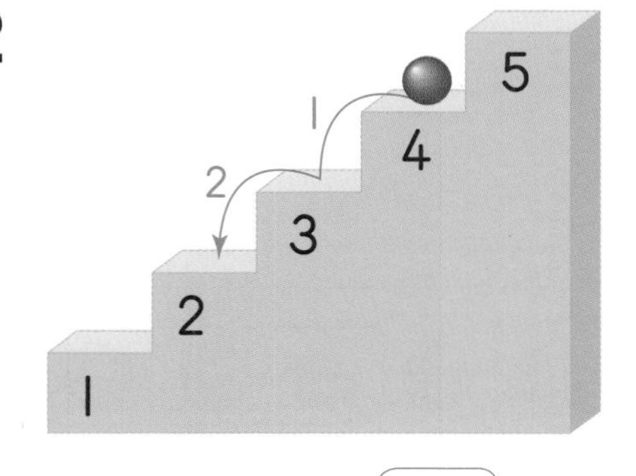

$4-2=\square$

3주 평가 누구나 100점 맞는 TEST

그림을 보고 뺄셈을 하세요.

1

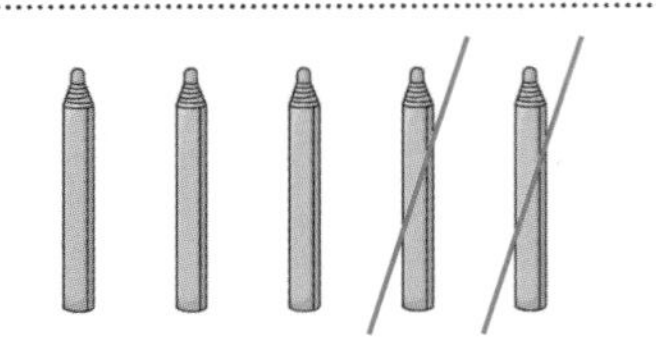

4－2＝□

2

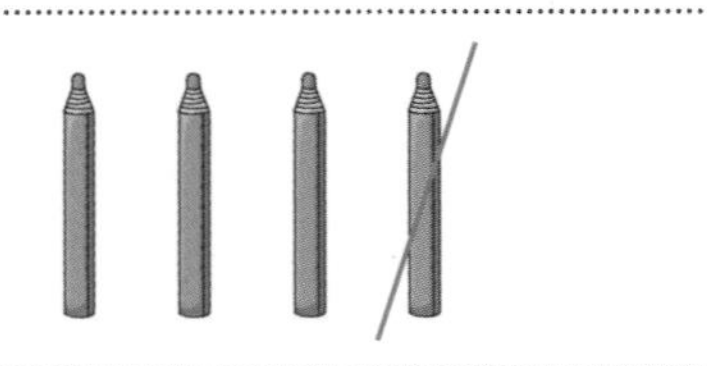

4－1＝□

3

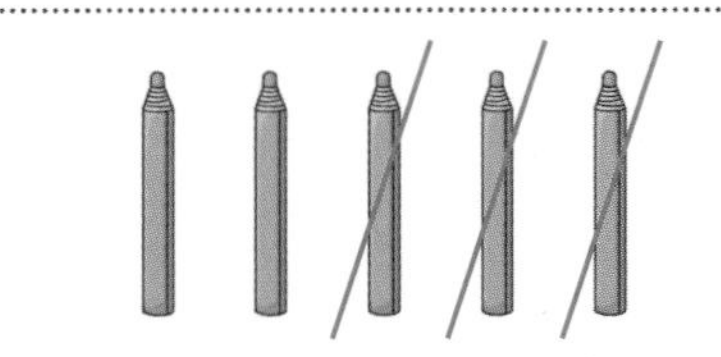

5－2＝□

4

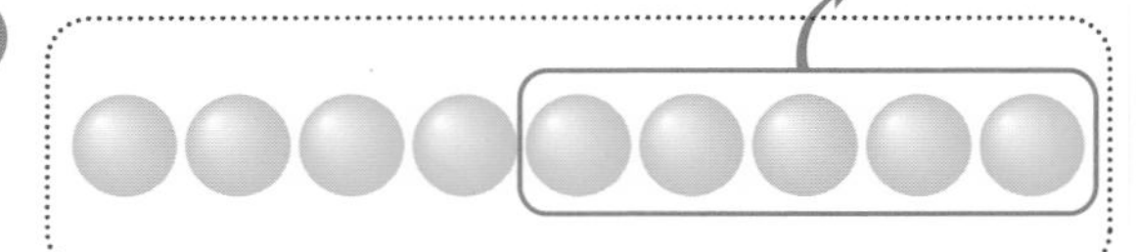

5－3＝□

5

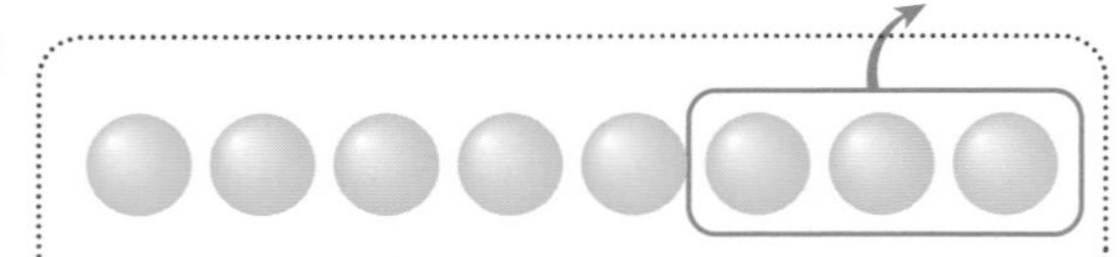

8－3＝□

6

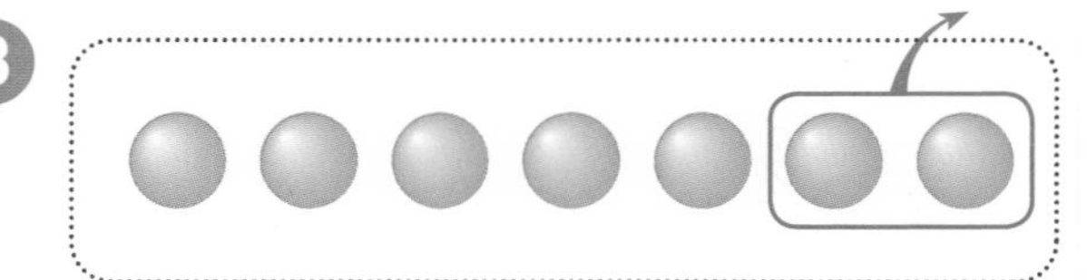

9－5＝□

7

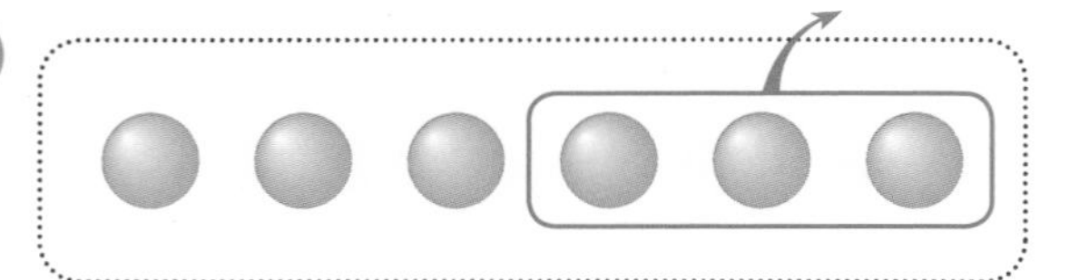

6－3＝□

8

7－2＝□

▶정답 및 풀이 14쪽

맞은 개수 / 20개

제한 시간 5분

빼셈을 하세요.

⑨ $2-1=\square$

⑩ $4-3=\square$

⑪ $3-2=\square$

⑫ $9-3=\square$

⑬ $6-4=\square$

⑭ $5-4=\square$

⑮ $7-1=\square$

⑯ $9-2=\square$

⑰ $8-7=\square$

⑱ $6-5=\square$

⑲ $7-3=\square$

⑳ $9-7=\square$

제한 시간 안에 정확하게
모두 풀었다면 여러분은 진정한 **계산왕!**

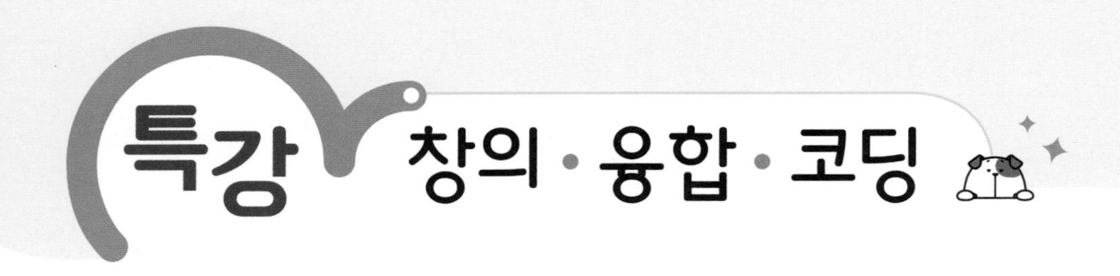

결과가 7인 열기구는?

창의 1 뺄셈을 하고 결과가 7인 열기구를 찾아 ○표 하세요.

▶정답 및 풀이 14쪽

결과가 같은 것을 찾아라.

창의 2 뺄셈을 하고 결과가 같은 칸에 색칠해 보세요.

특강 창의 · 융합 · 코딩

융합 3 보기와 같이 펼친 손가락의 수만큼 빼는 식을 쓰고 뺄셈을 하세요.

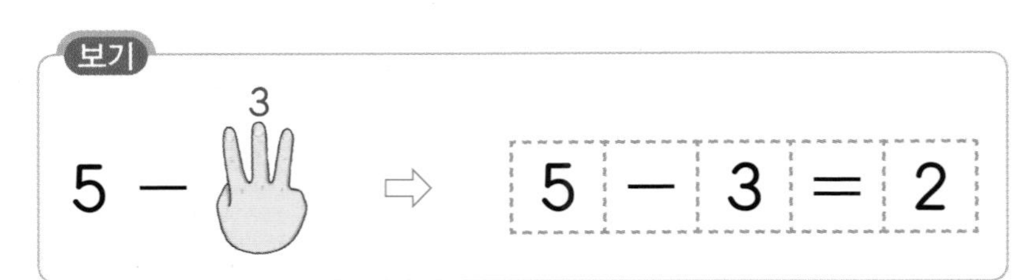

(1) 4 −

	−		=	

(2) 6 −

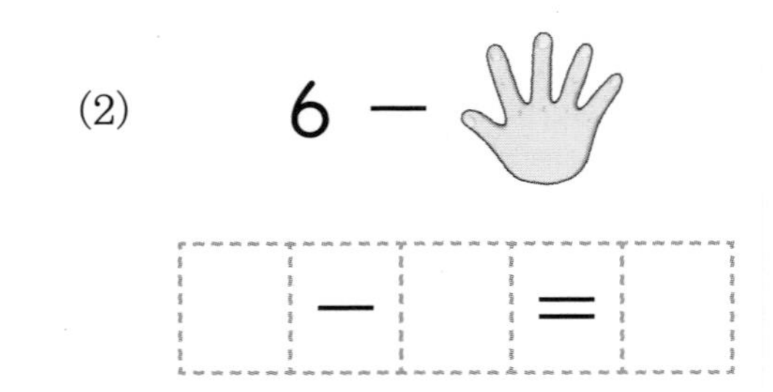

	−		=	

(3) 8 −

	−		=	

(4) 9 −

	−		=	

(5) 7 −

	−		=	

(6) 9 −

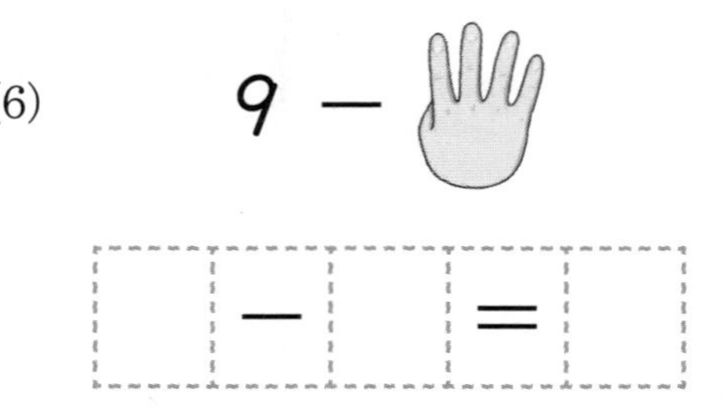

	−		=	

▶정답 및 풀이 14쪽

창의 4 빈칸에 알맞은 수를 써넣어 뺄셈식을 완성해 보세요.

9	−	6	=	
−		−		−
4	−	2	=	
=		=		=
5	−		=	

3주 특강

특강 창의 · 융합 · 코딩

창의 5 같은 모양에서 큰 수에서 작은 수를 빼서 ☐ 안에 쓰세요.

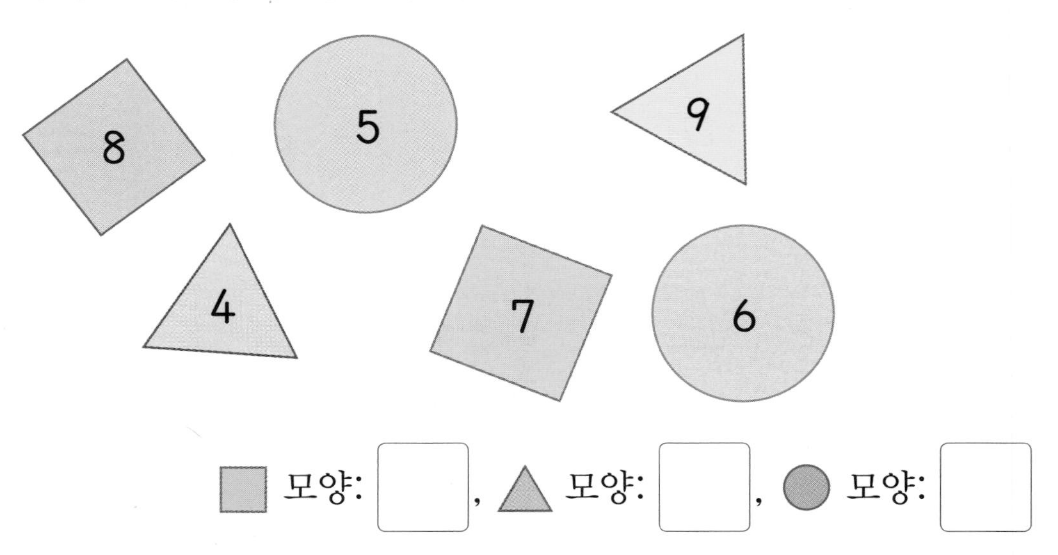

□ 모양: ☐, △ 모양: ☐, ○ 모양: ☐

창의 6 뺄셈 결과가 작은 것부터 순서대로 점을 이어 보세요.

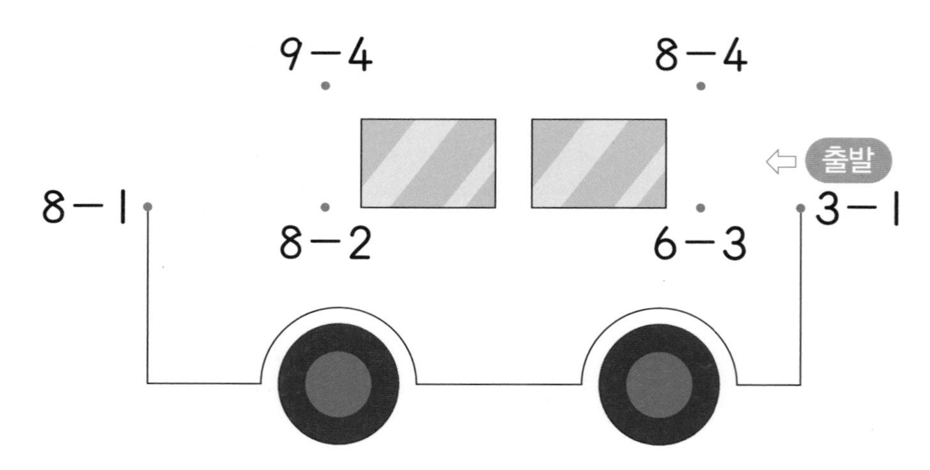

▶정답 및 풀이 14쪽

코딩 7 보기 와 같이 분홍색 카드부터 시작하여 왼쪽의 명령에 따라 움직이면서 계산해 보세요.

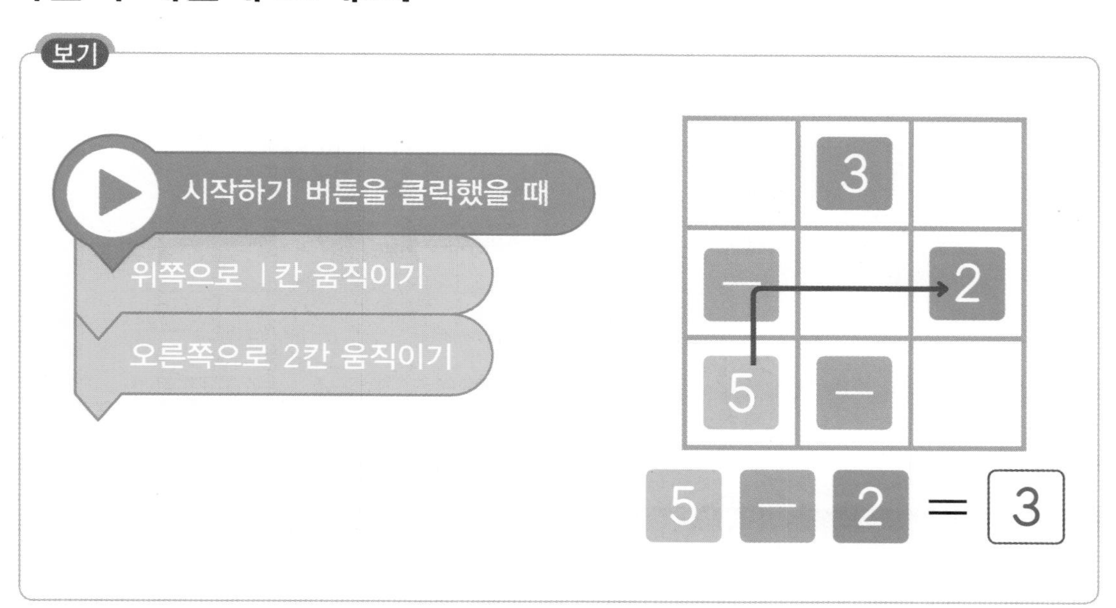

시작하기 버튼을 클릭했을 때

오른쪽으로 1칸 움직이기

아래쪽으로 1칸 움직이기

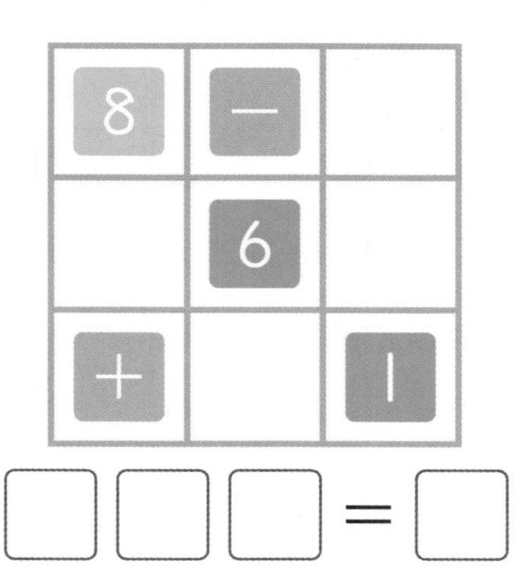

4
주

20까지의 수

흐음… 뭔가 부족해 보여.

쿠키가 9개뿐이라……
이건 아니지!
썰렁~

과자 집에 쿠키가 이렇게 적으면
그 녀석들이 이상하게 생각할거야!
찹
찹

더 많이 굽자~!
지글
지글

10, 11, 12, 13……

오호~ 그럼 다른 과자도
더 만들어 볼까!
14 15 16 17
18 19 20

4주에 배울 내용을 알아볼까요? 1

1일 10부터 20까지의 수 2일 그림 보고 세어 보기 3일 10개씩 묶음과 낱개의 수
4일 수의 순서 5일 1만큼 더 큰 수와 1만큼 더 작은 수

4주에 배울 내용을 알아볼까요? 

쿠키의 수만큼 칸에 색칠하고 있어요.

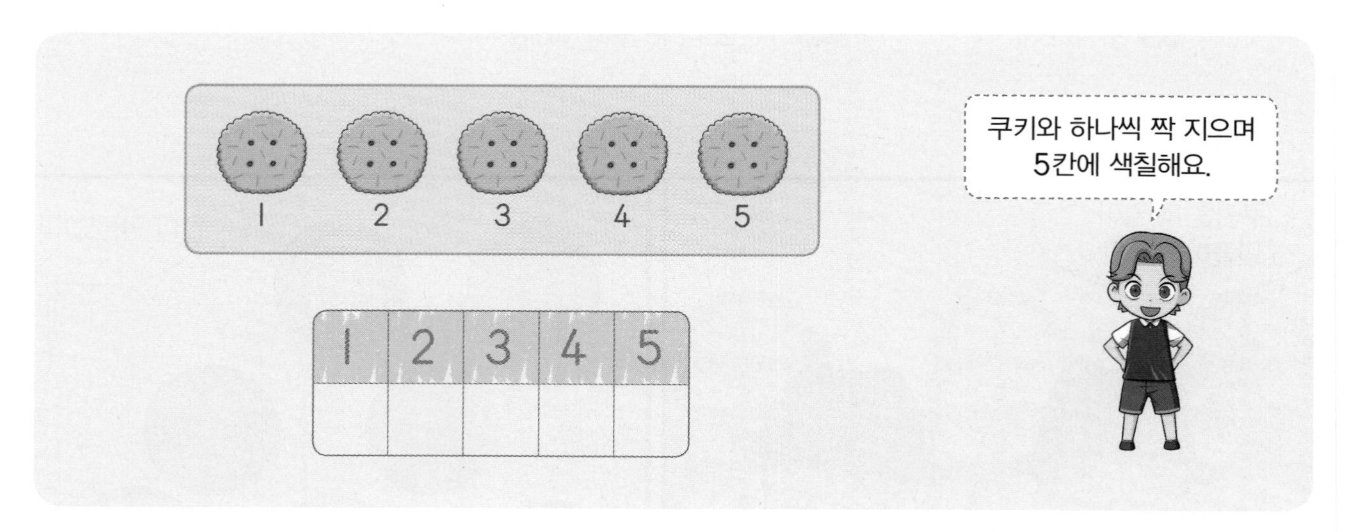

쿠키의 수만큼 빈칸에 색칠해 보세요.

1

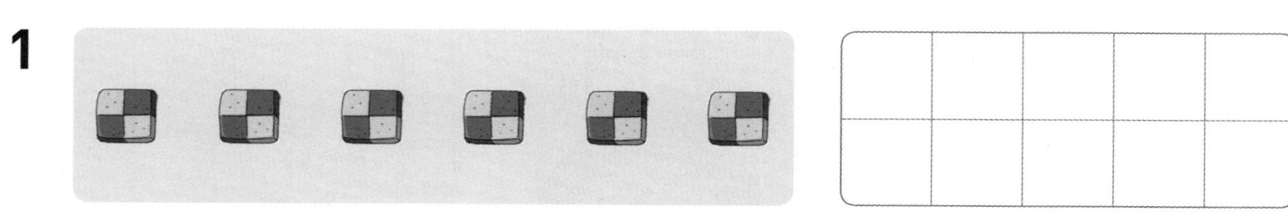

2

3

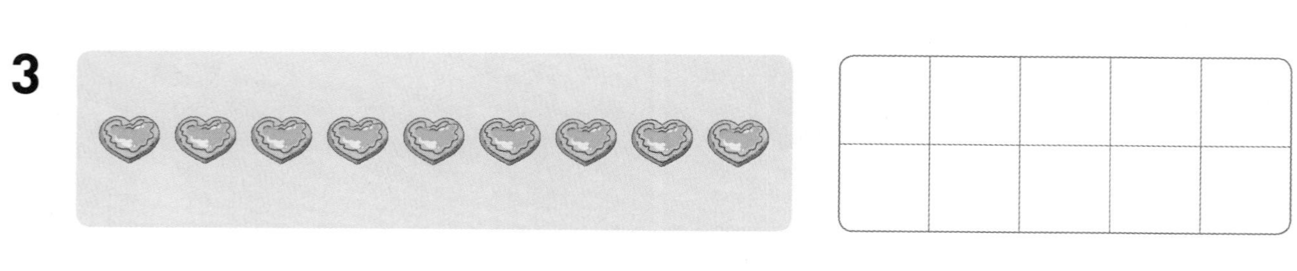

수만큼 ⬭로 묶어 봐요.

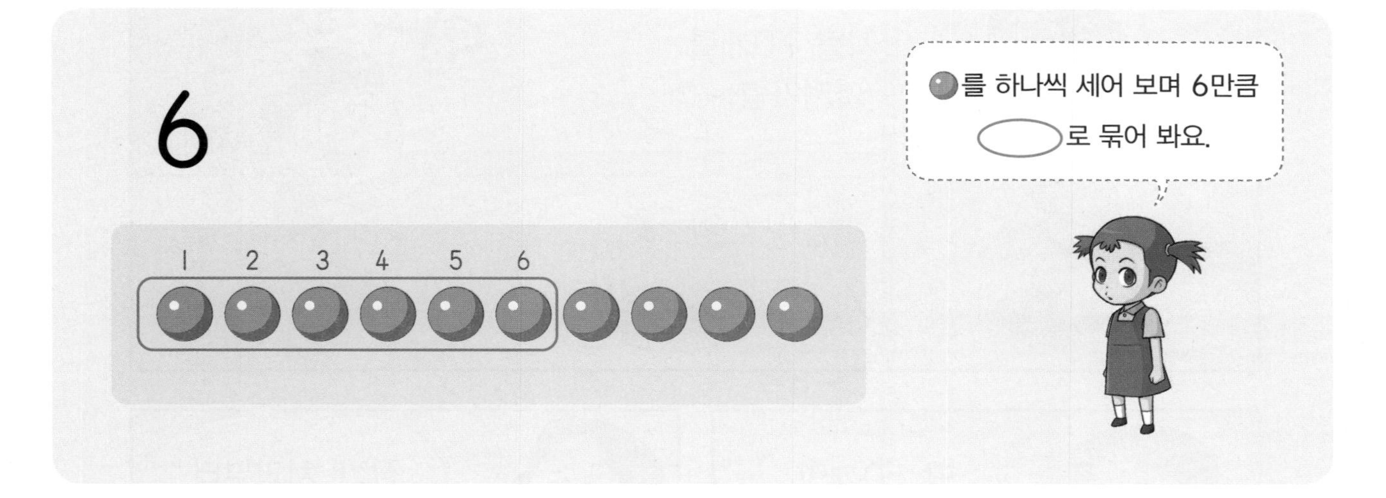
6
1 2 3 4 5 6
를 하나씩 세어 보며 6만큼
로 묶어 봐요.

수만큼 ⬭로 묶어 보세요.

4 5 ●●●●●●●●●●

5 7 ●●●●●●●●●●

6 9 ●●●●●●●●●●

10부터 20까지의 수

똑똑한 하루 계산법

• 10부터 20까지의 수를 쓰고 읽기

10	11	12	13	14	15
십·열	십일·열하나	십이·열둘	십삼·열셋	십사·열넷	십오·열다섯

16	17	18	19	20
십육·열여섯	십칠·열일곱	십팔·열여덟	십구·열아홉	이십·스물

똑똑한 계산 연습

▶정답 및 풀이 15쪽

제한 시간 3분

수를 읽으며 써 보세요.

① 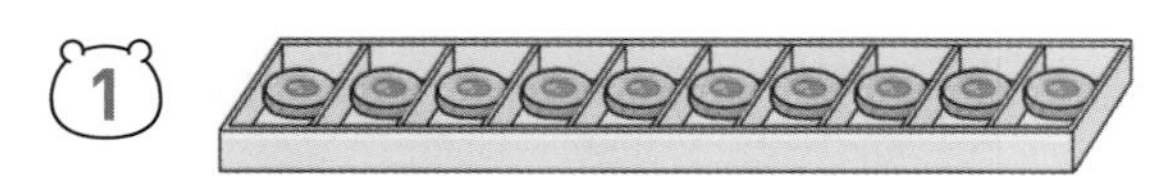

② 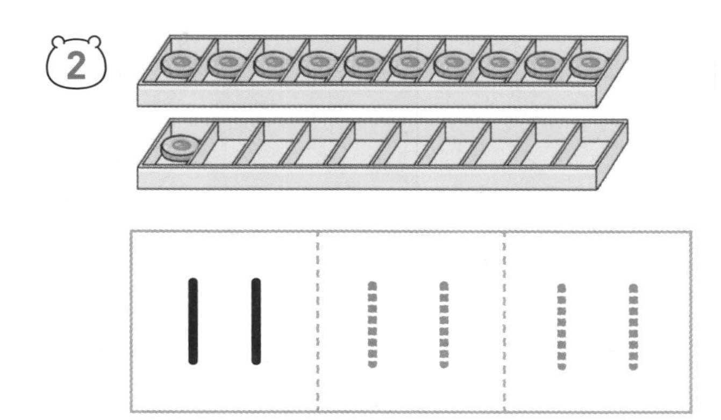

③

13	13	13

④ 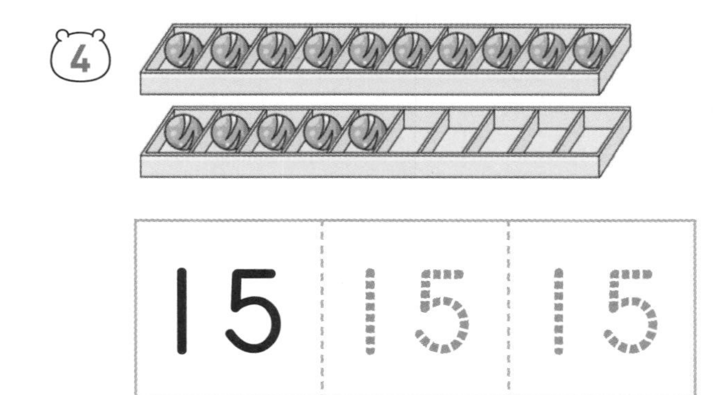

⑤

17	17	17

⑥ 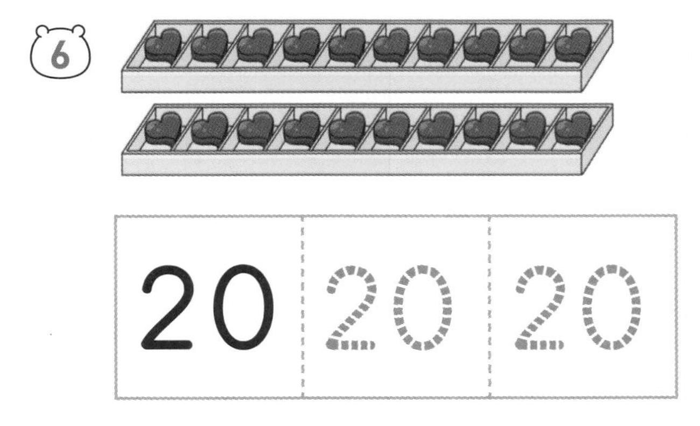

기초 집중 연습

수를 따라 쓰고, 그 수만큼 색칠해 보세요.

1 12 12

2 14 14

3 16 16

4 18 18

5 19 19

제한 시간 3분

생활 속 문제

6 같은 수를 찾아 주어진 색으로 칠해 보세요.

그림 보고 세어 보기

똑똑한 하루 계산법

• 크레파스의 수를 세어 보기

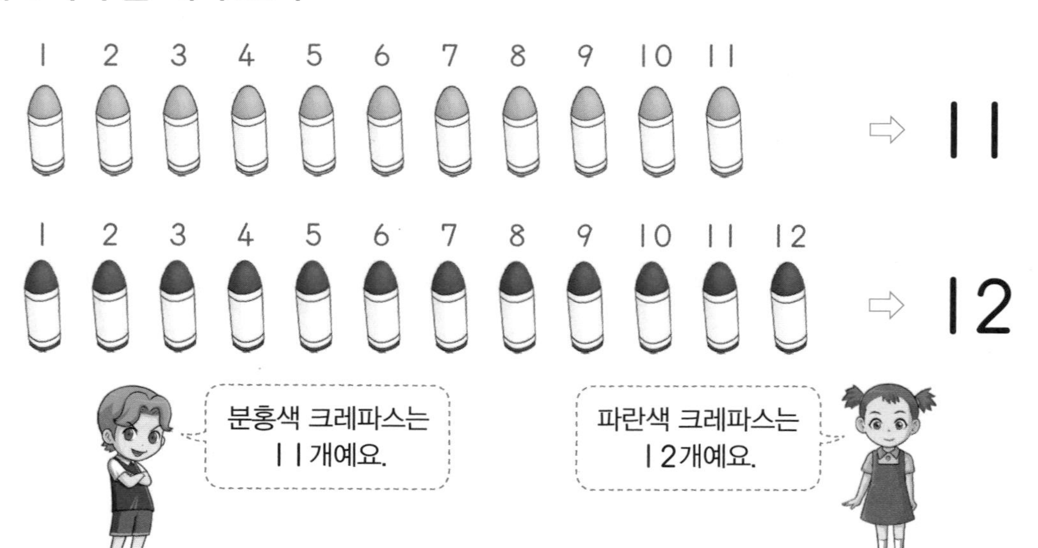

똑똑한 계산 연습

▶정답 및 풀이 16쪽

제한 시간 3분

빵의 수를 세어 알맞은 수에 ○표 하세요.

①

11	12

②

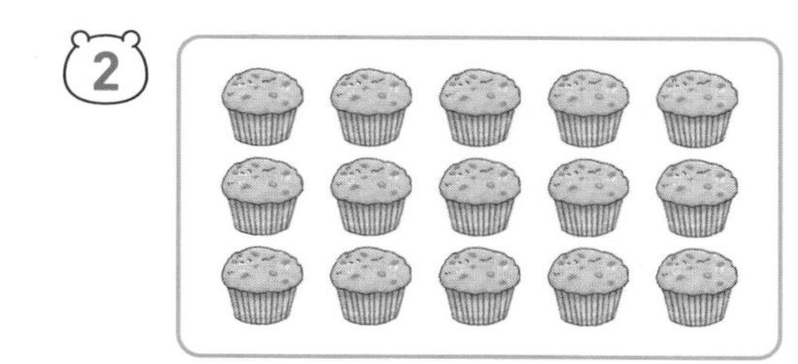

14	15

③

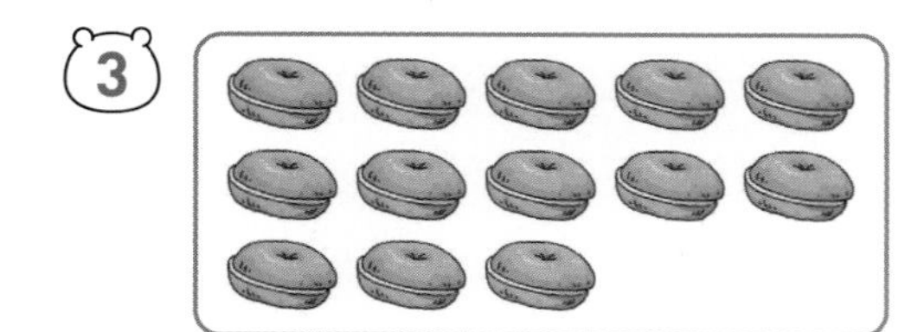

11	13

④

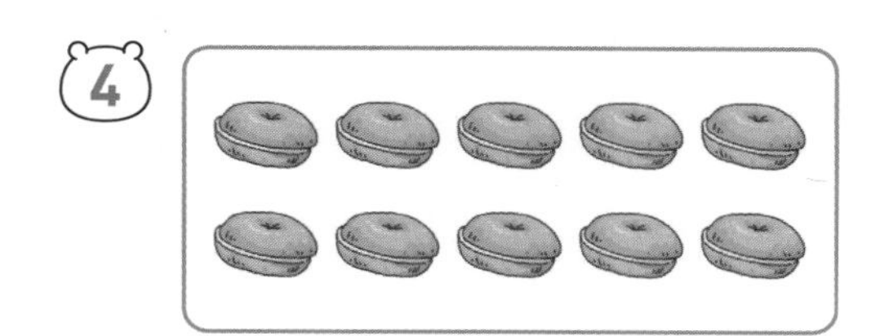

10	11

⑤

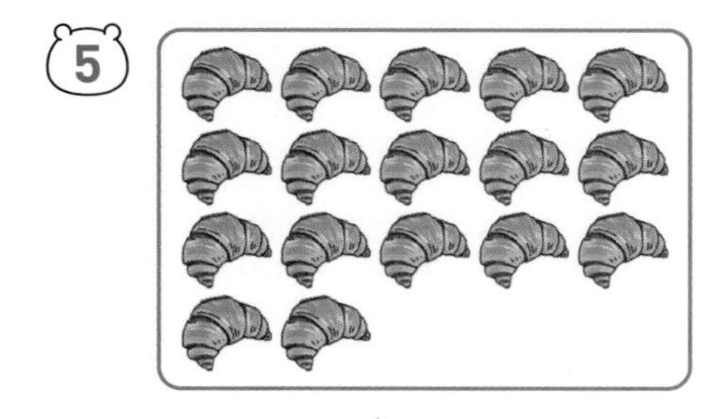

17	18

⑥

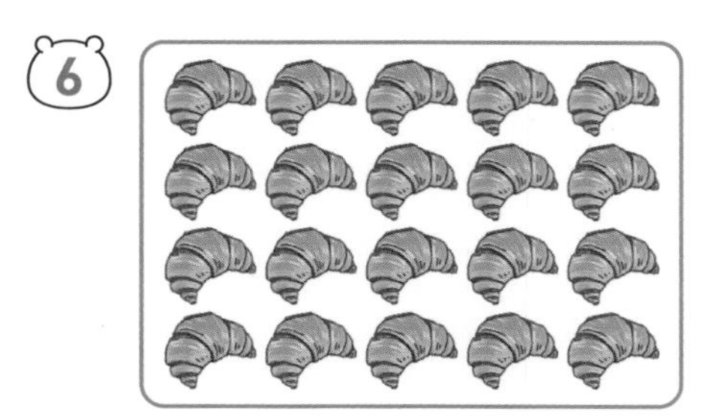

18	20

기초 집중 연습

수를 세어 빈칸에 쓰세요.

1

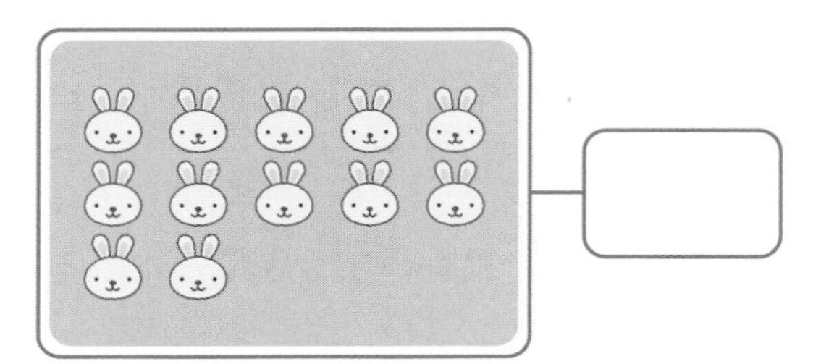

2

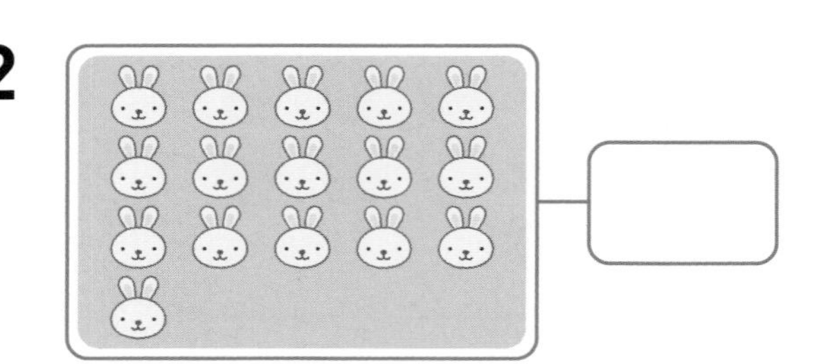

3

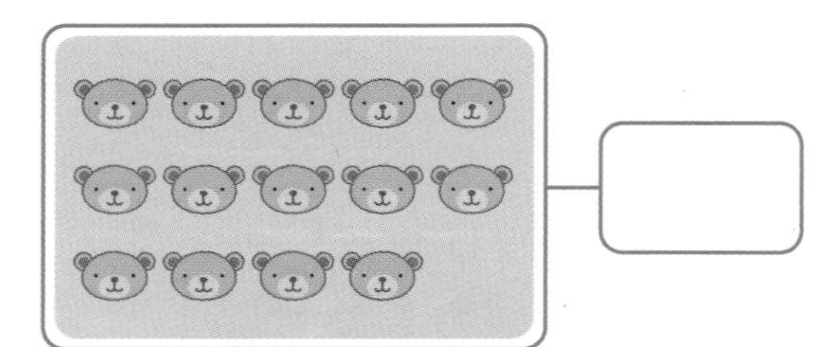

4

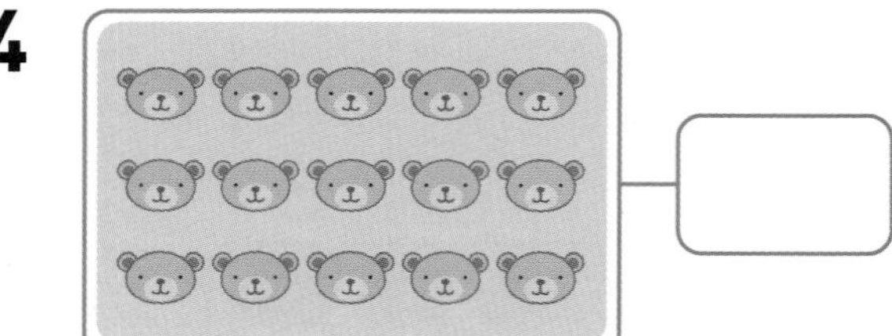

5

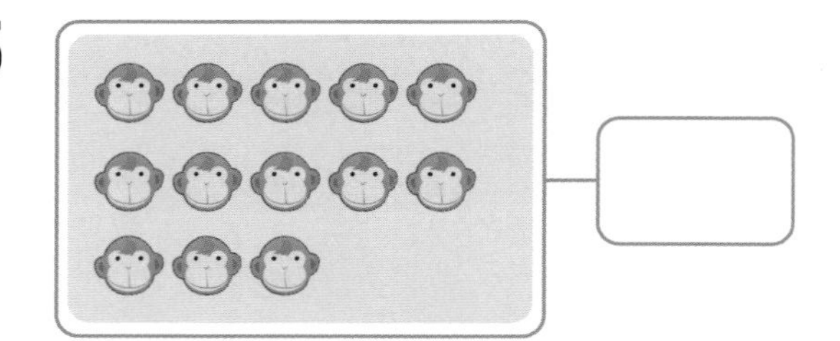

6

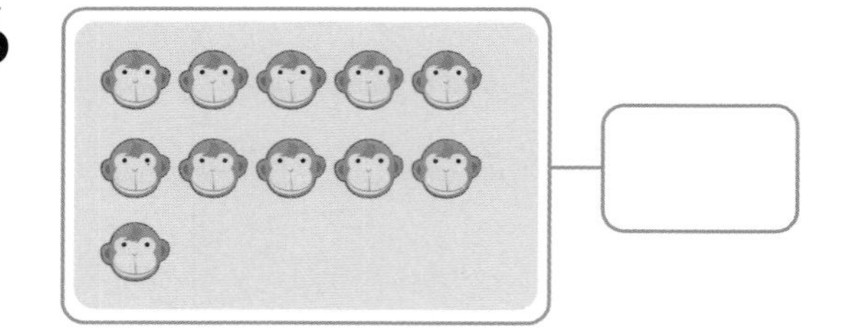

7

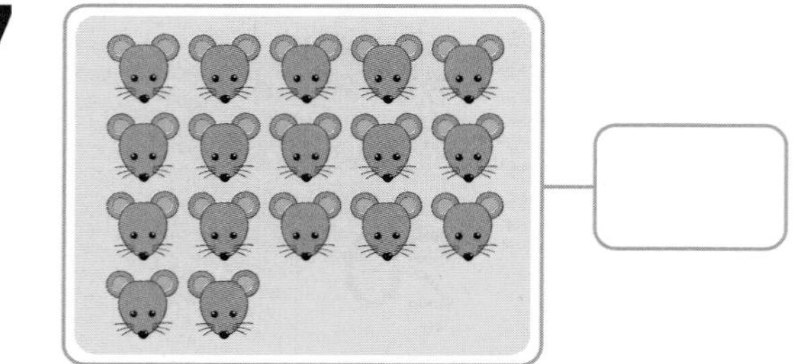

8

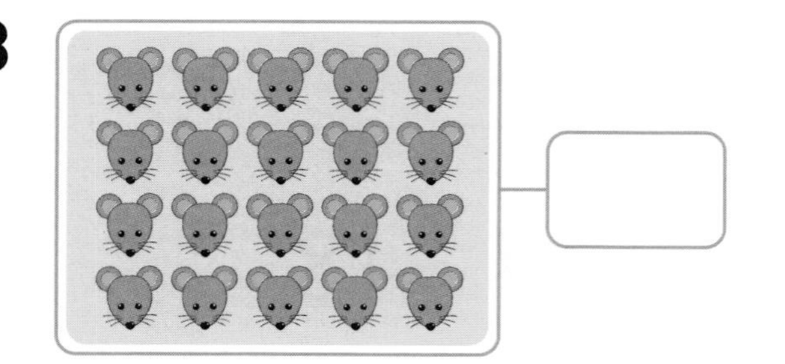

제한 시간 | 3분

그림을 보고 수를 세어 ☐ 안에 쓰세요.

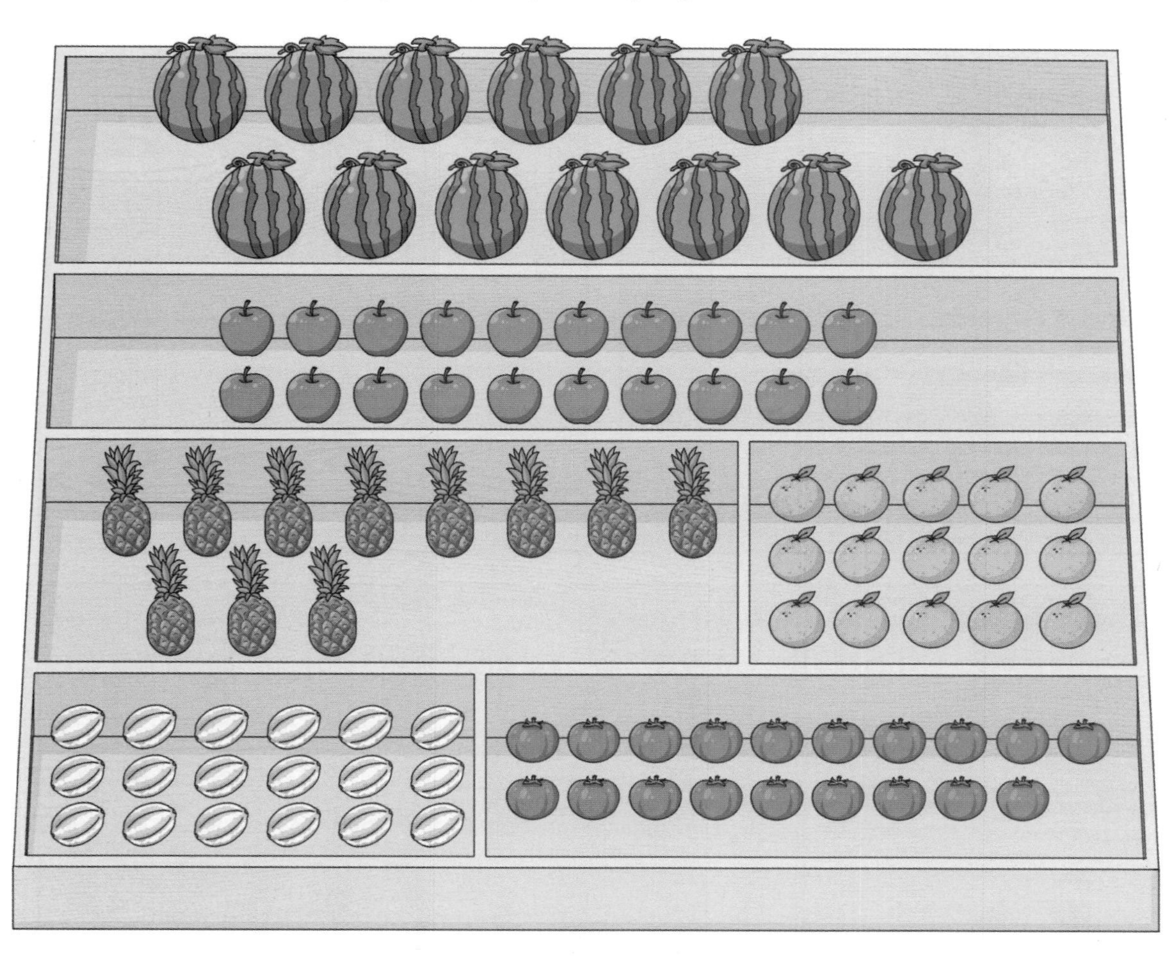

9  

10  

11 

12 

13  

14  

4주 2일

10개씩 묶음과 낱개의 수

똑똑한 하루 계산법

• 10개씩 묶음과 낱개의 수

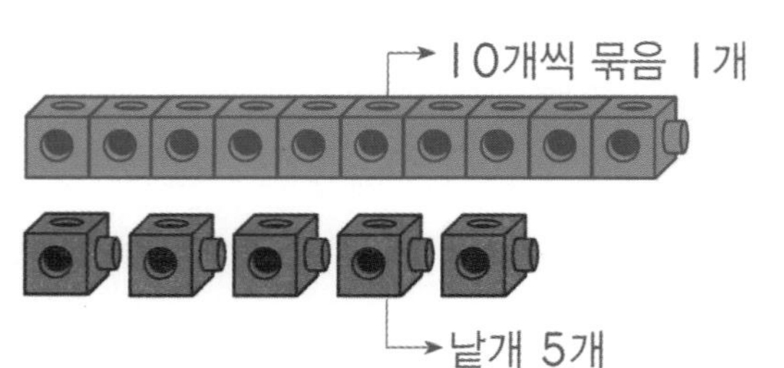

10개씩 묶음	낱개
1	5

⇨ 15

똑똑한 계산 연습

▶정답 및 풀이 16쪽

제한 시간 3분

수를 세어 빈칸에 쓰세요.

1
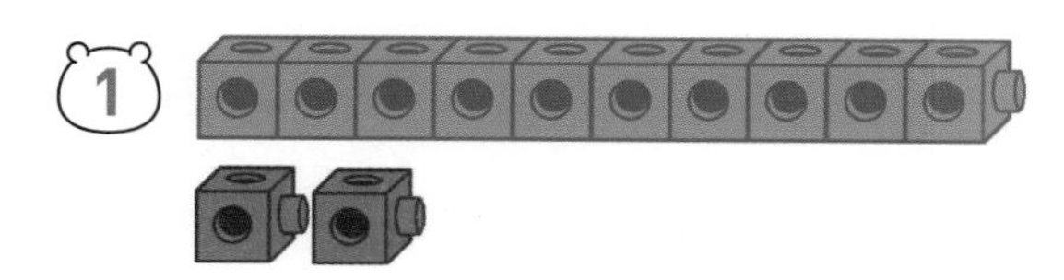

10개씩 묶음	낱개

⇨ ☐

2
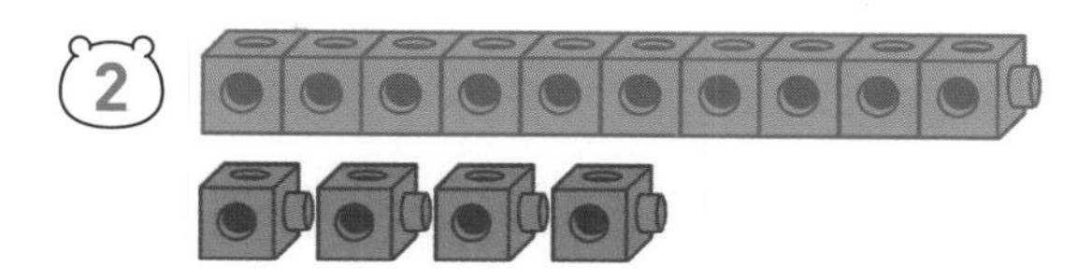

10개씩 묶음	낱개

⇨ ☐

3
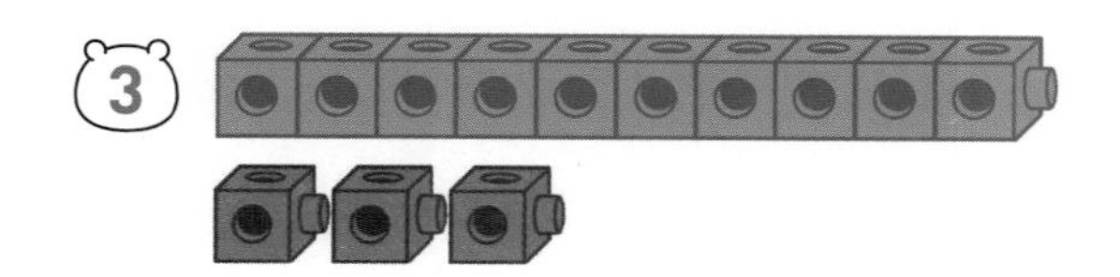

10개씩 묶음	낱개

⇨ ☐

4
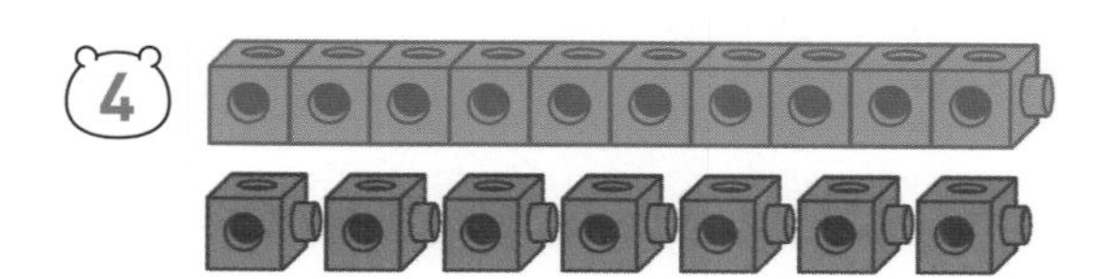

10개씩 묶음	낱개

⇨ ☐

5
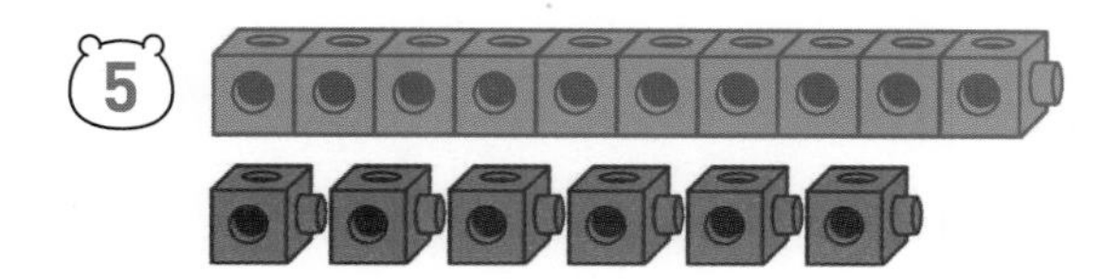

10개씩 묶음	낱개

⇨ ☐

6
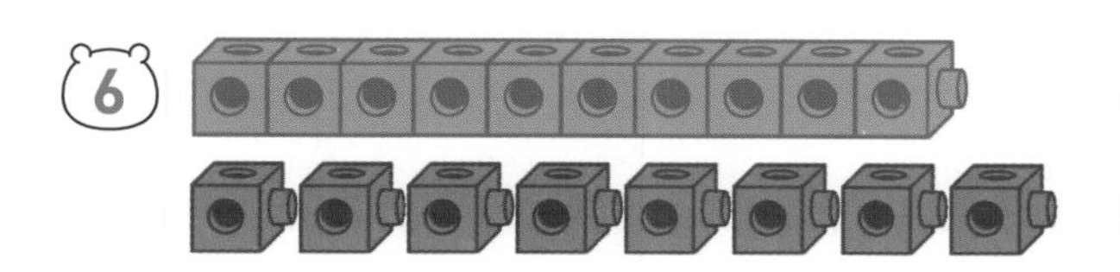

10개씩 묶음	낱개

⇨ ☐

기초 집중 연습

수를 세어 ▢ 안에 쓰세요.

1

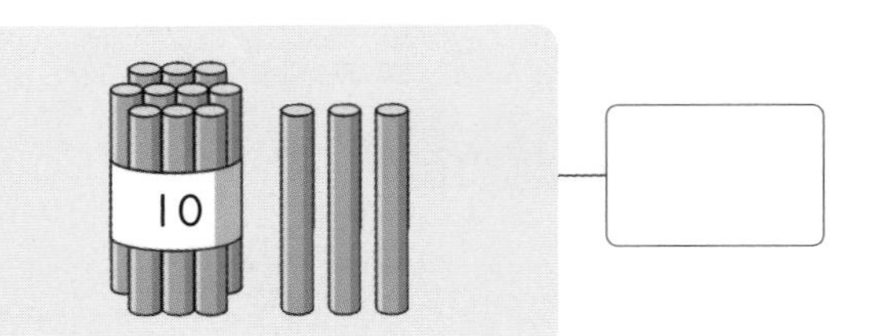

2

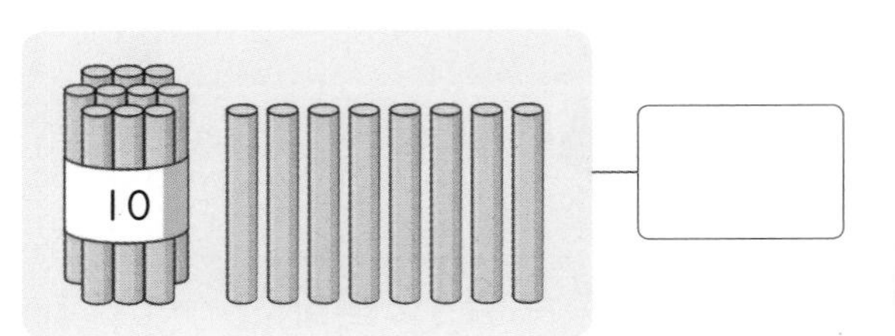

3

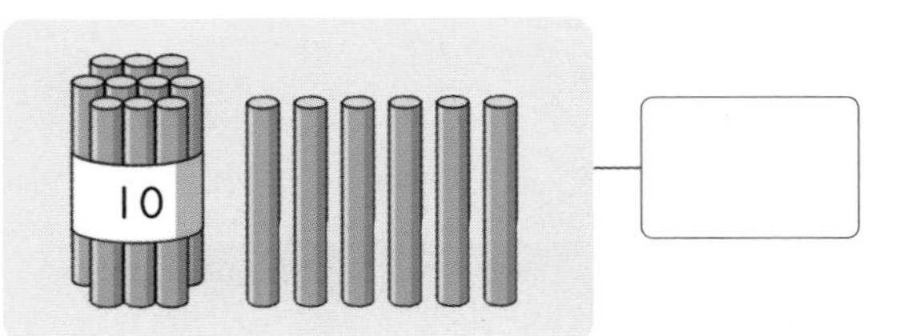

4

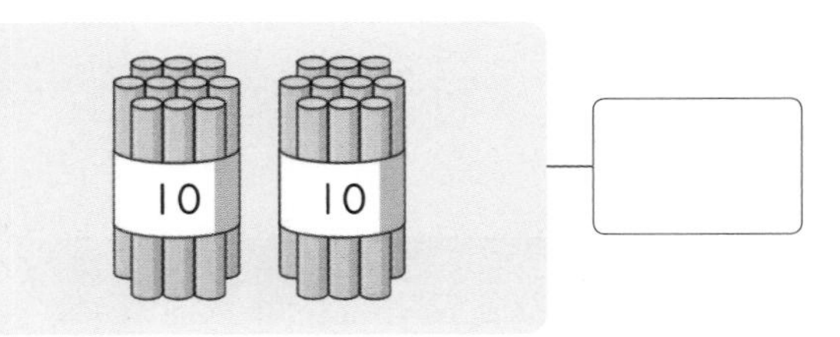

5

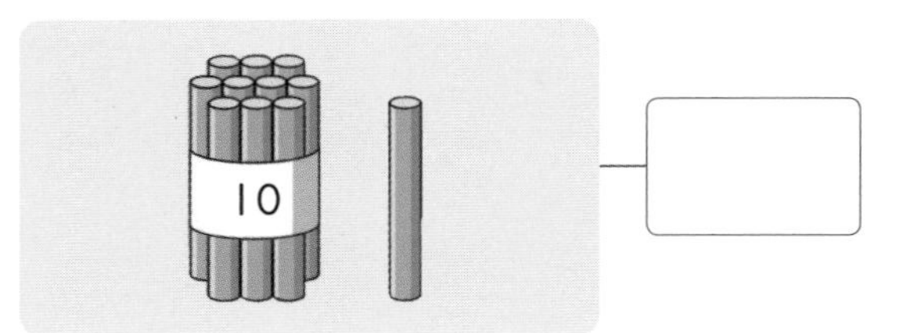

6

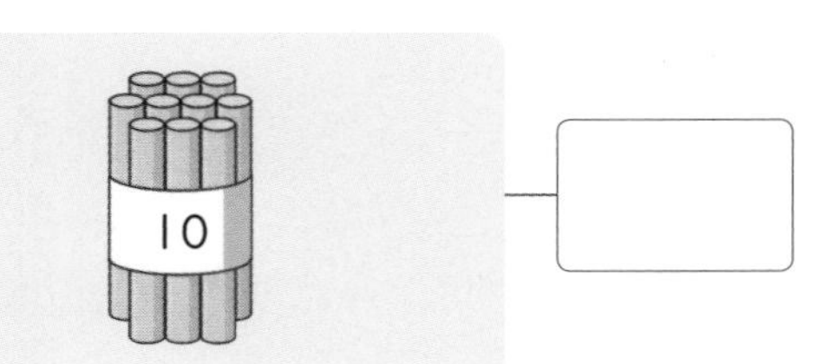

7

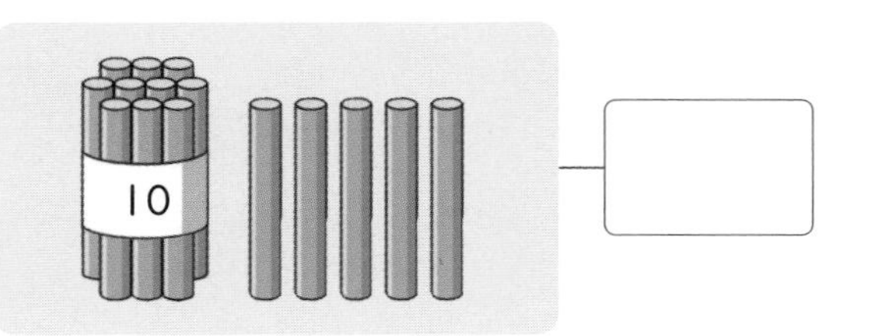

8

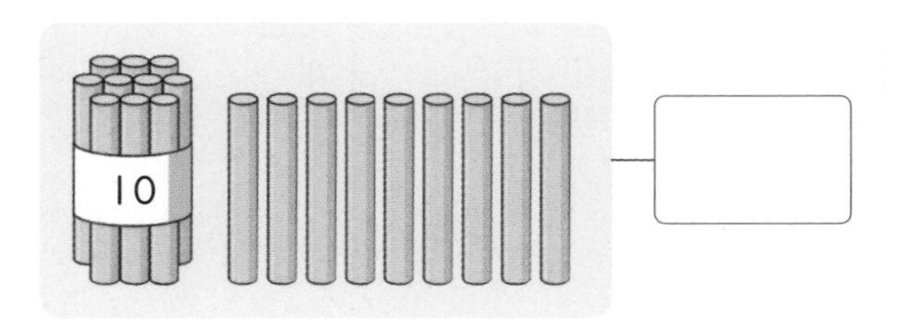

▶정답 및 풀이 16쪽

제한 시간 3분

생활 속 문제

초콜릿의 수를 10개씩 묶어 세어 빈칸에 쓰세요.

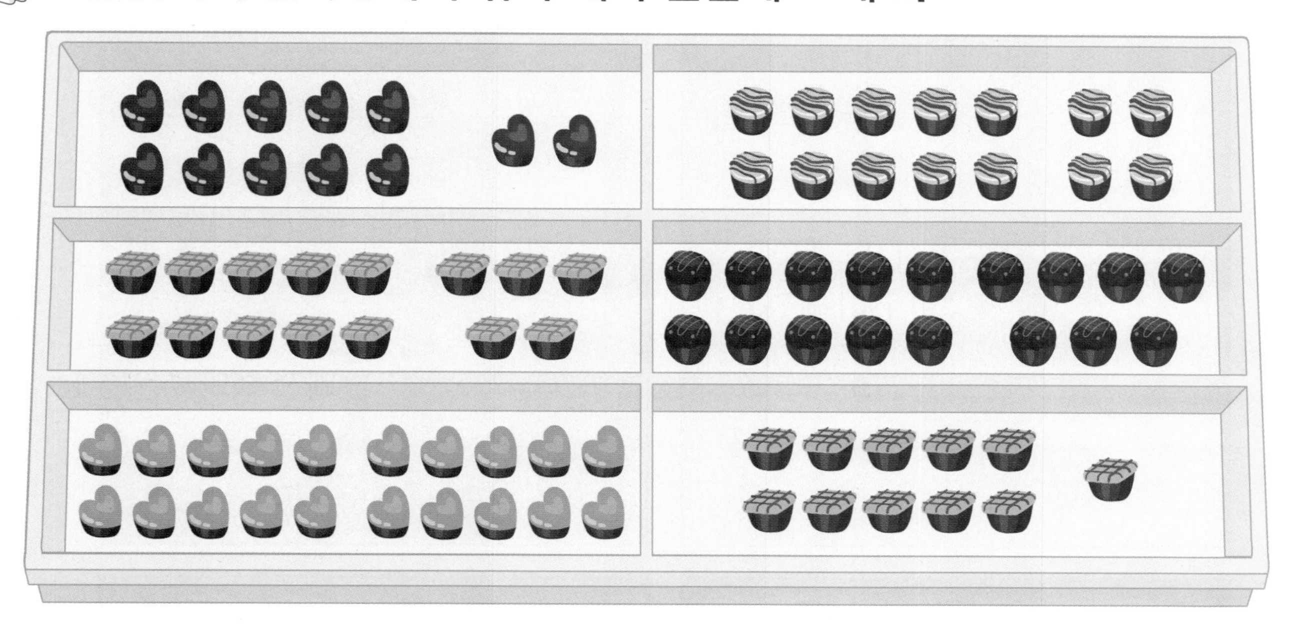

9 

10개씩 묶음	낱개

⇨ ☐

10 

10개씩 묶음	낱개

⇨ ☐

11 

10개씩 묶음	낱개

⇨ ☐

12 

10개씩 묶음	낱개

⇨ ☐

13 

10개씩 묶음	낱개

⇨ ☐

14 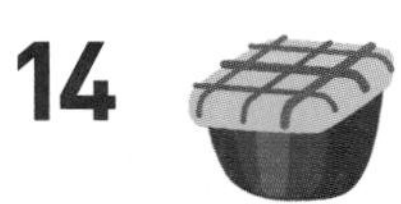

10개씩 묶음	낱개

⇨ ☐

수의 순서

똑똑한 하루 계산법

- **수의 순서 알아보기**

왼쪽에서부터 수의 순서대로 읽어봐요.

10 - 11 - 12 - 13 - 14 - 15 - 16 - 17 - 18 - 19 - 20

똑똑한 계산 연습

▶정답 및 풀이 17쪽

제한 시간 2분

수의 순서에 맞게 빈칸에 알맞은 수를 쓰세요.

1

10	11	12	13	14	15
16	17	18	19	20	

2

10	11	12	13	14	15
16	17	18	19	20	

3

10	11		13	14	
	17		19		

4

	11		13		15
16		18		20	

기초 집중 연습

수의 순서에 맞게 빈칸에 알맞은 수를 쓰세요.

1

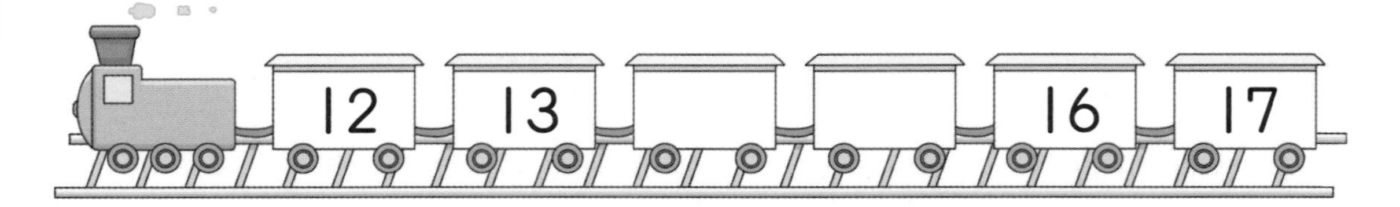

2

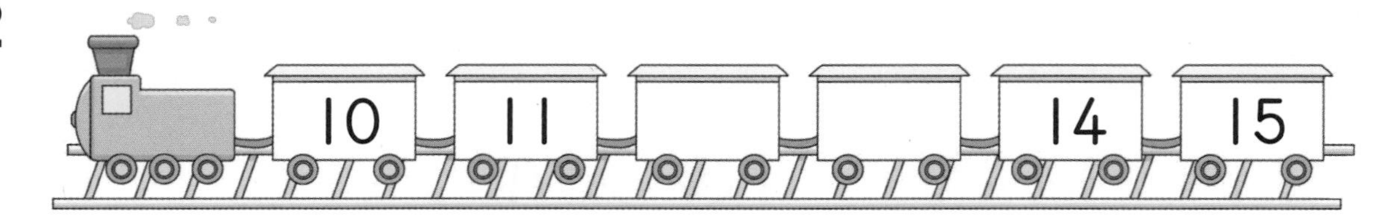

3

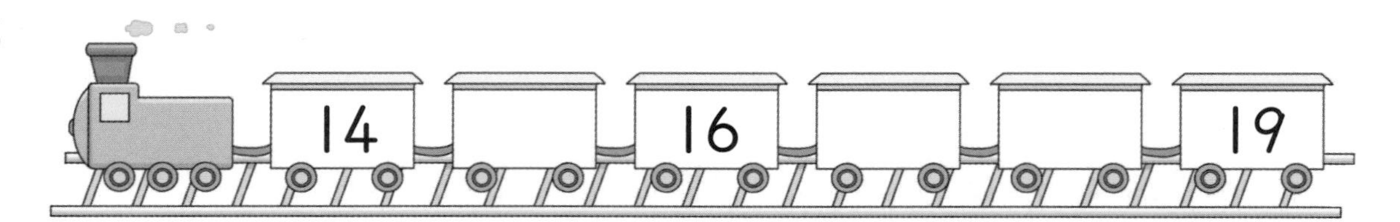

4

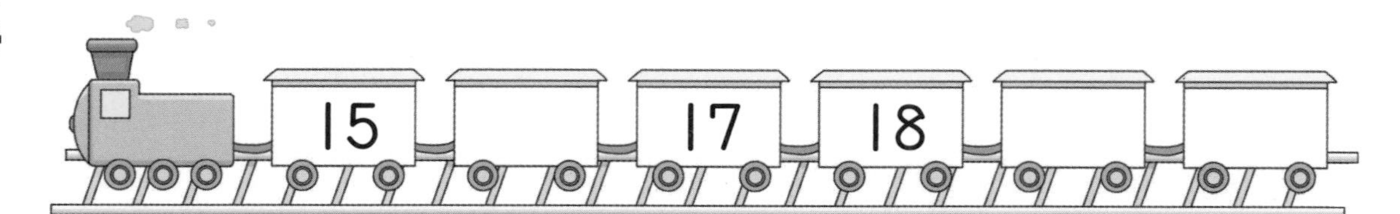

5

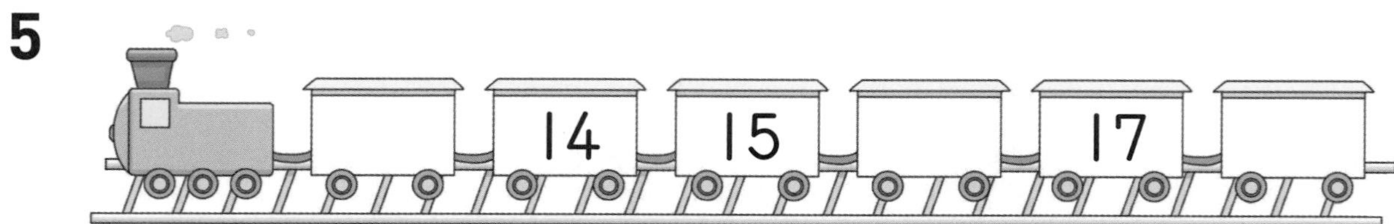

▶정답 및 풀이 17쪽

제한 시간 3분

생활 속 문제

수의 순서에 따라 선으로 이어 그림을 완성해 보세요.

6

1부터 수를 차례로
이어 봐요.

7

1만큼 더 큰 수와 1만큼 더 작은 수

똑똑한 하루 계산법

• 12보다 1만큼 더 큰 수와 1만큼 더 작은 수 알아보기

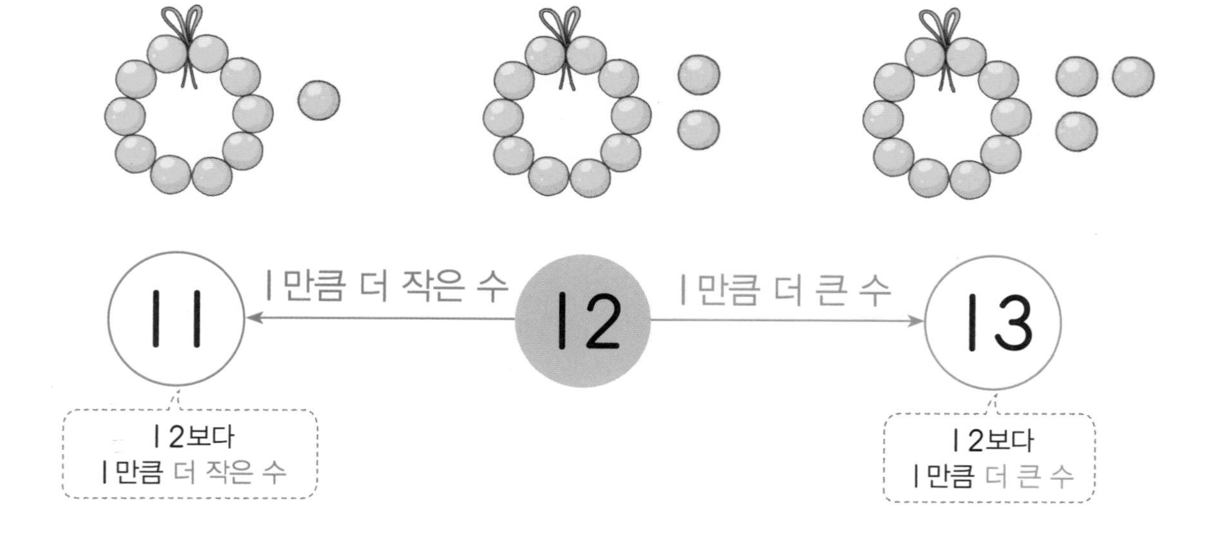

똑똑한 계산 연습

▶정답 및 풀이 17쪽

제한 시간 3분

왼쪽의 수보다 1만큼 더 큰 수만큼 ○를 그려 보세요.

1
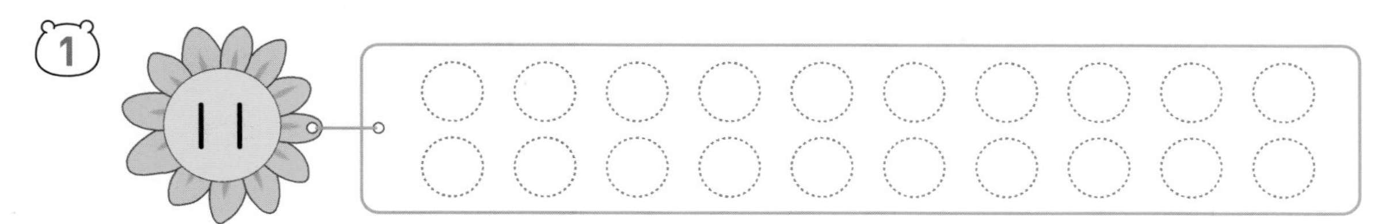

2
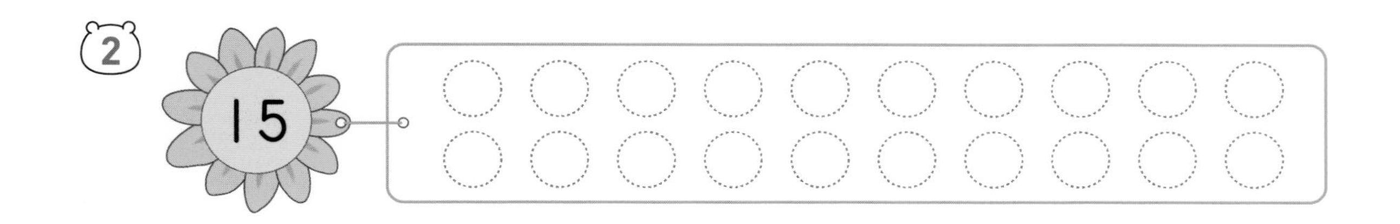

3
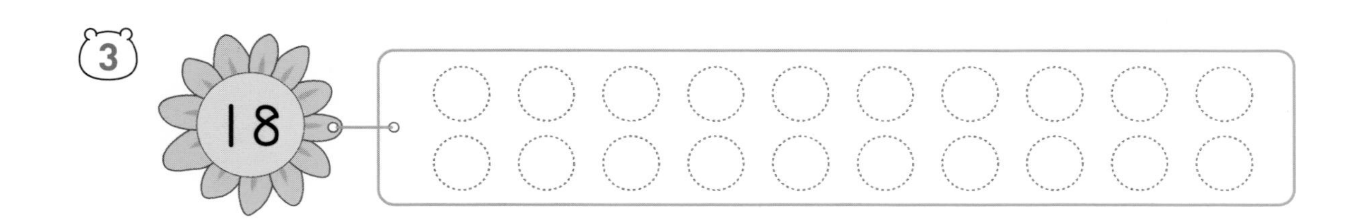

왼쪽의 수보다 1만큼 더 작은 수만큼 ○를 그려 보세요.

4
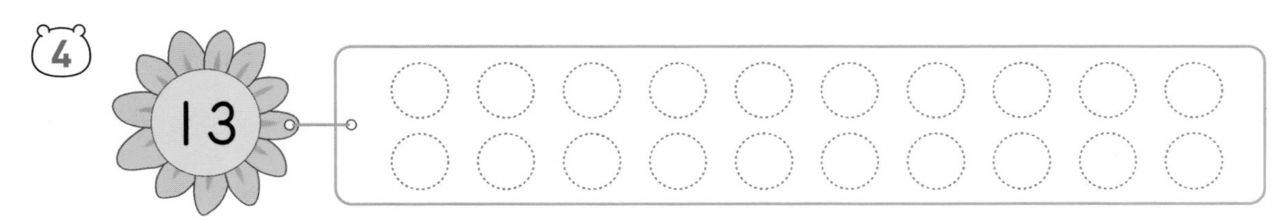

5
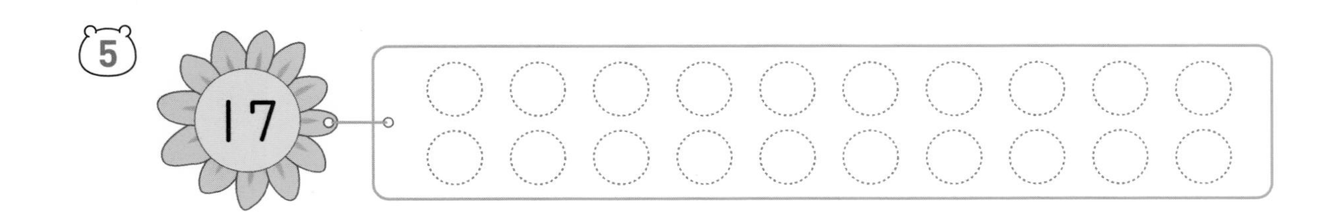

6
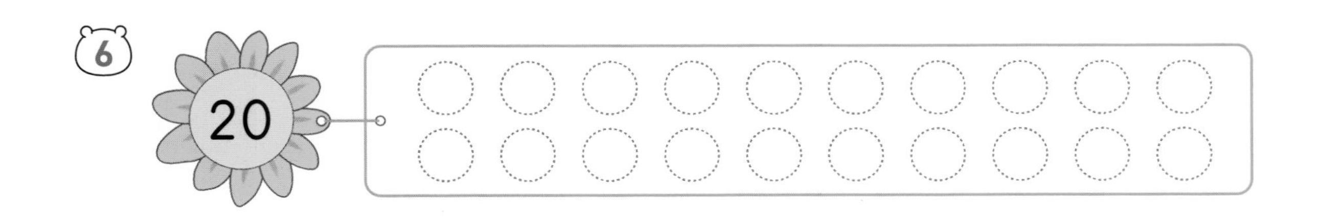

4주 5일

5일

기초 집중 연습

왼쪽의 수보다 1만큼 더 큰 수에 ○표 하세요.

1

12 ⇨ 11 13

2

17 ⇨ 18 19

왼쪽의 수보다 1만큼 더 작은 수에 ○표 하세요.

3

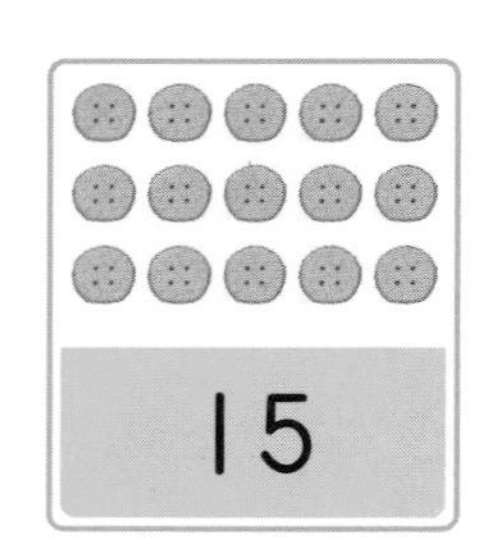

⇨

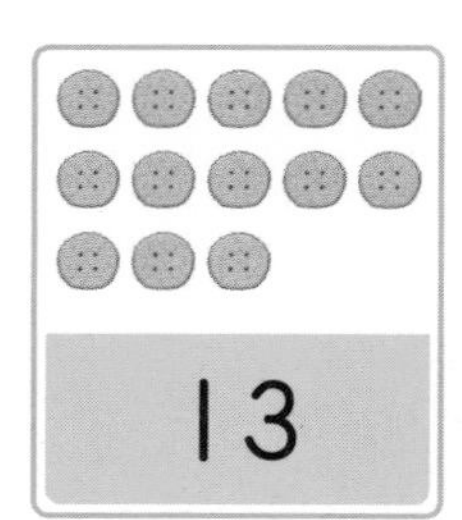

14

4

⇨

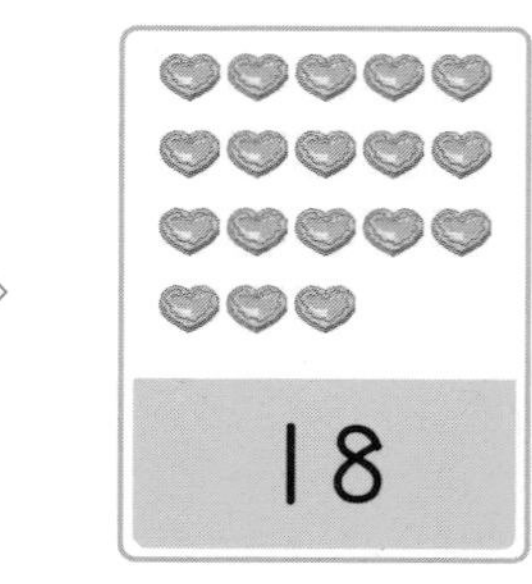

20

제한 시간 3분

생활 속 문제

○ 안에 학용품의 수를 쓰고, 1만큼 더 큰 수를 □ 안에 쓰세요.

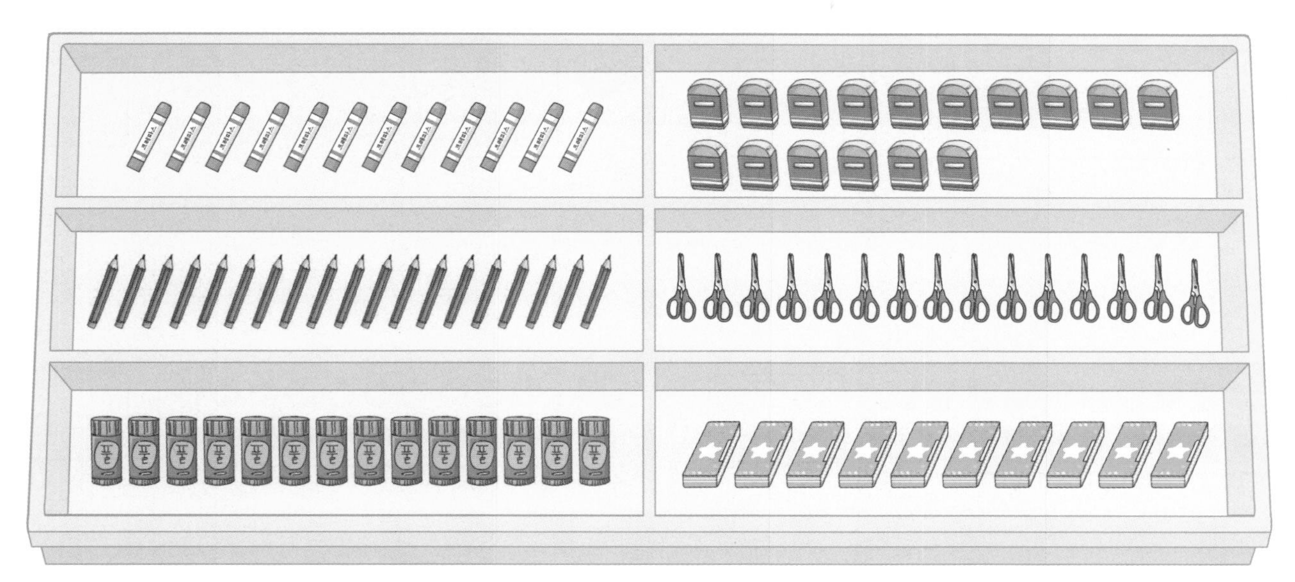

학용품 수 1만큼 더 큰 수

5 … ○ ⇨ □

학용품 수 1만큼 더 큰 수

6

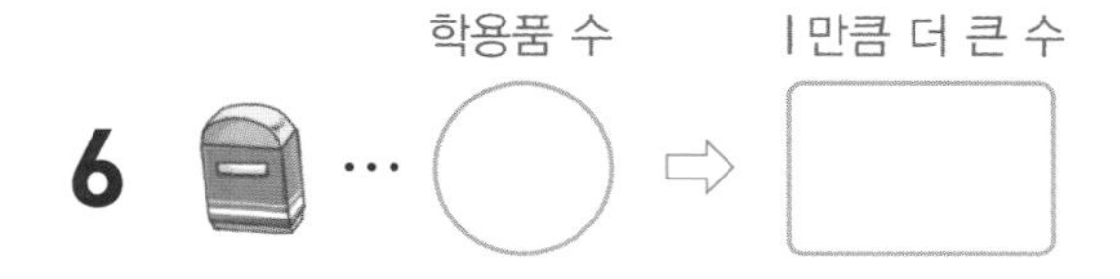

7

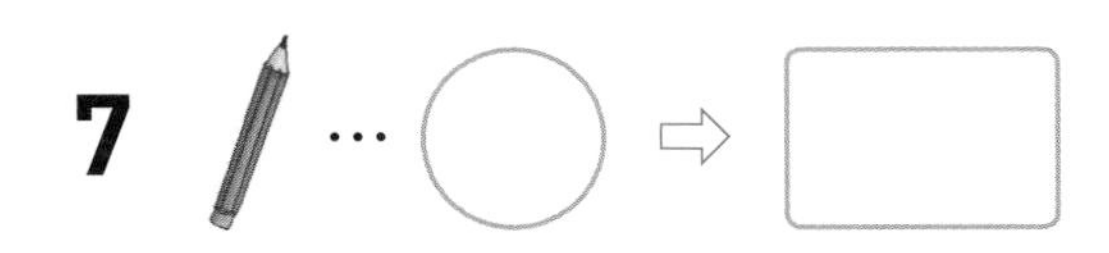

8

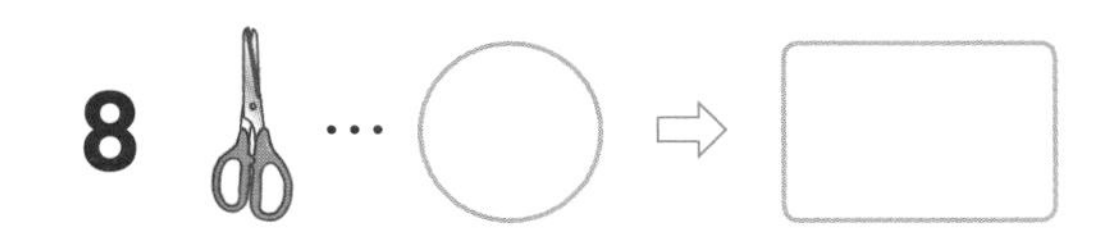

9 … ○ ⇨ □

10 … ○ ⇨ □

누구나 100점 맞는 TEST

동물의 수를 세어 빈칸에 쓰세요.

❶  → ☐

❷  → ☐

❸ 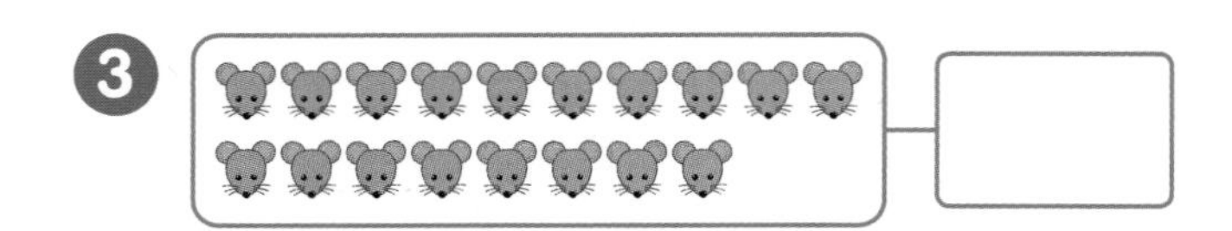 → ☐

❹ 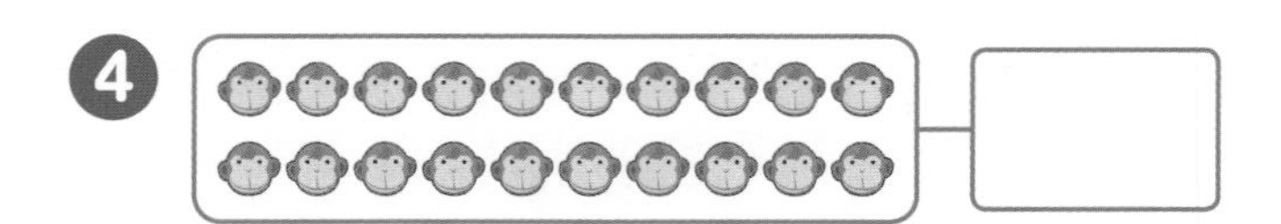 → ☐

수를 세어 빈칸에 쓰세요.

❺ 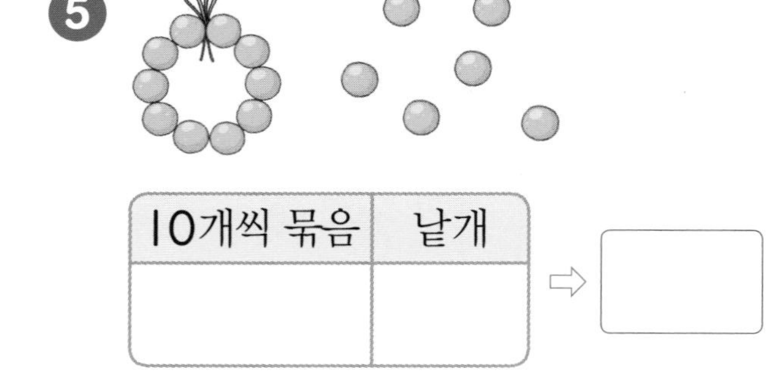

10개씩 묶음	낱개

⇨ ☐

❻ 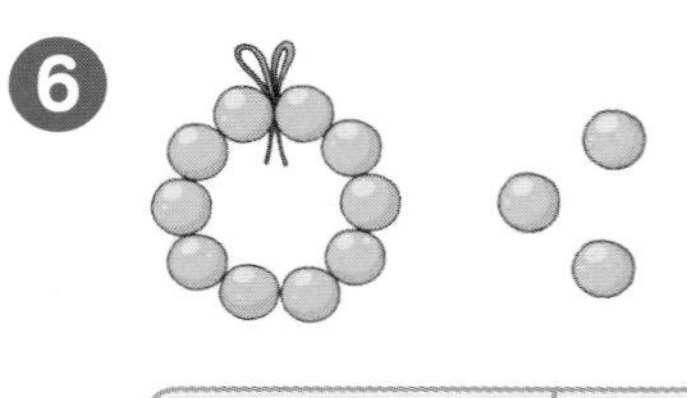

10개씩 묶음	낱개

⇨ ☐

❼ 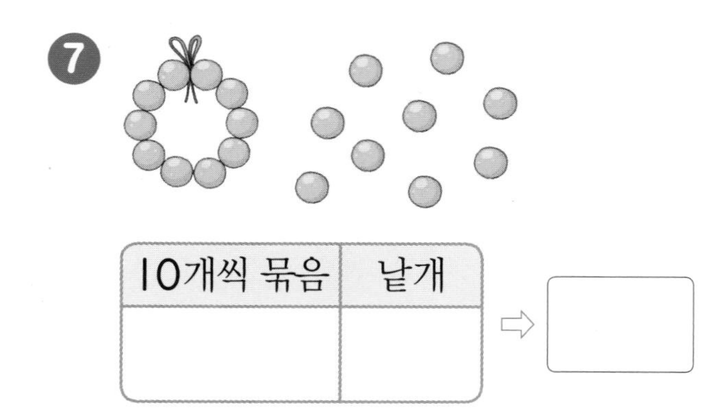

10개씩 묶음	낱개

⇨ ☐

❽ 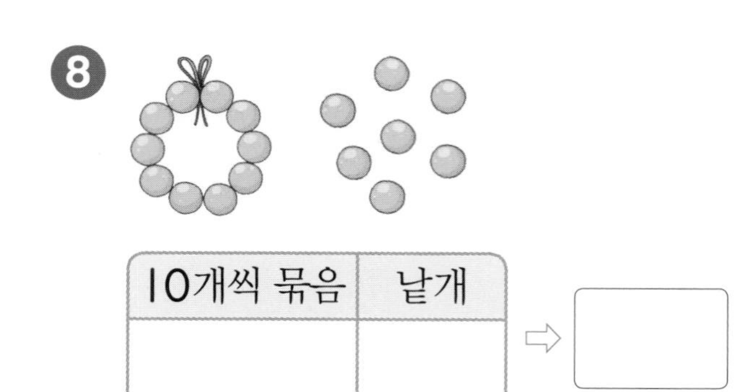

10개씩 묶음	낱개

⇨ ☐

9 순서에 맞게 빈칸에 알맞은 수를 쓰세요.

과일의 수보다 1만큼 더 큰 수를 ☐ 안에 쓰세요.

10
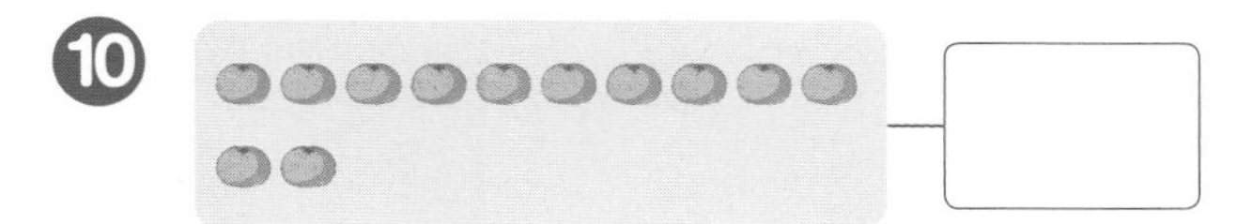

11
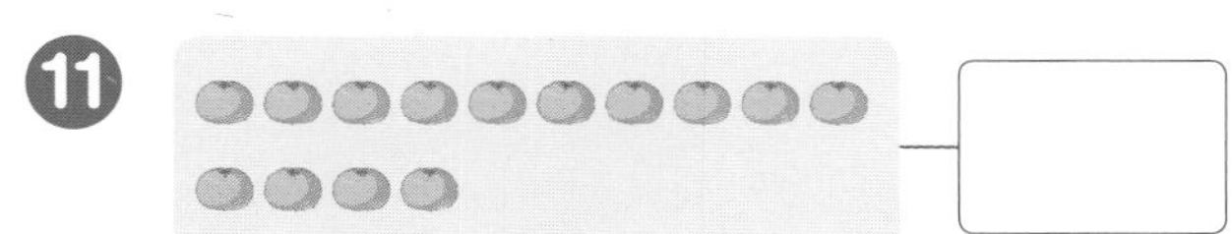

12

13

빵의 수보다 1만큼 더 작은 수를 ☐ 안에 쓰세요.

14

15
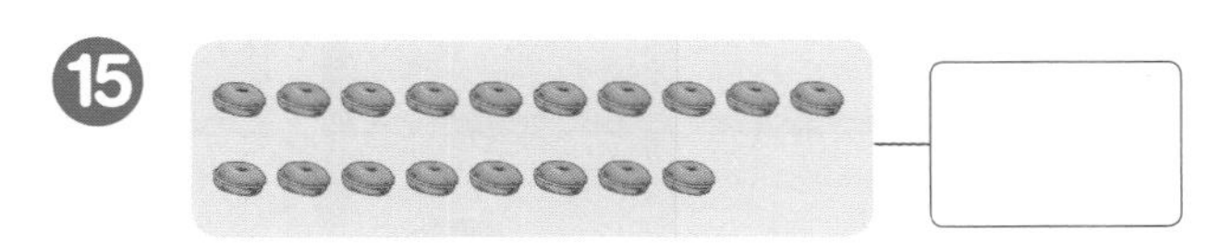

제한 시간 안에 정확하게
모두 풀었다면 여러분은 진정한 **계산왕!**

창의 · 융합 · 코딩

야구 선수들의 나이는?

어린이 야구단의 선수들이 시합을 준비하고 있어요.

이 야구단에 3명의 선수가 잘 하네요.
지금 보니 세 선수의 나이가 11살, 12살, 13살 이랍니다.

- 이름: 이영우
- 달리기가 빨라서 도루를 잘함.

- 이름: 김민수
- 실력이 뛰어난 투수
- **이영우 선수보다 어림.**

- 이름: 정재호
- 공을 잘 치는 타자
- **이영우 선수보다 1살 많음.**

세 선수의 나이는 각각 몇 살일까요?

이영우	김민수	정재호
□살	□살	□살

▶정답 및 풀이 18쪽

인형의 수만큼 색칠하기

각 인형의 수만큼 색칠하고 ☐ 안에 알맞은 수를 쓰세요.

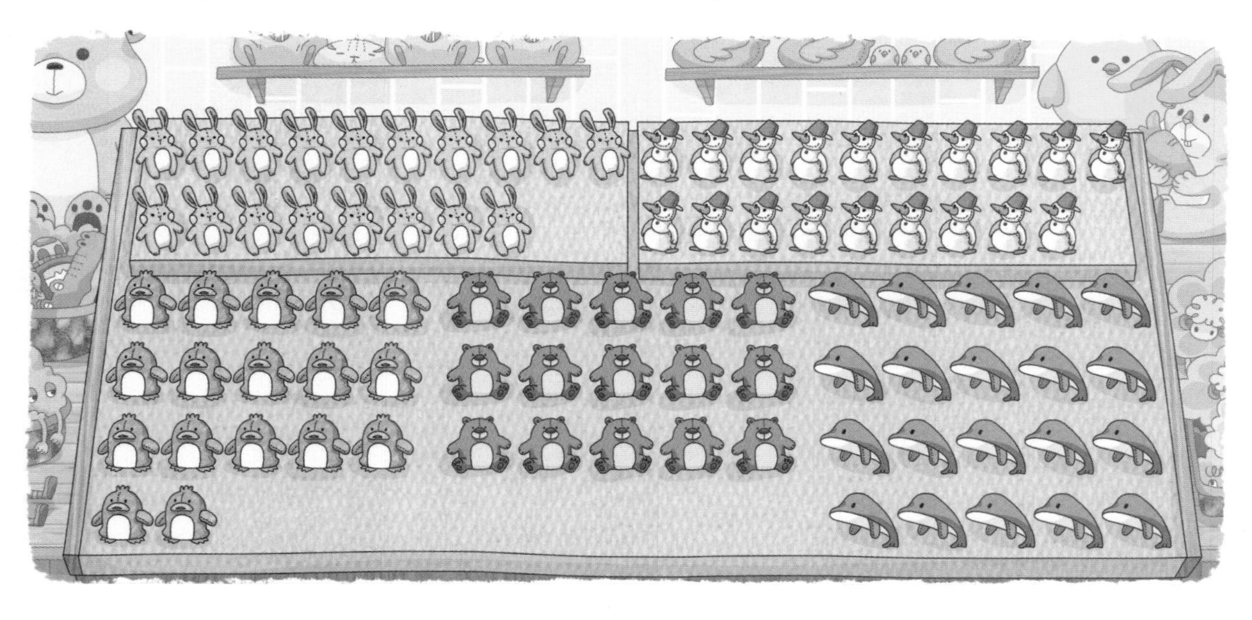

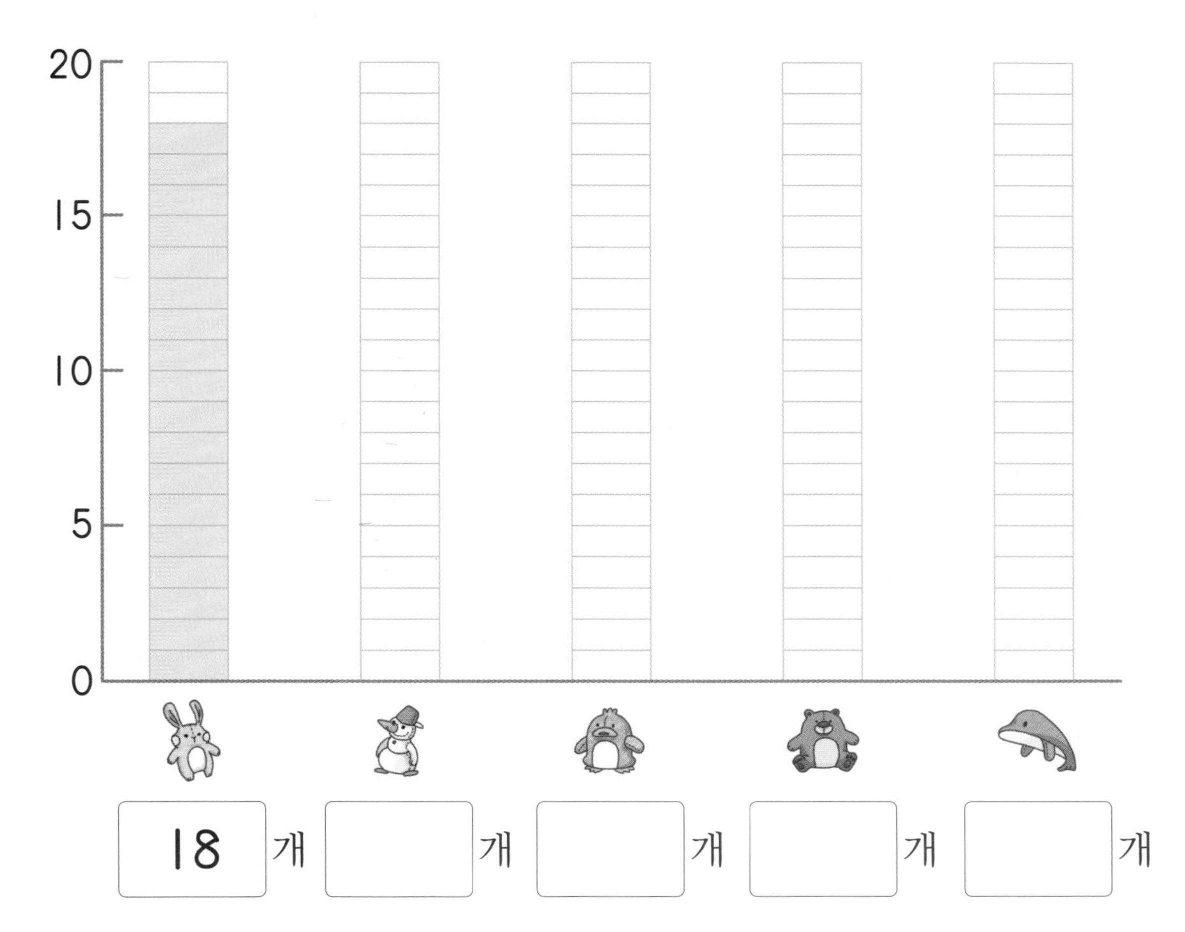

18 개	개	개	개	개

창의 · 융합 · 코딩

1만큼 더 큰 수 따라 가기

● 안의 수보다 1만큼 더 큰 수 쪽으로 길을 따라 가세요.

(1)

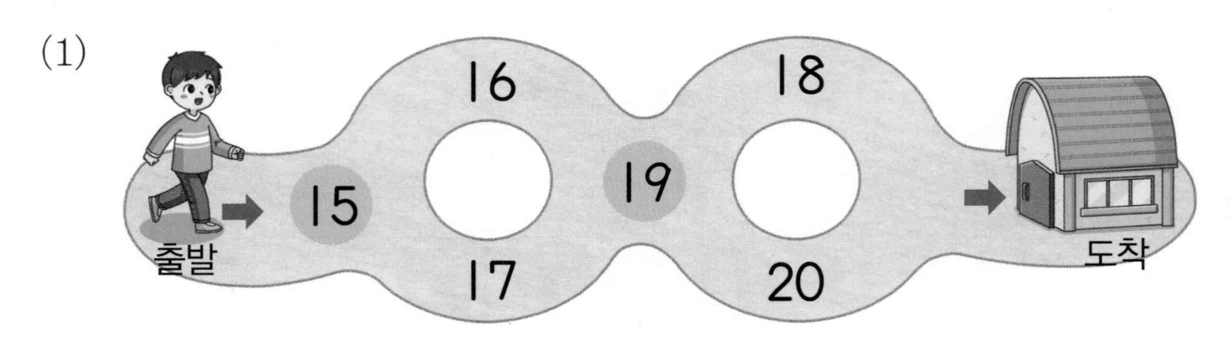

(2)

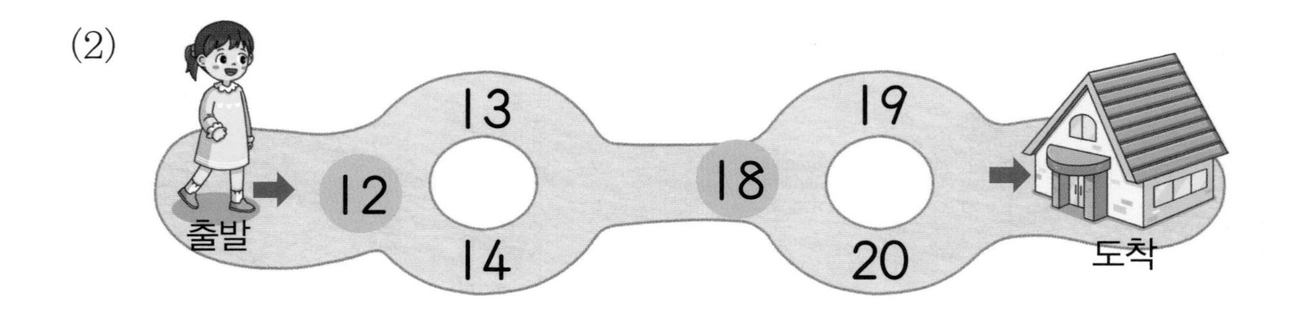

(3)

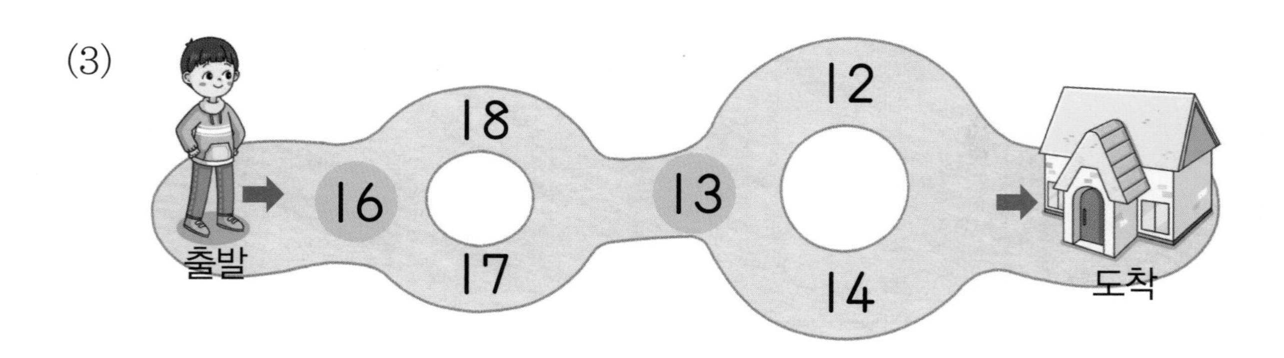

▶정답 및 풀이 18~19쪽

창의 4 보기 와 같이 수의 순서대로 선을 그어 보세요.

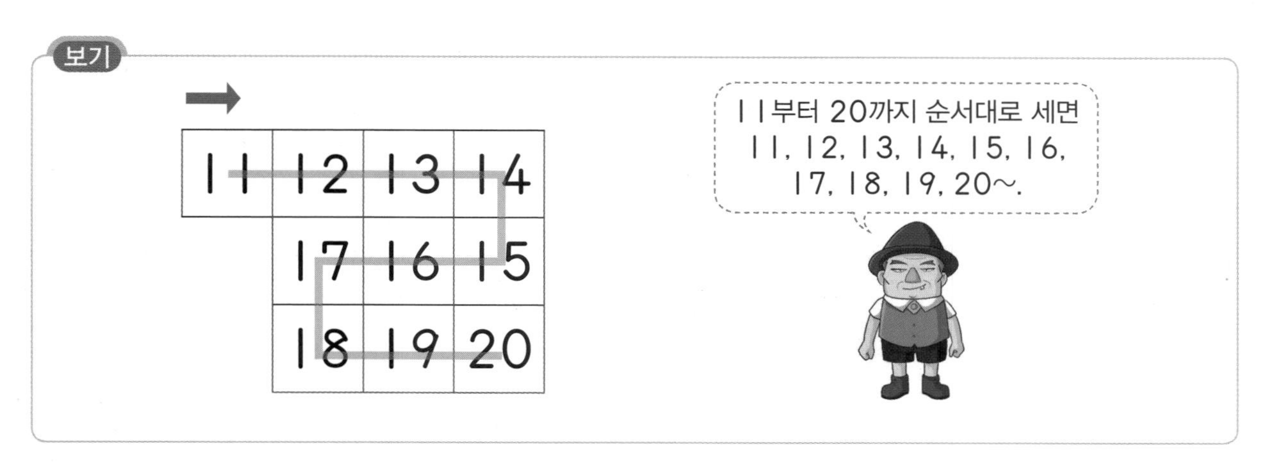

(1)

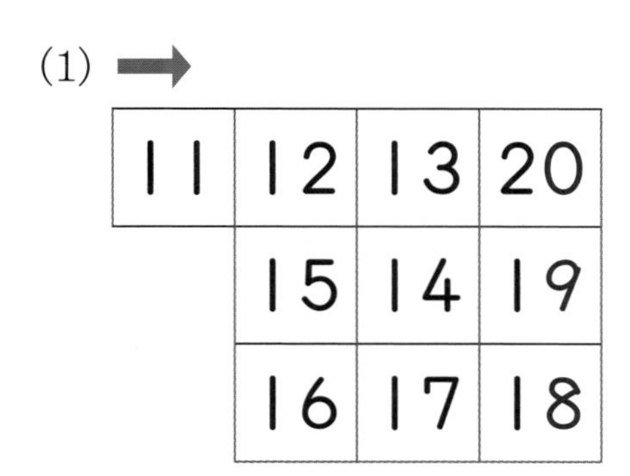

(2)

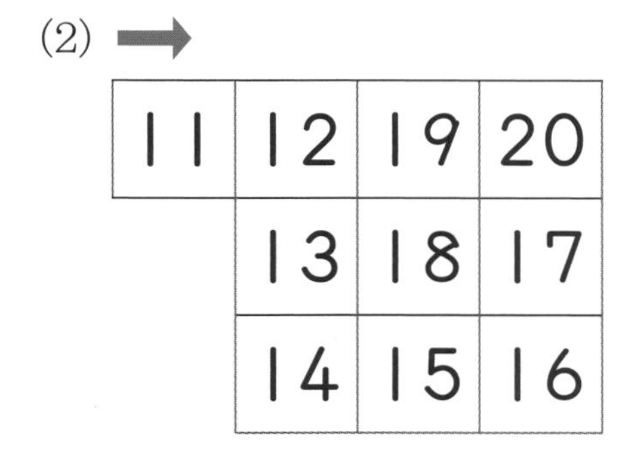

(3)

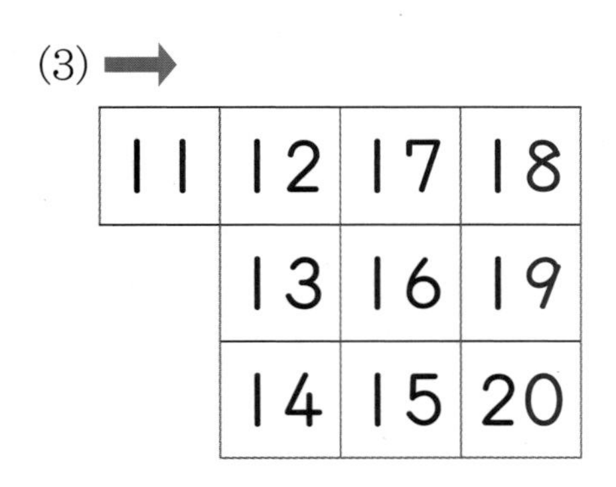

(4)

11	12	13	14
	19	18	15
	20	17	16

창의·융합·코딩

창의 5 11부터 20까지 수의 순서대로 길을 따라 가세요.

(1)

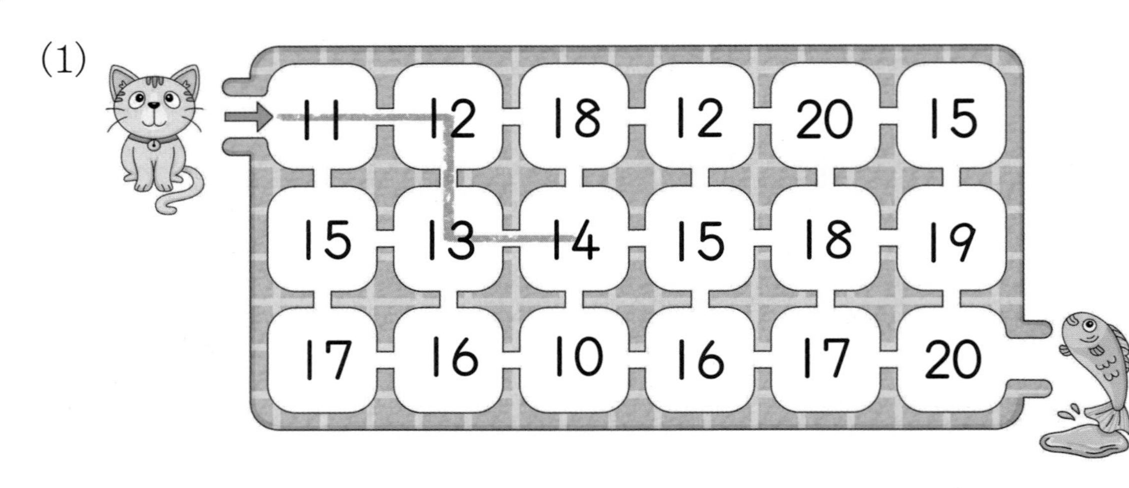

(2)

(3)

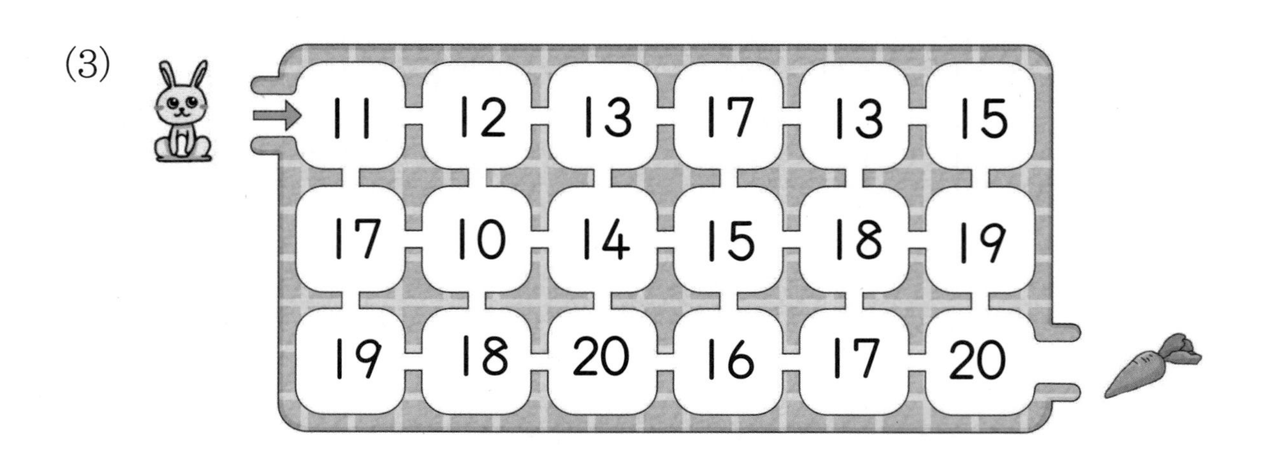

▶정답 및 풀이 19쪽

창의 6 11부터 20까지 수의 순서대로 길을 따라 가세요.

4주 특강

만화로 배운 내용 정리하기

정말 이 과자들을
다 만드신 거예요?

후후후 당연하지~.
뿜
뿜
와ー

가장 맛있는 과자를 소개하마!
버터맛 쿠키 2개!
초코맛 쿠키 6개!
모두 2+6=8(개)란다.

아! 딸기맛 쿠키 7개도 있지.
두
둥

이렇게 15개야.
우와~ 맛있겠다!!

고양이를 찾아줬으니
선물로 쿠키를 줄게.

마음껏 고르렴.
우후~
정말요?

쿠키를 먹었으니
곧 개구리로 변하겠지.
킄킄~
5, 4, 3,
2, 1
맛있다
그치
응! 응!

땡! 변해라!
매콤하게 맛있네
쪽
쪽
쪽
쪽
맞아! 맞아!

왜 안 변하지?
잘 먹었습니다.
안녕히 계세요.

우왕~ 마법가루가 아니라
고춧가루를 넣었어!!
응! 오빠!

마무리

학습

신유형 · 신경향 · 서술형

파란색 구슬의 수를 세어 ☐ 안에 쓰세요.

1

☐

2

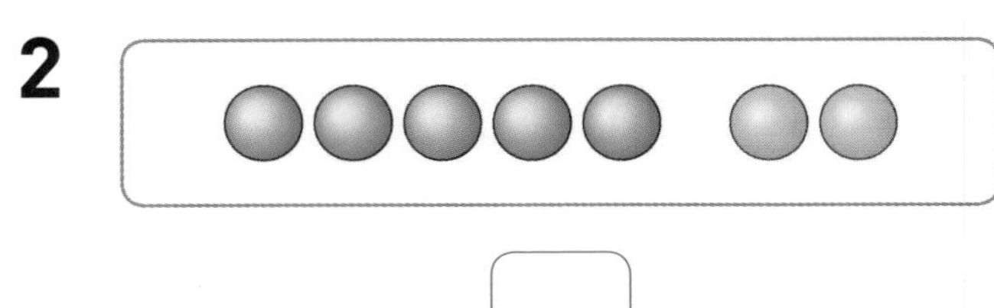

☐

3

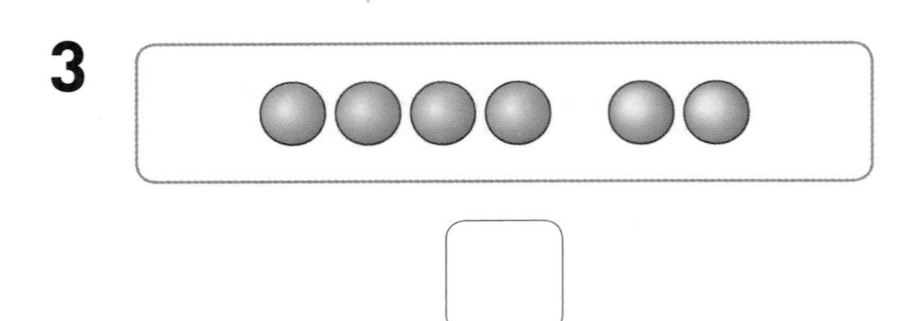

☐

4

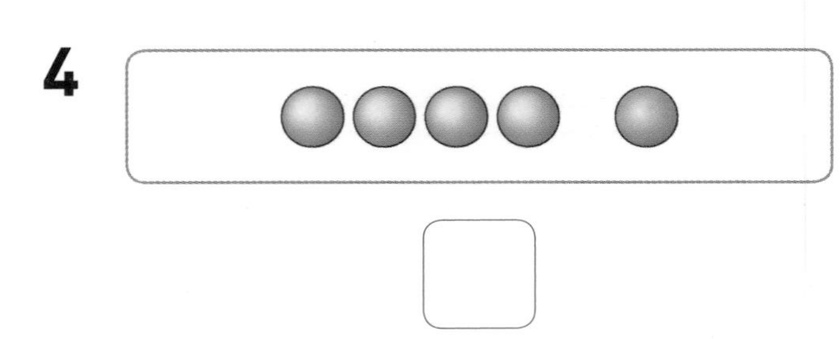

☐

5

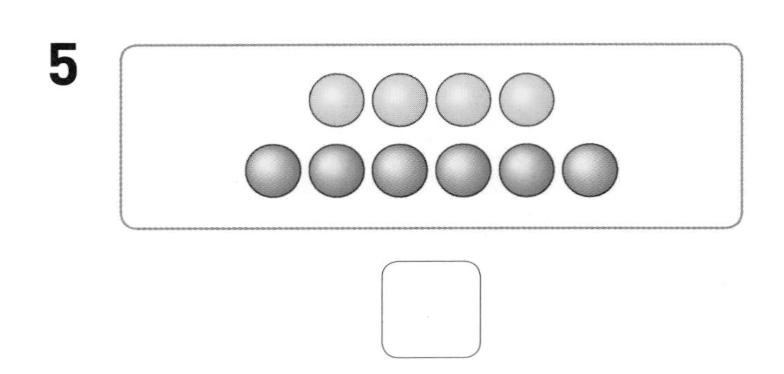

☐

6

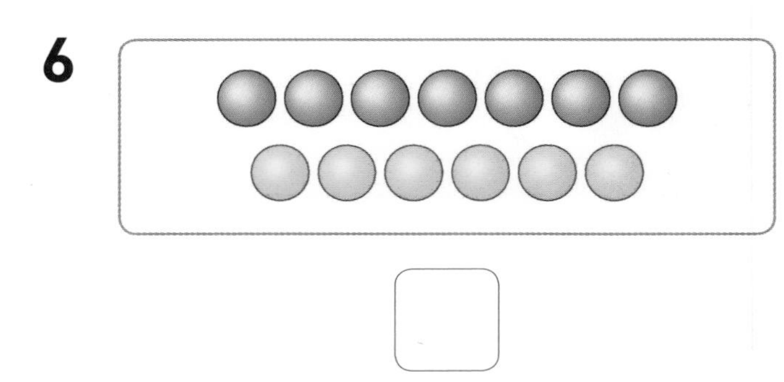

☐

7

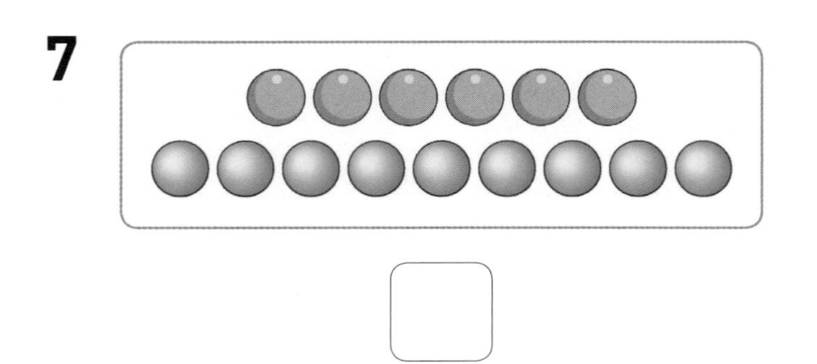

☐

8

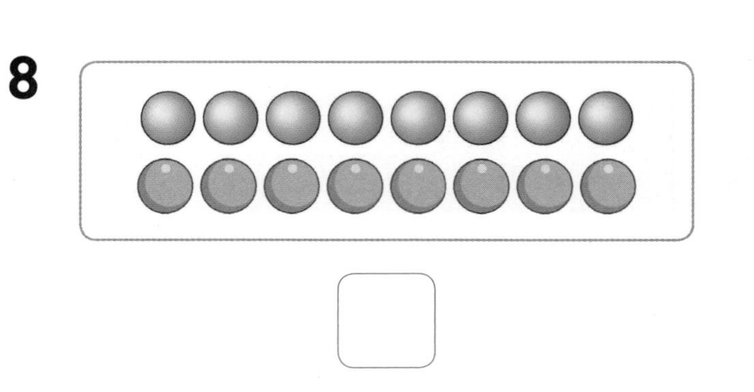

☐

▶정답 및 풀이 19쪽

보기 와 같이 빈칸에 알맞은 수를 쓰세요.

9

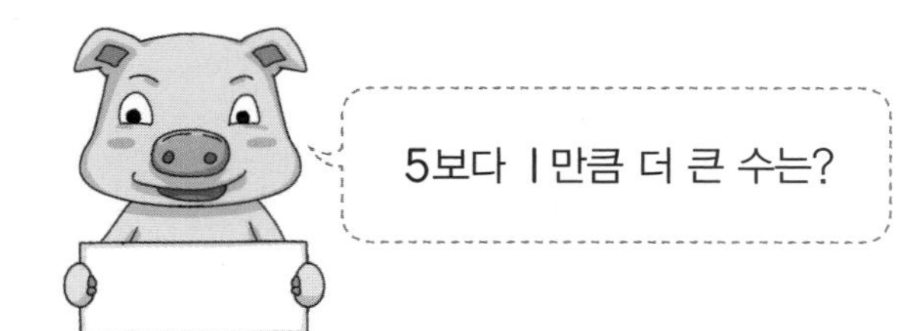

10

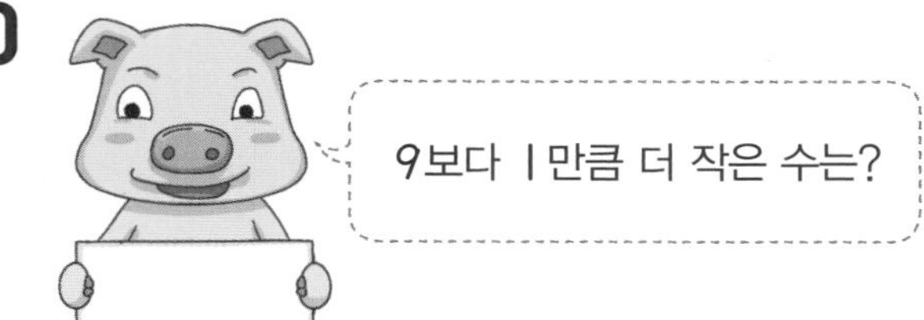

11

12

13

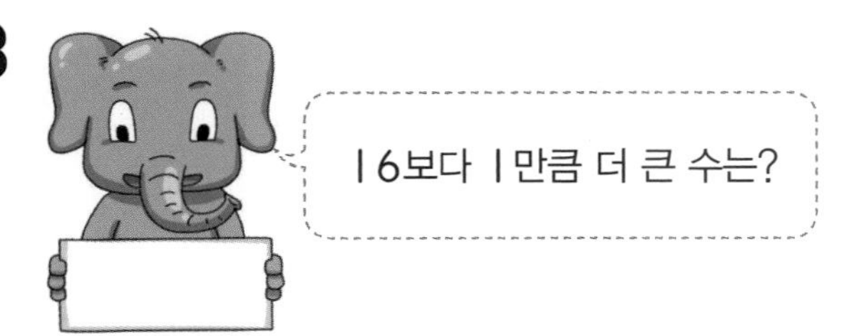

14

20보다 1만큼 더 작은 수는?

신유형 • 신경향 • 서술형

다음을 읽고 덧셈식을 써 보세요.

15

수박이 2통 있어.
수박의 수보다 2만큼
더 큰 수는 얼마일까?

2	+	2	=	

16

파인애플이 6개 있어.
파인애플의 수보다 1만큼
더 큰 수는 얼마일까?

6	+	1	=	

17

사과 3개와 귤 2개가
있어. 사과와 귤은
모두 몇 개일까?

3	+		=	

18

참외 4개와 토마토 5개가
있어. 참외와 토마토는
모두 몇 개일까?

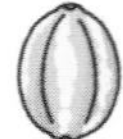  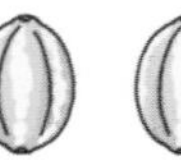

4	+		=	

▶정답 및 풀이 19쪽

다음을 읽고 뺄셈식을 써 보세요.

19

펭귄 인형이 5개 있어.
펭귄 인형의 수보다 1만큼
더 작은 수는 얼마일까?

5	−	1	=	

20

돌고래 인형이 9개 있어.
돌고래 인형의 수보다 2만큼
더 작은 수는 얼마일까?

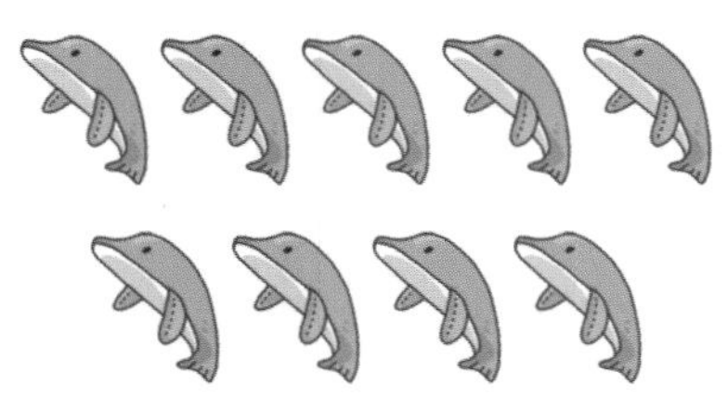

9	−	2	=	

21

자동차는 4대, 비행기는 2대
있어. 자동차는 비행기보다
몇 대 더 많을까?

4	−		=	

22

토끼 인형은 6개, 곰 인형은 3개
있어. 토끼 인형은 곰 인형보다
몇 개 더 많을까?

6	−		=	

마무리 학습

기초 종합 정리 1회

수를 세어 빈칸에 쓰세요.

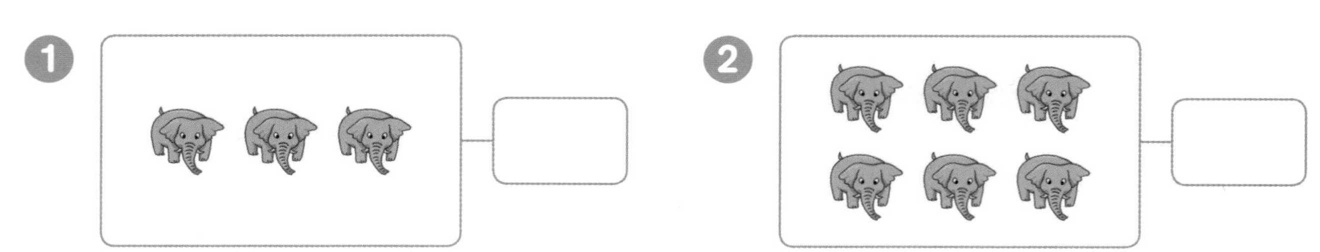

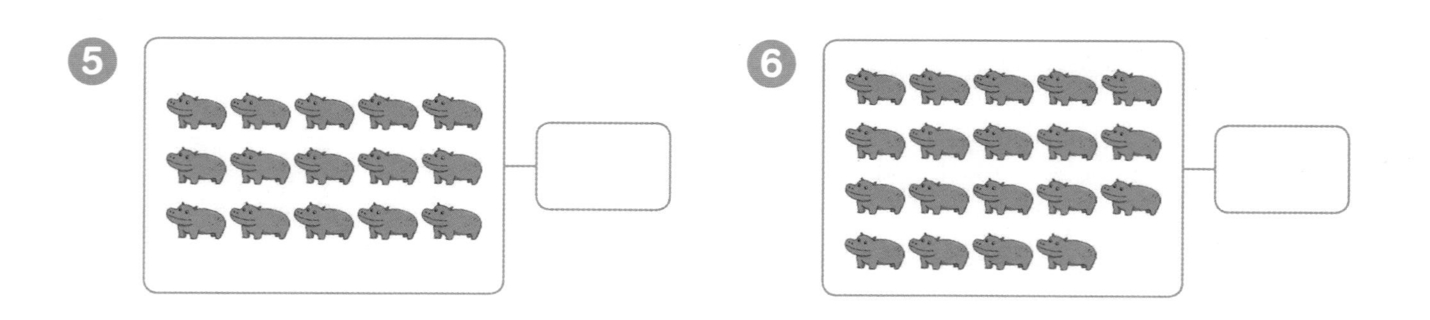

▶정답 및 풀이 20쪽

연결큐브의 수보다 I만큼 더 작은 수를 ◯에, I만큼 더 큰 수를 ◯에 쓰세요.

7 ◯ ← I만큼 더 작은 수 | I만큼 더 큰 수 → ◯

8 ◯ ← I만큼 더 작은 수 | I만큼 더 큰 수 → ◯

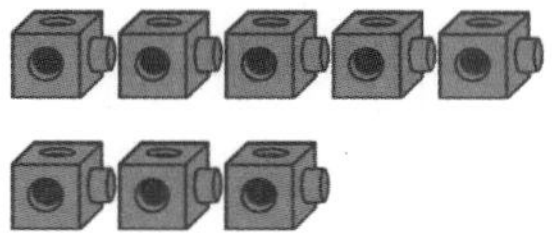

9 ◯ ← I만큼 더 작은 수 | I만큼 더 큰 수 → ◯

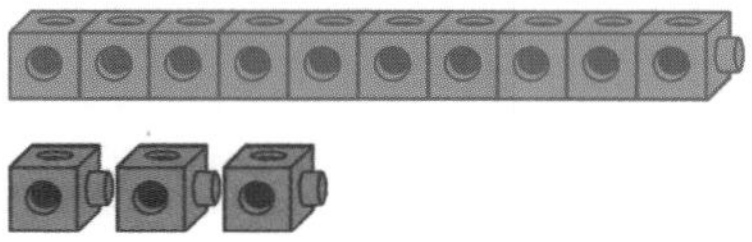

10 ◯ ← I만큼 더 작은 수 | I만큼 더 큰 수 → ◯

11 ◯ ← I만큼 더 작은 수 | I만큼 더 큰 수 → ◯

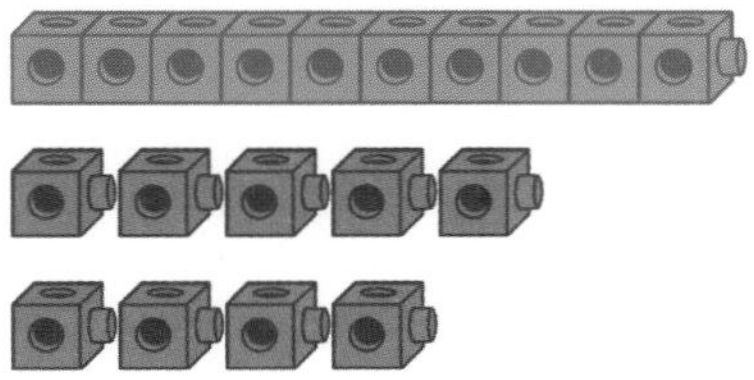

기초 종합 정리 1회

수 모으기나 가르기를 하여 빈칸에 알맞은 수를 쓰세요.

⑫ 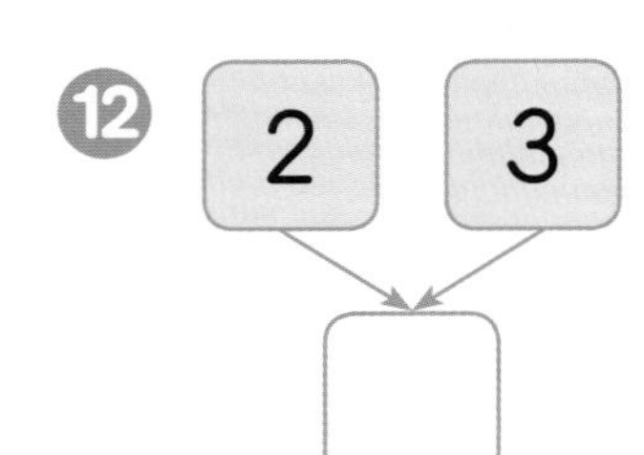

⑬ 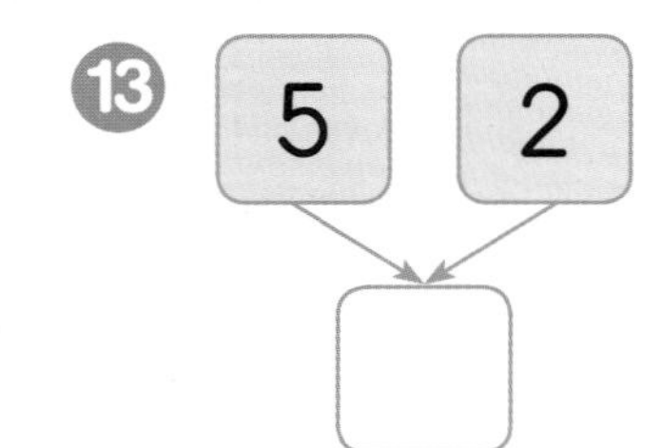

⑭ 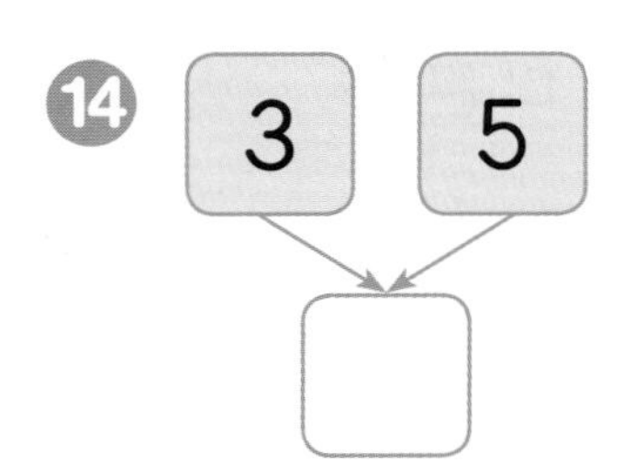

⑮ 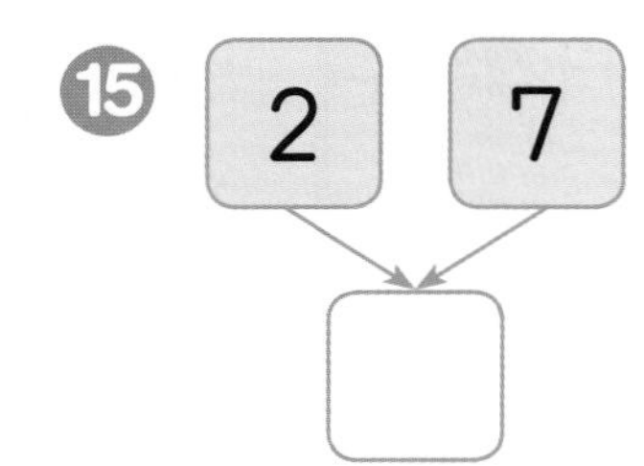

⑯ 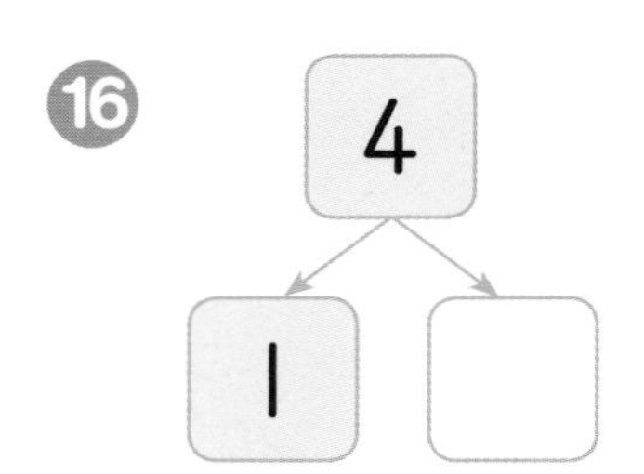

⑰ 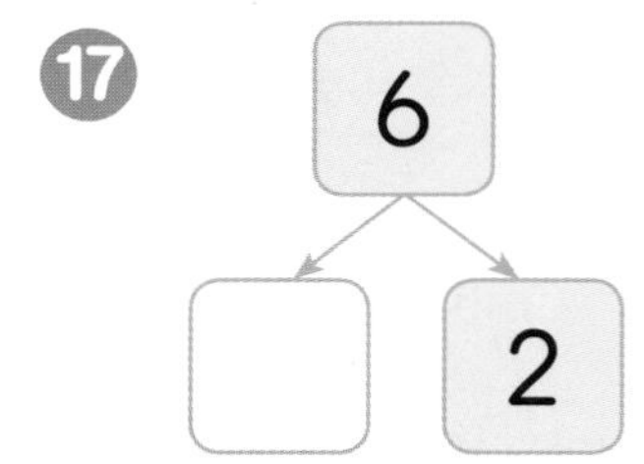

⑱ 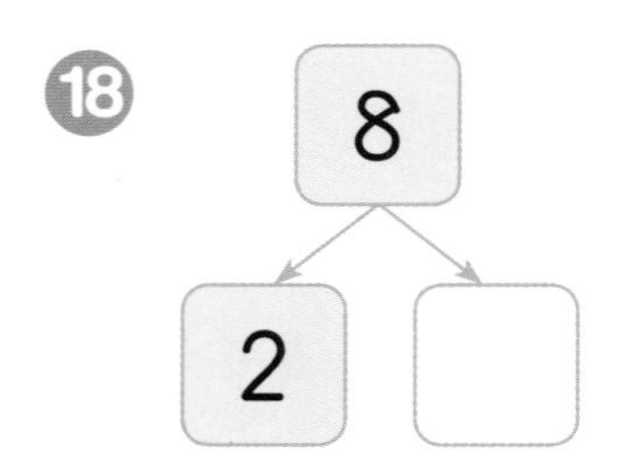

⑲ 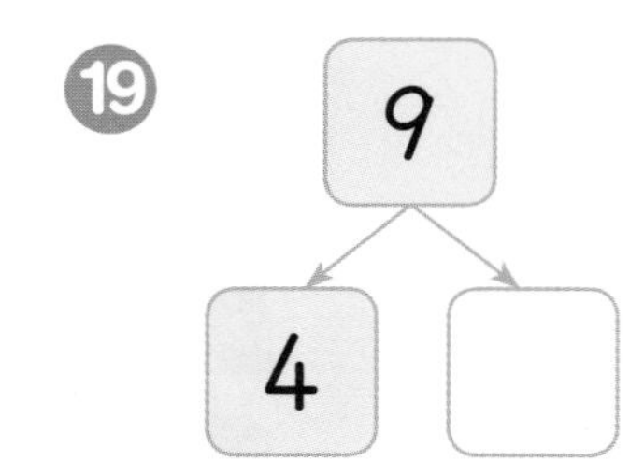

크레파스는 모두 몇 개인지 덧셈식을 써 보세요.

⑳ 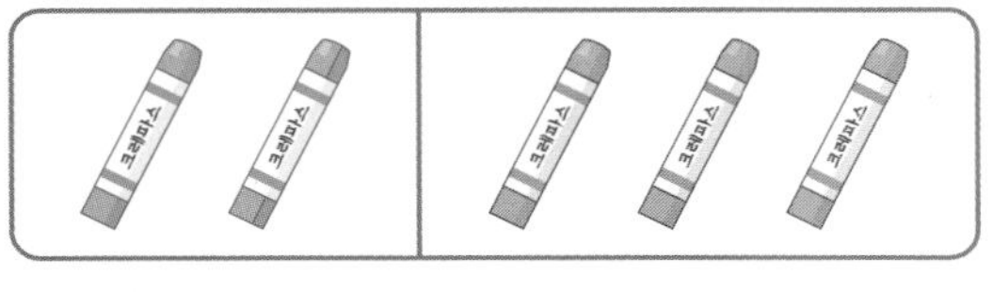

2	+	3	=	

㉑ 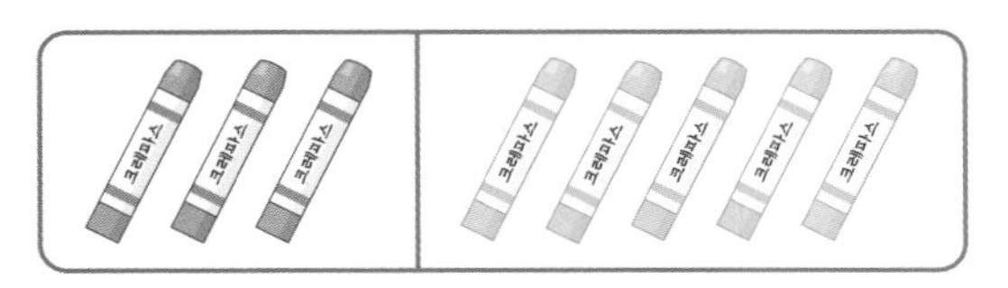

3	+		=	

㉒ 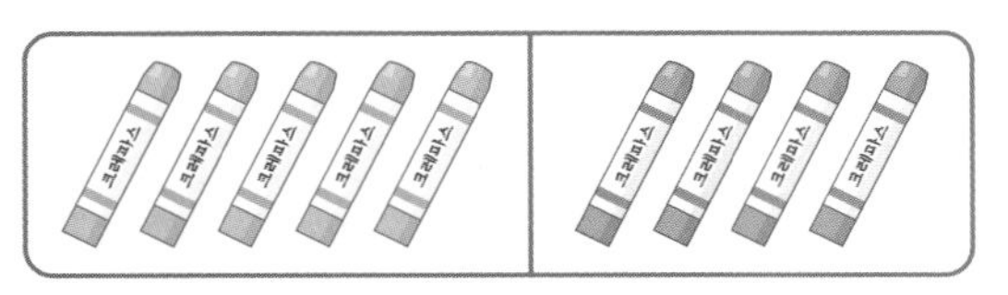

5	+		=	

남은 풍선은 몇 개인지 뺄셈식을 써 보세요.

㉓ 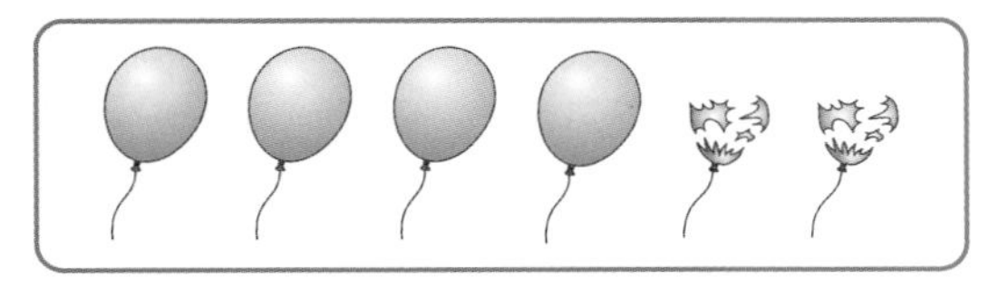

6	−	2	=	

㉔ 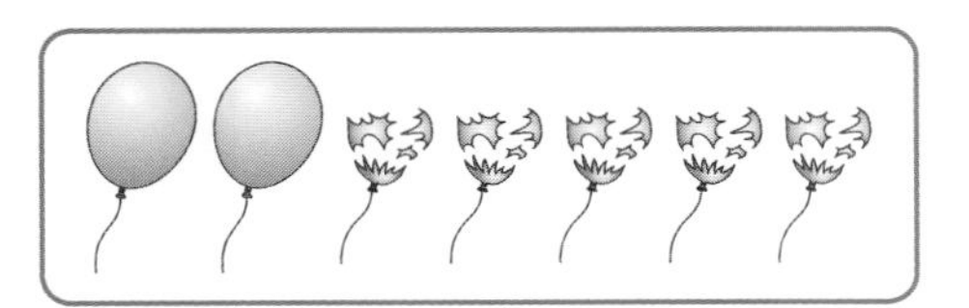

7	−		=	

㉕ 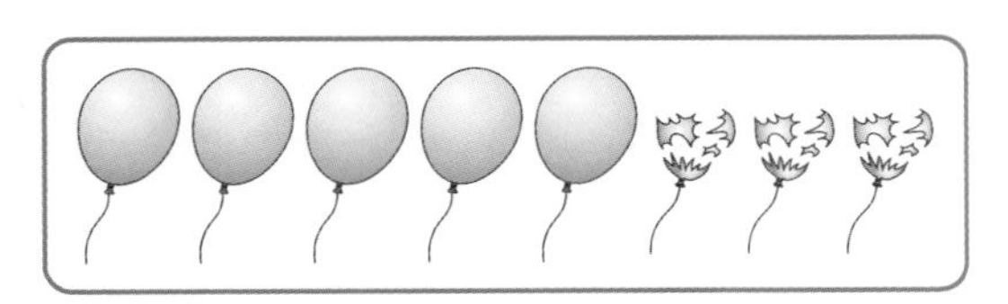

8	−		=	

제한 시간 안에 정확하게
모두 풀었다면 여러분은 진정한 **계산왕!**

기초 종합 정리 ②회

수를 모으기나 가르기를 하여 빈칸에 알맞은 수를 쓰세요.

❶

2	4

❷

4	4

❸

6	3

❹

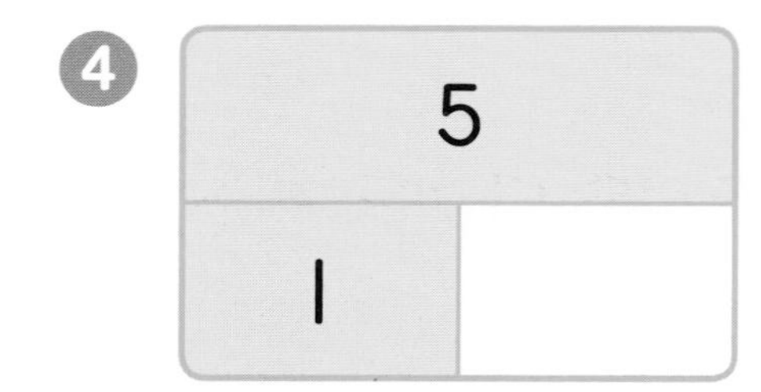

❺

7	
4	

❻

9	
7	

▶정답 및 풀이 20쪽

순서에 맞게 빈칸에 알맞은 수를 쓰세요.

7

6	7		9	10		12

8

9	10		12			15

9

4		6	7		9	

10

	15	16			19	

기초 종합 정리 2회

과일의 수보다 1만큼 더 작은 수를 ◯에, 1만큼 더 큰 수를 ◯에 쓰세요.

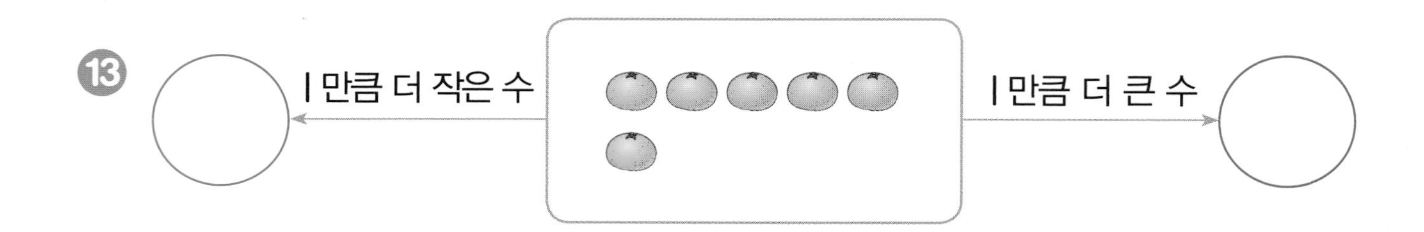

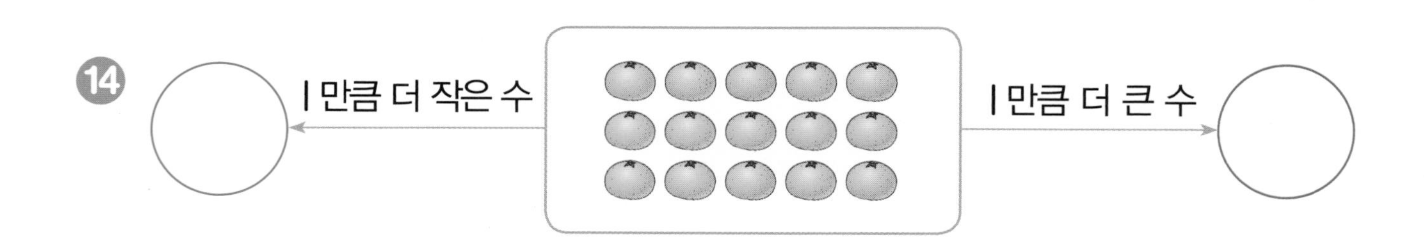

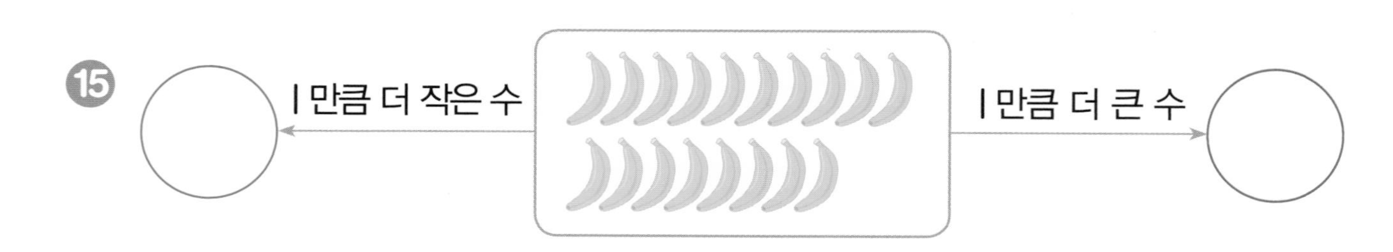

계산해 보세요.

⑯ $2+1=\square$

⑰ $4+3=\square$

⑱ $3+5=\square$

⑲ $2+7=\square$

⑳ $5+4=\square$

㉑ $5-1=\square$

㉒ $6-2=\square$

㉓ $8-3=\square$

㉔ $7-5=\square$

㉕ $9-6=\square$

제한 시간 안에 정확하게
모두 풀었다면 여러분은 진정한 **계산왕!**

다른 부분 찾기

서로 다른 곳을 5군데 찾아 아래 그림에 ○표 하세요.

정답

MEMO

쉽다!

10분이면 하루치 공부를 마칠 수 있는 커리큘럼으로, 아이들이 초등 학습에 쉽고 재미있게 접근할 수 있도록 구성하였습니다.

재미있다!

교과서는 물론 생활 속에서 쉽게 접할 수 있는 다양한 소재와 재미있는 게임 형식의 문제로 흥미로운 학습이 가능합니다.

똑똑하다!

초등학생에게 꼭 필요한 학습 지식 습득은 물론 창의력 확장까지 가능한 교재로 올바른 공부습관을 가지는 데 도움을 줍니다.

과목	교재 구성	과목	교재 구성
하루 독해	예비초~6학년 각 A·B (14권)	하루 VOCA	3~6학년 각 A·B (8권)
하루 어휘	예비초~6학년 각 A·B (14권)	하루 영문법	3~6학년 각 A·B (8권)
하루 글쓰기	예비초~6학년 각 A·B (14권)	하루 리딩	3~6학년 각 A·B (8권)
하루 한자	예비초: 예비초 A·B (2권) 1~6학년: 1A~4C (12권)	하루 파닉스	Starter A·B / 1A~3B (8권)
하루 수학	1~6학년 1·2학기 (12권)	하루 봄·여름·가을·겨울	1~2학년 각 2권 (8권)
하루 계산	예비초~6학년 각 A·B (14권)	하루 사회	3~6학년 1·2학기 (8권)
하루 도형	예비초~6학년 각 A·B (14권)	하루 과학	3~6학년 1·2학기 (8권)
하루 사고력	1~6학년 각 A·B (12권)		

※ 각 교재별 출간 시기는 조금씩 다르며, 일부 교재는 순차적으로 출시될 예정입니다.

정답 및 풀이

똑 똑 한

하루 계산

예비초 A

천재교육

정답 및 풀이
포인트 3가지

- 혼자서도 이해할 수 있는 문제 풀이
- 자세한 풀이 제시
- 참고·주의 등 풍부한 보충 설명

정답 및 풀이

1주 9까지의 수

6~7쪽 1주에 배울 내용을 알아볼까요?

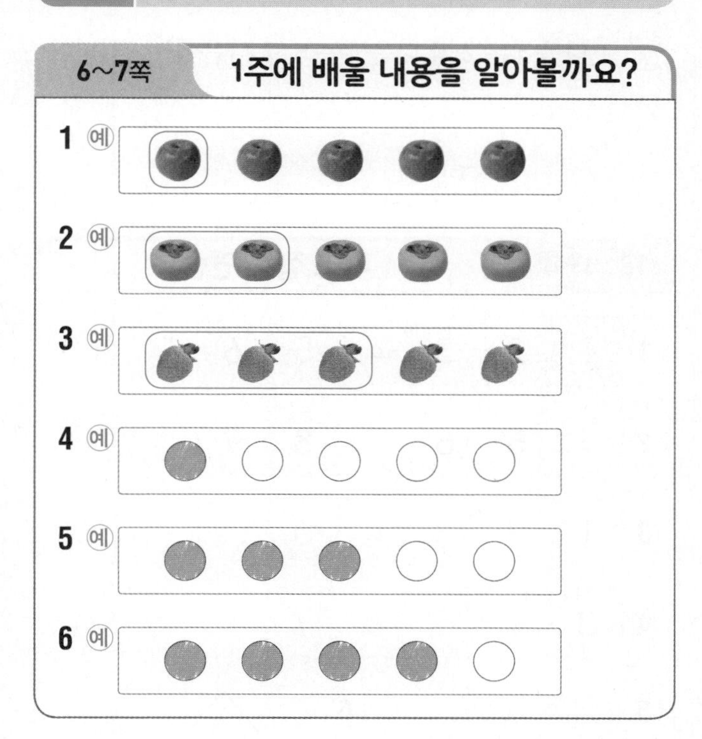

9쪽 똑똑한 계산 연습

① 2 2 2 2 2
② 3 3 3 3 3
③ 4 4 4 4 4
④ 5 5 5 5 5
⑤ 1 ② 3
⑥ 1 2 ③

⑤ 나비는 하나, 둘이므로 2입니다.

⑥ 벌은 하나, 둘, 셋이므로 3입니다.

10~11쪽 기초 집중 연습

1 (선 잇기)

2 1
3 4
4 4, 3
5 1, 5, 3

1 : 2 ⇨ (둘, 이)
: 5 ⇨ (다섯, 오)
: 1 ⇨ (하나, 일)
: 3 ⇨ (셋, 삼)
: 4 ⇨ (넷, 사)

2 닭은 하나이므로 1입니다.

3 병아리는 하나, 둘, 셋, 넷이므로 4입니다.

4 :세어 보면 하나, 둘, 셋, 넷이므로 4입니다.
: 세어 보면 하나, 둘, 셋이므로 3입니다.

5 : 세어 보면 하나이므로 1입니다.
: 세어 보면 하나, 둘, 셋, 넷, 다섯이므로 5입니다.
: 세어 보면 하나, 둘, 셋이므로 3입니다.

참고
같은 동물을 또 세지 않도록 /으로 지우면서 세어 봅니다.

13쪽 똑똑한 계산 연습

① 6 6 6 6 6
② 7 7 7 7 7
③ 8 8 8 8 8
④ 9 9 9 9 9
⑤ 6 ⑦ 8 9
⑥ 6 7 8 ⑨

⑤ 물고기는 하나, 둘, 셋, 넷, 다섯, 여섯, 일곱이므로 7입니다.

⑥ 물고기는 하나, 둘, 셋, 넷, 다섯, 여섯, 일곱, 여덟, 아홉이므로 9입니다.

14~15쪽 기초 집중 연습

1 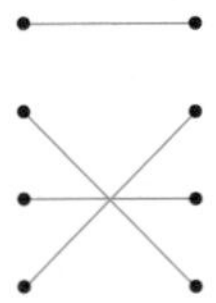

2 6
3 8
4 7, 6
5 8, 7, 6

1 : 6 ⇨ (여섯, 육)
: 9 ⇨ (아홉, 구)
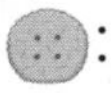: 8 ⇨ (여덟, 팔)
: 7 ⇨ (일곱, 칠)

2 축구공을 세어 보면 여섯이므로 6입니다.

3 농구공을 세어 보면 여덟이므로 8입니다.

4 • 병아리를 세어 보면 일곱이므로 7입니다.
• 닭을 세어 보면 여섯이므로 6입니다.

5 • 벌을 세어 보면 여덟이므로 8입니다.
• 나비를 세어 보면 일곱이므로 7입니다.
• 꽃을 세어 보면 여섯이므로 6입니다.

17쪽 똑똑한 계산 연습

①

1	2	3	4	5
6	7	8	9	

②

1	2	3	4	5
6	7	8	9	

③

1	2	3	4	5
6	7	8	9	

④

1	2	3	4	5
6	7	8	9	

① 수를 순서대로 쓰면 1, 2, 3, 4, 5, 6, 7, 8, 9입니다.
2 다음에는 3, 6 다음에는 7, 8 다음에는 9입니다.

② 1 다음에는 2, 4 다음에는 5, 7 다음에는 8입니다.

18~19쪽 기초 집중 연습

1

1	2	3	4	5	6

2

4	5	6	7	8	9

3

1	2	3	4	5

4

3	4	5	6	7

5 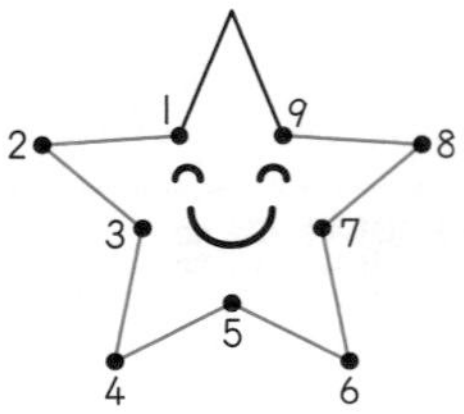

6 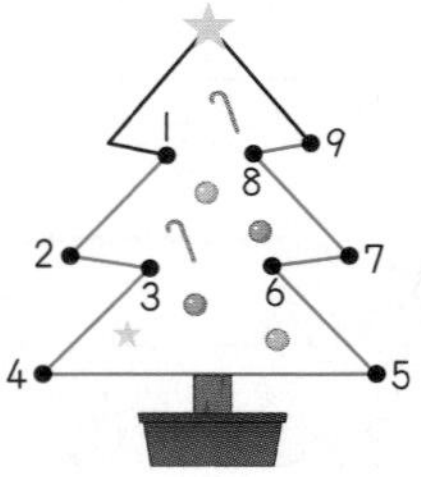

7 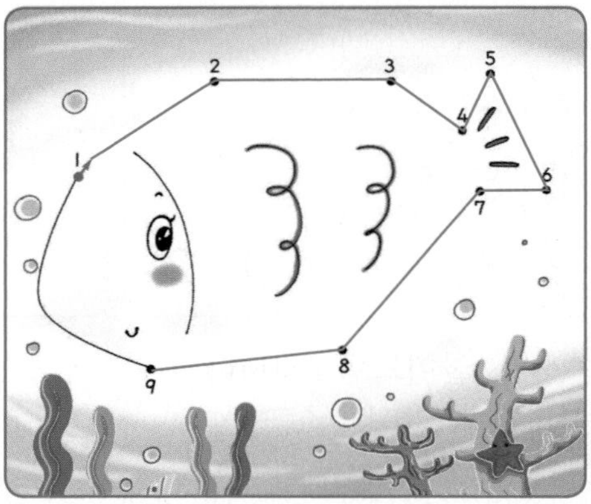

1 2 다음에는 3, 4 다음에는 5입니다.

2 5 앞에는 4, 6 다음에는 7입니다.

3 수를 순서대로 쓰면 1, 2, 3, 4, 5입니다.

4 수를 순서대로 쓰면 3, 4, 5, 6, 7입니다.

5 1부터 9까지의 수를 순서대로 잇습니다.

21쪽	똑똑한 계산 연습
① 5	② 9
③ 1	④ 6

① 4보다 1만큼 더 큰 수는 4 다음의 수인 5입니다.

② 8보다 1만큼 더 큰 수는 8 다음의 수인 9입니다.

③ 2보다 1만큼 더 작은 수는 2 앞의 수인 1입니다.

④ 7보다 1만큼 더 작은 수는 7 앞의 수인 6입니다.

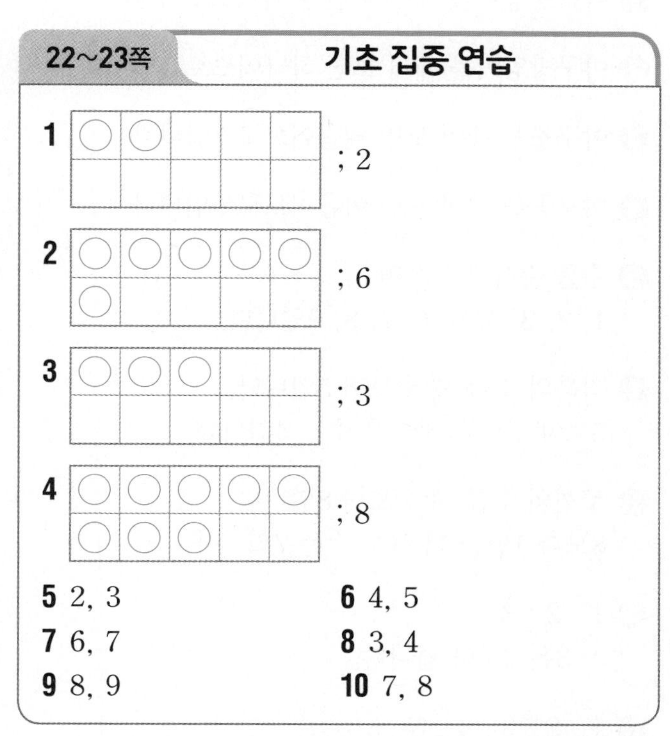

22~23쪽 기초 집중 연습

1 ; 2

2 ; 6

3 ; 3

4 ; 8

5 2, 3　　**6** 4, 5
7 6, 7　　**8** 3, 4
9 8, 9　　**10** 7, 8

1 1보다 1만큼 더 큰 수는 1 다음의 수인 2이므로 ○를 2개 그립니다.

2 5보다 1만큼 더 큰 수는 5 다음의 수인 6이므로 ○를 6개 그립니다.

3 4보다 1만큼 더 작은 수는 4 앞의 수인 3이므로 ○를 3개 그립니다.

4 9보다 1만큼 더 작은 수는 9 앞의 수인 8이므로 ○를 8개 그립니다.

5 수첩을 세어 보면 둘이므로 2입니다.
2보다 1만큼 더 큰 수는 3입니다.

6 테이프를 세어 보면 넷이므로 4입니다.
4보다 1만큼 더 큰 수는 5입니다.

7 지우개를 세어 보면 여섯이므로 6입니다.
6보다 1만큼 더 큰 수는 7입니다.

8 가위를 세어 보면 셋이므로 3입니다.
3보다 1만큼 더 큰 수는 4입니다.

9 연필을 세어 보면 여덟이므로 8입니다.
8보다 1만큼 더 큰 수는 9입니다.

10 풀을 세어 보면 일곱이므로 7입니다.
7보다 1만큼 더 큰 수는 8입니다.

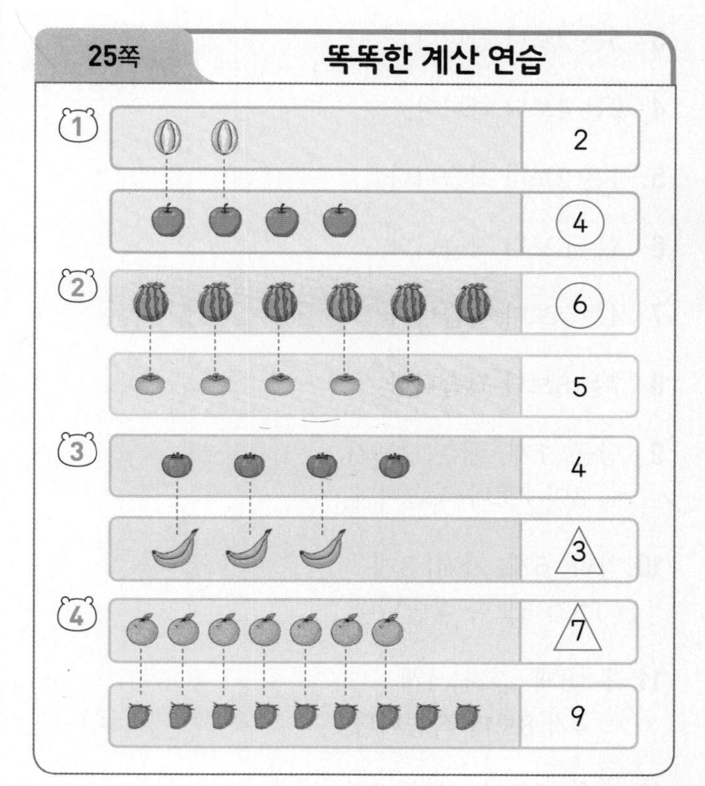

25쪽 똑똑한 계산 연습

① 2, ④
② ⑥, 5
③ 4, 3
④ 7, 9

① 사과가 참외보다 많습니다.
4가 2보다 큽니다.

② 수박이 감보다 많습니다.
6은 5보다 큽니다.

③ 바나나는 토마토보다 적습니다.
3은 4보다 작습니다.

④ 오렌지는 딸기보다 적습니다.
7은 9보다 작습니다.

26~27쪽 기초 집중 연습

1 3에 ○표
2 7에 ○표
3 5에 ○표
4 9에 ○표
5 1에 △표
6 4에 △표
7 4에 △표
8 7에 △표
9 당근-7 배추-3
10 양파-6 가지-5
11 무-8 감자-4
12 배추-3 양파-6
13 당근-7 가지-5
14 무-8 고구마-9

1 3은 1보다 큽니다.

2 7은 6보다 큽니다.

3 5는 2보다 큽니다.

4 9는 4보다 큽니다.

5 1은 2보다 작습니다.

6 4는 6보다 작습니다.

7 4는 7보다 작습니다.

8 7은 8보다 작습니다.

9 당근: 7개, 배추: 3포기
⇨ 3이 7보다 작습니다.

10 양파: 6개, 가지: 5개
⇨ 5가 6보다 작습니다.

11 무: 8개, 감자: 4개
⇨ 4가 8보다 작습니다.

12 배추: 3포기, 양파: 6개
⇨ 3이 6보다 작습니다.

13 당근: 7개, 가지: 5개
⇨ 5가 7보다 작습니다.

14 무: 8개, 고구마: 9개
⇨ 8이 9보다 작습니다.

28~29쪽 누구나 100점 맞는 TEST

❶ 2
❷ 1
❸ 7
❹ 9
❺ 4, 5, 8
❻ 3, 6, 9
❼ 2, 5, 7, 8
❽ 4
❾ 7
❿ 2 ③
⓫ ⑥ 2
⓬ ④ 1
⓭ ⑧ 3
⓮ 5 ⑦
⓯ ⑨ 6

❶ 야구방망이를 세어 보면 둘이므로 2입니다.

❷ 야구방망이를 세어 보면 하나이므로 1입니다.

❸ 야구공을 세어 보면 일곱이므로 7입니다.

❹ 야구공을 세어 보면 아홉이므로 9입니다.

❺ 수를 순서대로 쓰면
1, 2, 3, 4, 5, 6, 7, 8, 9입니다.

❻ 거북의 수를 세어 보면 5입니다.
5보다 1만큼 더 작은 수는 4입니다.

❾ 토끼의 수를 세어 보면 8입니다.
8보다 1만큼 더 작은 수는 7입니다.

❿ 1 2 ③
⇨ 3은 2보다 큽니다.

⓫ 1 2 3 4 5 ⑥
⇨ 6은 2보다 큽니다.

⓬ 1 2 3 ④
⇨ 4는 1보다 큽니다.

⓭ 1 2 3 4 5 6 7 ⑧
⇨ 8은 3보다 큽니다.

⓮ 1 2 3 4 5 6 ⑦
⇨ 7은 5보다 큽니다.

⓯ 1 2 3 4 5 6 7 8 ⑨
⇨ 9는 6보다 큽니다.

30~35쪽 특강 창의 · 융합 · 코딩

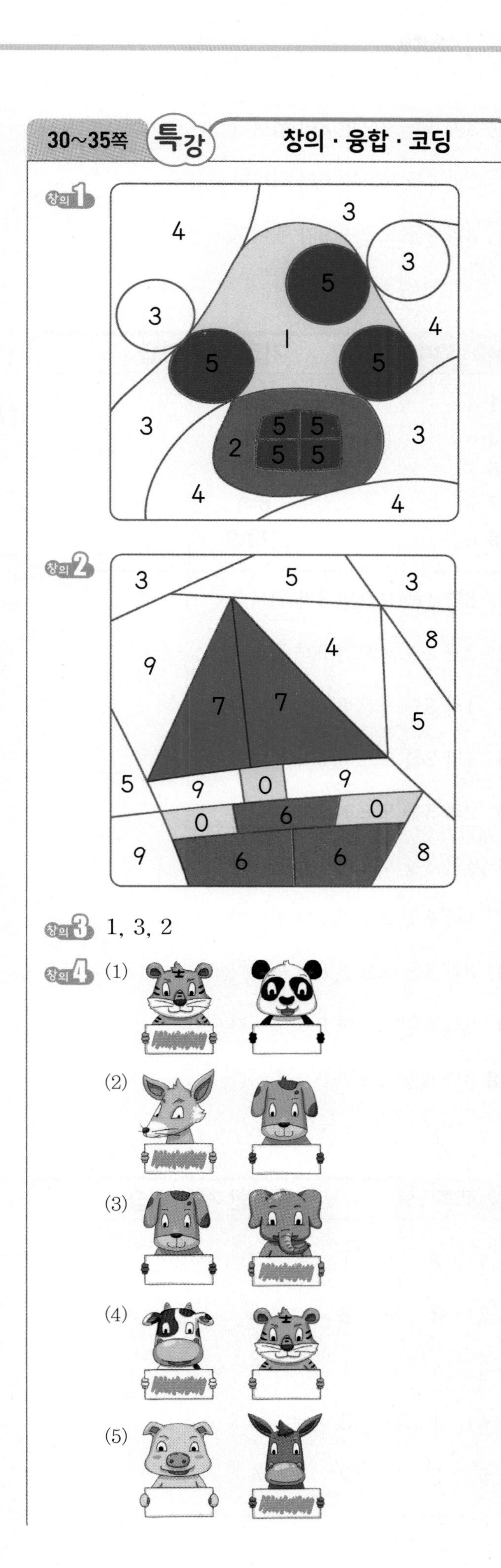

창의 1

창의 2

창의 3 1, 3, 2

창의 4 (1) (2) (3) (4) (5)

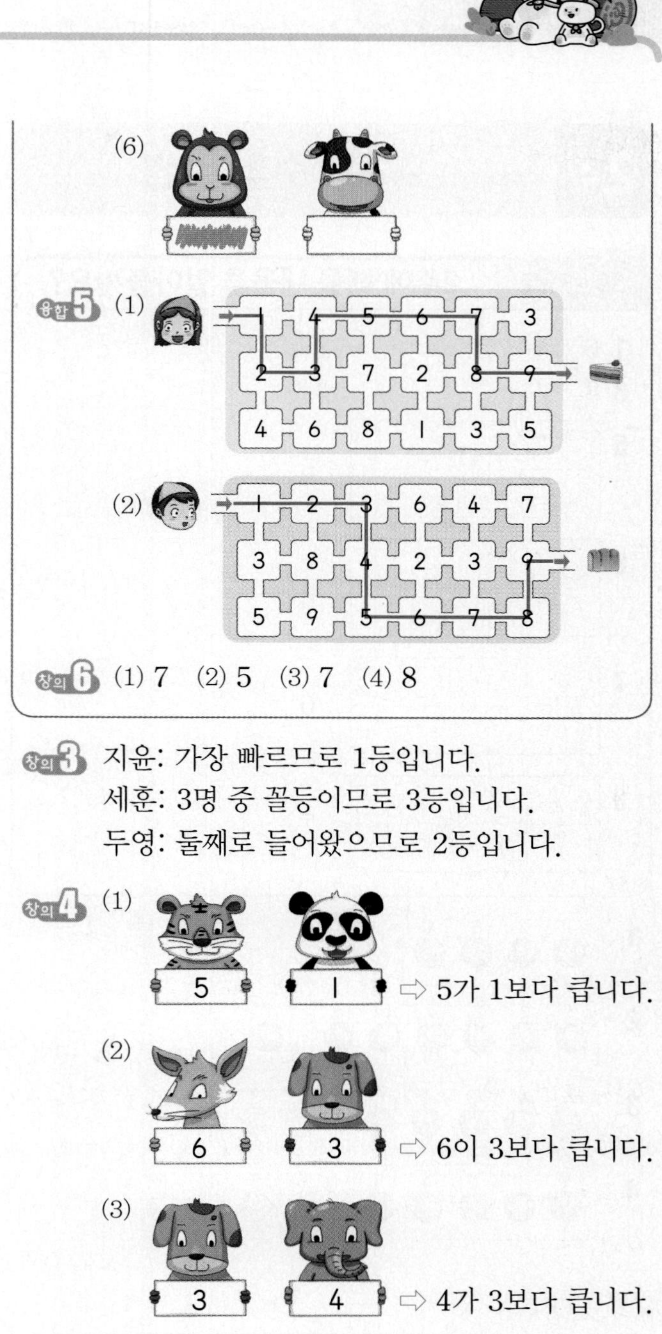

(6)

융합 5 (1) (2)

창의 6 (1) 7 (2) 5 (3) 7 (4) 8

창의 3 지윤: 가장 빠르므로 1등입니다.
세훈: 3명 중 꼴등이므로 3등입니다.
두영: 둘째로 들어왔으므로 2등입니다.

창의 4 (1) ⇨ 5가 1보다 큽니다.

(2) ⇨ 6이 3보다 큽니다.

(3) ⇨ 4가 3보다 큽니다.

(4) ⇨ 8이 5보다 큽니다.

(5) ⇨ 7이 2보다 큽니다.

(6) ⇨ 9가 8보다 큽니다.

창의 6 (1) 빈 곳에 놓아야 할 타일은 7장입니다.

정답 풀이

2주 9까지 수의 덧셈

38~39쪽 2주에 배울 내용을 알아볼까요?

1 6　**2** 7
3 8　**4** 9
5 ; 5
6 ; 8
7 ; 6
8 ; 7

1 1 2 3 4 5 6
2 1 2 3 4 5 6 7
3 1 2 3 4 5 6 7 8
4 1 2 3 4 5 6 7 8 9

41쪽 똑똑한 계산 연습

① 5　② 4
③ 3　④ 4
⑤ 7　⑥ 8
⑦ 6　⑧ 9

① 2와 3을 모으면 5가 됩니다.
② 2와 2를 모으면 4가 됩니다.
③ 2와 1을 모으면 3이 됩니다.
④ 3과 1을 모으면 4가 됩니다.
⑤ 5와 2를 모으면 7이 됩니다.
⑥ 3과 5를 모으면 8이 됩니다.
⑦ 2와 4를 모으면 6이 됩니다.
⑧ 3과 6을 모으면 9가 됩니다.

42~43쪽 기초 집중 연습

1 4　**2** 5
3 6　**4** 6
5 7　**6** 7
7 7　**8** 8
9 8　**10** 9

1 3과 1을 모으면 4가 됩니다.
2 3과 2를 모으면 5가 됩니다.
3 1과 5를 모으면 6이 됩니다.
4 4와 2를 모으면 6이 됩니다.
5 2와 5를 모으면 7이 됩니다.
6 4와 3을 모으면 7이 됩니다.
7 1과 6을 모으면 7이 됩니다.
8 3과 5를 모으면 8이 됩니다.
9 2와 6을 모으면 8이 됩니다.
10 3과 6을 모으면 9가 됩니다.

45쪽 똑똑한 계산 연습

① $2 + 1 = 3$
② $3 + 2 = 5$
③ $4 + 1 = 5$
④ $1 + 3 = 4$
⑤ $2 + 2 = 4$

① 2 더하기 1은 3과 같습니다를 식으로 나타냅니다.

② 3 더하기 2는 5와 같습니다를 식으로 나타냅니다.

③ 4 더하기 1은 5와 같습니다를 식으로 나타냅니다.

④ 1 더하기 3은 4와 같습니다를 식으로 나타냅니다.

⑤ 2 더하기 2는 4와 같습니다를 식으로 나타냅니다.

46~47쪽 기초 집중 연습

1 3	**2** 4
3 5	**4** 4
5 8	**6** 9
7 4+3=7에 ○표	**8** 6+3=9에 ○표
9 7+2=9에 ○표	

1 1 더하기 2는 3과 같습니다.

2 3 더하기 1은 4와 같습니다.

3 4 더하기 1은 5와 같습니다.

4 2 더하기 2는 4와 같습니다.

5 5 더하기 3은 8과 같습니다.

6 6 더하기 3은 9와 같습니다.

7 4마리에 3마리를 더하는 그림입니다.
⇨ 4+3=7

8 6마리에 3마리를 더하는 그림입니다.
⇨ 6+3=9

9 7마리에 2마리를 더하는 그림입니다.
⇨ 7+2=9

49쪽 똑똑한 계산 연습

① 7	② 7
③ 6	④ 7
⑤ 8	⑥ 8
⑦ 8	⑧ 9

① 5와 2를 더하면 7이 됩니다.
⇨ 5+2=7

② 4와 3을 더하면 7이 됩니다.
⇨ 4+3=7

③ 3과 3을 더하면 6이 됩니다.
⇨ 3+3=6

④ 2와 5를 더하면 7이 됩니다.
⇨ 2+5=7

⑤ 1과 7을 더하면 8이 됩니다.
⇨ 1+7=8

⑥ 4와 4를 더하면 8이 됩니다.
⇨ 4+4=8

⑦ 5와 3을 더하면 8이 됩니다.
⇨ 5+3=8

⑧ 5와 4를 더하면 9가 됩니다.
⇨ 5+4=9

정답
풀이

50~51쪽 기초 집중 연습

1 3	**2** 4
3 4	**4** 5
5 8	**6** 6
7 9	**8** 9
9 6	**10** 7
11 9	**12** 8

1 1과 2를 더하면 3이 됩니다.

2 1과 3을 더하면 4가 됩니다.

3 2와 2를 더하면 4가 됩니다.

4 2와 3을 더하면 5가 됩니다.

5 3과 5를 더하면 8이 됩니다.

6 5와 1을 더하면 6이 됩니다.

7 8과 1을 더하면 9가 됩니다.

8 6과 3을 더하면 9가 됩니다.

9 4마리가 있는데 2마리가 더 날아오는 그림입니다.
⇨ $4+2=6$

10 5마리가 있는데 2마리가 더 날아오는 그림입니다.
⇨ $5+2=7$

11 7마리가 있는데 2마리가 더 날아오는 그림입니다.
⇨ $7+2=9$

12 6마리가 있는데 2마리가 더 날아오는 그림입니다.
⇨ $6+2=8$

53쪽 **똑똑한 계산 연습**

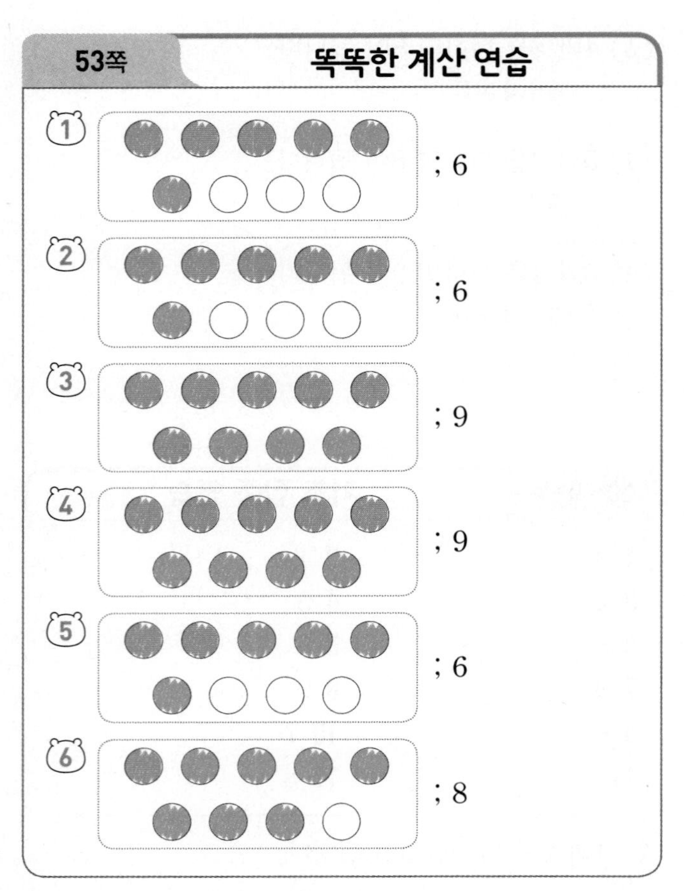

(1) 3개를 더 색칠하면 6이 됩니다.

(2) 1개를 더 색칠하면 6이 됩니다.

(3) 3개를 더 색칠하면 9가 됩니다.

(4) 4개를 더 색칠하면 9가 됩니다.

(5) 4개를 더 색칠하면 6이 됩니다.

(6) 7개를 더 색칠하면 8이 됩니다.

54~55쪽 **기초 집중 연습**

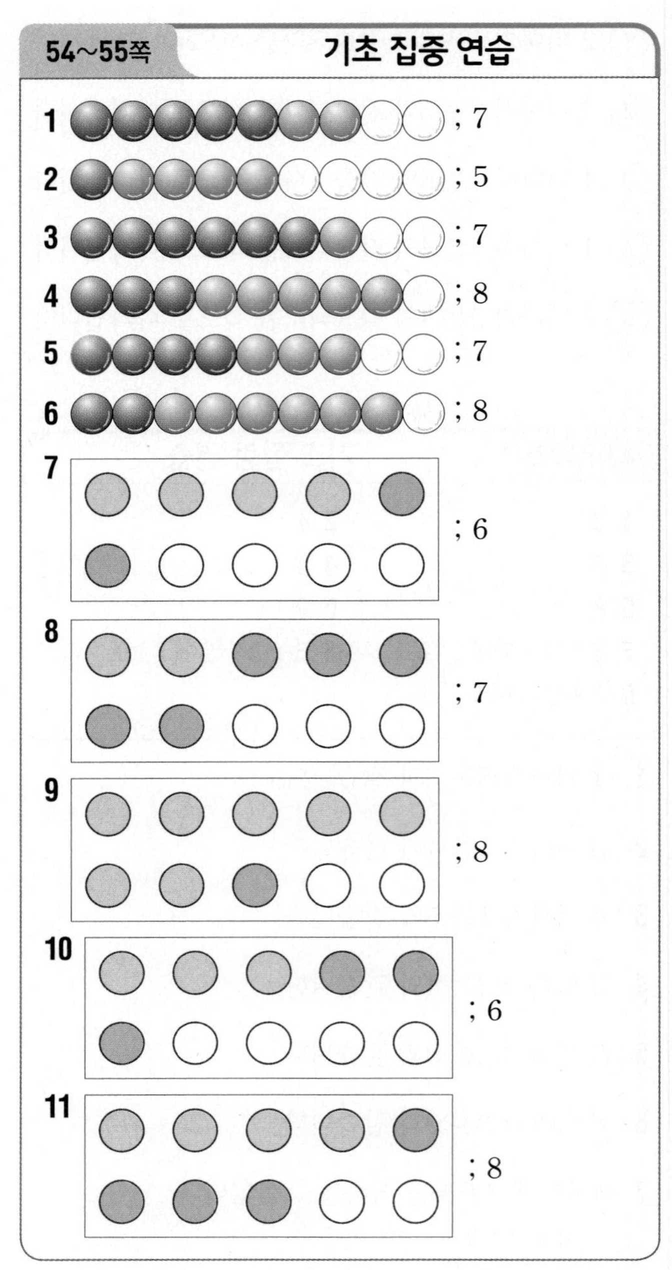

1 주사위 눈이 2이므로 구슬 2개를 더 색칠합니다.
⇨ $5+2=7$

2 주사위 눈이 4이므로 구슬 4개를 더 색칠합니다.
⇨ $1+4=5$

3 주사위 눈이 1이므로 구슬 1개를 더 색칠합니다.
⇨ $6+1=7$

4 주사위 눈이 5이므로 구슬 5개를 더 색칠합니다.
⇨ $3+5=8$

5 주사위 눈이 3이므로 구슬 3개를 더 색칠합니다.
⇨ $4+3=7$

6 주사위 눈이 6이므로 구슬 6개를 더 색칠합니다.
⇨ $2+6=8$

7 2개를 더 색칠합니다. ⇨ $4+2=6$

8 5개를 더 색칠합니다. ⇨ $2+5=7$

9 1개를 더 색칠합니다. ⇨ $7+1=8$

10 3개를 더 색칠합니다. ⇨ $3+3=6$

11 4개를 더 색칠합니다. ⇨ $4+4=8$

57쪽 똑똑한 계산 연습

① 2	② 4
③ 3	④ 4
⑤ 7	⑥ 8
⑦ 9	

① 1에서 오른쪽으로 1칸 가면 2가 됩니다.

② 1에서 오른쪽으로 3칸 가면 4가 됩니다.

③ 2에서 오른쪽으로 1칸 가면 3이 됩니다.

④ 2에서 오른쪽으로 2칸 가면 4가 됩니다.

⑤ 6에서 오른쪽으로 1칸 가면 7이 됩니다.

⑥ 3에서 오른쪽으로 5칸 가면 8이 됩니다.

⑦ 7에서 오른쪽으로 2칸 가면 9가 됩니다.

58~59쪽 기초 집중 연습

1 5	**2** 5
3 9	**4** 4
5 6	**6** 9
7 7	**8** 5, 5
9 6, 6	**10** 7, 7
11 8, 8	**12** 9, 9
13 8, 8	

1 1 2 3 4 5
4에서 오른쪽으로 1칸 가면 5입니다.

2 1 2 3 4 5
3에서 오른쪽으로 2칸 가면 5입니다.

3 4 5 6 7 8 9
5에서 오른쪽으로 4칸 가면 9입니다.

4 1 2 3 4 5
1에서 오른쪽으로 3칸 가면 4입니다.

5 2 3 4 5 6 7 8
2에서 오른쪽으로 4칸 가면 6입니다.

6 3 4 5 6 7 8 9
4에서 오른쪽으로 5칸 가면 9입니다.

7 2 3 4 5 6 7 8
2에서 오른쪽으로 5칸 가면 7입니다.

8 1에서 오른쪽으로 4칸 가면 5입니다.
⇨ $1+4=5$

9 1에서 오른쪽으로 5칸 가면 6입니다.
⇨ $1+5=6$

10 3에서 오른쪽으로 4칸 가면 7입니다.
⇨ $3+4=7$

정답 풀이

11 2에서 오른쪽으로 6칸 가면 8입니다.
⇨ $2+6=8$

12 3에서 오른쪽으로 6칸 가면 9입니다.
⇨ $3+6=9$

13 3에서 오른쪽으로 5칸 가면 8입니다.
⇨ $3+5=8$

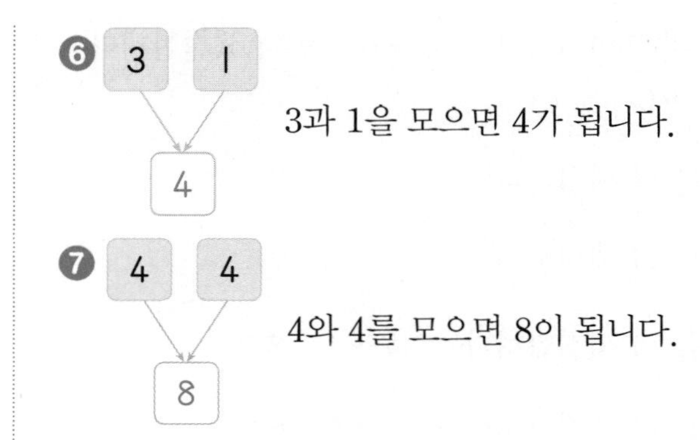

❻ 3과 1을 모으면 4가 됩니다.

❼ 4와 4를 모으면 8이 됩니다.

60~61쪽 누구나 100점 맞는 TEST

❶ 7	❷ 9
❸ 5	❹ 6
❺ 7	❻ 4
❼ 8	❽ 7
❾ 5	❿ 5
⓫ 8	⓬ 3
⓭ 6	⓮ 8
⓯ 8	⓰ 9
⓱ 6	⓲ 7
⓳ 9	⓴ 9

❶ 2, 5 → 7
2와 5를 모으면 7이 됩니다.

❷ 7, 2 → 9
7과 2를 모으면 9가 됩니다.

❸ 2, 3 → 5
2와 3을 모으면 5가 됩니다.

❹ 5, 1 → 6
5와 1을 모으면 6이 됩니다.

❺ 3, 4 → 7
3과 4를 모으면 7이 됩니다.

62~67쪽 특강 창의 · 융합 · 코딩

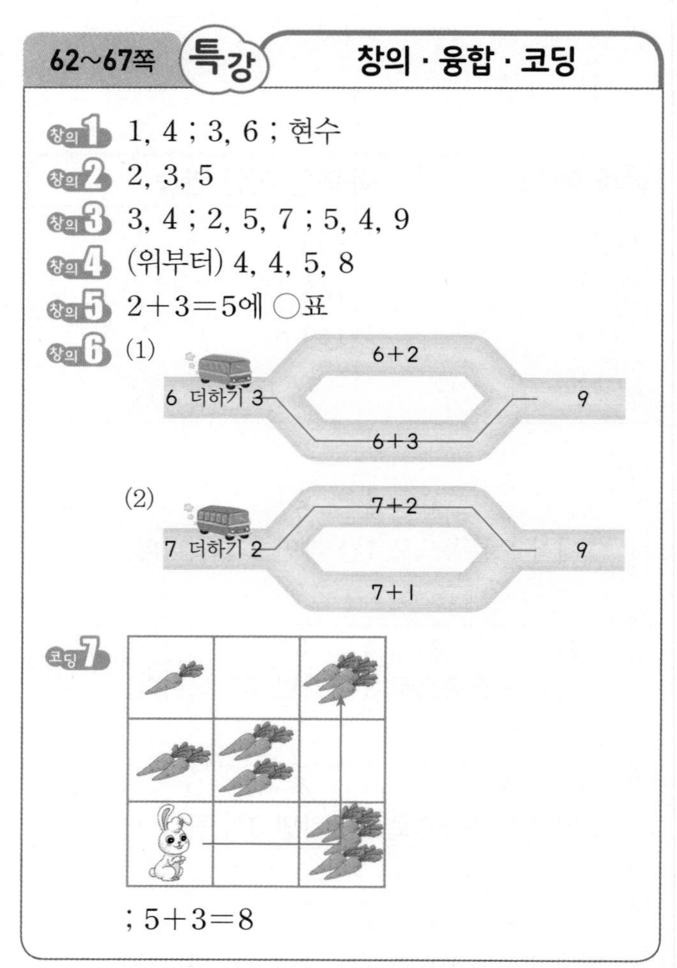

창의 1 1, 4 ; 3, 6 ; 현수
창의 2 2, 3, 5
창의 3 3, 4 ; 2, 5, 7 ; 5, 4, 9
창의 4 (위부터) 4, 4, 5, 8
창의 5 $2+3=5$에 ○표
창의 6 (1) (2)

코딩 7 ; $5+3=8$

창의 1 유민: $3+1=4$(개), 현수: $3+3=6$(개)
⇨ 바나나를 가장 많이 먹은 사람은 현수입니다.

창의 5 2마리에 3마리가 더 오는 그림입니다.
⇨ $2+3=5$

창의 6 (1) 6 더하기 3 ⇨ $6+3$ ⇨ $6+3=9$
(2) 7 더하기 2 ⇨ $7+2$ ⇨ $7+2=9$

코딩 7 토끼가 지나간 길에 있는 당근의 개수: 5개, 3개
⇨ $5+3=8$(개)

3주 9까지 수의 뺄셈

70~71쪽 3주에 배울 내용을 알아볼까요?

1 3 **2** 4
3 2 **4** 6
5 7 **6** 8

1 하나씩 짝지어 보면 사과가 3개 더 많습니다.

2 하나씩 짝지어 보면 사과가 4개 더 많습니다.

3 하나씩 짝지어 보면 사과가 2개 더 많습니다.

4 7개에서 1개를 빼고 남은 것을 세어 보면 6개입니다.

5 8개에서 1개를 빼고 남은 것을 세어 보면 7개입니다.

6 9개에서 1개를 빼고 남은 것을 세어 보면 8개입니다.

73쪽 똑똑한 계산 연습

① 1, 3 ② 2, 3
③ 2, 4 ④ 1, 6
⑤ 3, 5 ⑥ 2, 6

① 4는 1과 3으로 가를 수 있습니다.

② 5는 2와 3으로 가를 수 있습니다.

③ 6은 2와 4로 가를 수 있습니다.

④ 7은 1과 6으로 가를 수 있습니다.

⑤ 8은 3과 5로 가를 수 있습니다.

⑥ 8은 2와 6으로 가를 수 있습니다.

74~75쪽 기초 집중 연습

1 2, 5 **2** 1, 7 **3** 3, 6
4 5, 3 **5** 5, 2 **6** 2, 4
7 3, 4 **8** 4, 4 **9** 6, 3

2 8은 1과 7로 가를 수 있습니다.

3 9는 3과 6으로 가를 수 있습니다.

4 8은 5와 3으로 가를 수 있습니다.

5 7은 5와 2로 가를 수 있습니다.

6 6은 2와 4로 가를 수 있습니다.

7 7은 3과 4로 가를 수 있습니다.

8 8은 4와 4로 가를 수 있습니다.

9 9는 6과 3으로 가를 수 있습니다.

77쪽 똑똑한 계산 연습

①	2	−	1	=	1
②	3	−	2	=	1
③	4	−	1	=	3
④	5	−	3	=	2
⑤	6	−	4	=	2
⑥	7	−	6	=	1

① 2개에서 1개를 빼면 1개가 남습니다.
⇨ $2-1=1$

② 3개에서 2개를 빼면 1개가 남습니다.
⇨ $3-2=1$

③ 4개에서 1개를 빼면 3개가 남습니다.
⇨ $4-1=3$

④ 5개에서 3개를 빼면 2개가 남습니다.
⇨ $5-3=2$

⑤ 6개에서 4개를 빼면 2개가 남습니다.
⇨ $6-4=2$

⑥ 7개에서 6개를 빼면 1개가 남습니다.
⇨ $7-6=1$

78~79쪽 기초 집중 연습

1 1	**2** 2
3 1	**4** 2
5 5	**6** 3
7 5	**8** 1
9 $7-1=6$에 ○표	
10 $8-1=7$에 ○표	
11 $7-2=5$에 ○표	

2 풍선 3개 중 1개가 터져서 2개가 남았습니다.
⇨ $3-1=2$

3 풍선 4개 중 3개가 터져서 1개가 남았습니다.
⇨ $4-3=1$

4 풍선 4개 중 2개가 터져서 2개가 남았습니다.
⇨ $4-2=2$

5 풍선 6개 중 1개가 터져서 5개가 남았습니다.
⇨ $6-1=5$

6 풍선 7개 중 4개가 터져서 3개가 남았습니다.
⇨ $7-4=3$

7 풍선 9개 중 4개가 터져서 5개가 남았습니다.
⇨ $9-4=5$

8 풍선 8개 중 7개가 터져서 1개가 남았습니다.
⇨ $8-7=1$

9 풍선 7개에서 1개가 터진 그림입니다.
⇨ $7-1=6$

10 촛불 8개에서 1개가 꺼진 그림입니다.
⇨ $8-1=7$

11 7명의 어린이가 같이 있다가 2명이 간 그림입니다. ⇨ $7-2=5$

81쪽 똑똑한 계산 연습

① 4	② 3
③ 7	④ 2
⑤ 5	⑥ 5

① 6개 중에서 2개를 먹고 4개 남았습니다.
⇨ $6-2=4$

② 7개 중에서 4개를 먹고 3개 남았습니다.
⇨ $7-4=3$

③ 9개 중에서 2개를 먹고 7개 남았습니다.
⇨ $9-2=7$

④ 8개 중에서 6개를 먹고 2개 남았습니다.
⇨ $8-6=2$

⑤ 7개 중에서 2개를 먹고 5개 남았습니다.
⇨ $7-2=5$

⑥ 6개 중에서 1개를 먹고 5개 남았습니다.
⇨ $6-1=5$

82~83쪽 기초 집중 연습

1 8	**2** 7
3 5	**4** 4
5 2	**6** 4
7 2	**8** 1
9 3	**10** 5
11 4	**12** 6

1 9개에서 1개를 빼면 8개가 남습니다.
⇨ $9-1=8$

2 8개에서 1개를 빼면 7개가 남습니다.
⇨ $8-1=7$

3 9개에서 4개를 빼면 5개가 남습니다.
⇨ $9-4=5$

4 9개에서 5개를 빼면 4개가 남습니다.
⇨ 9－5＝4

5 6개에서 4개를 빼면 2개가 남습니다.
⇨ 6－4＝2

6 8개에서 4개를 빼면 4개가 남습니다.
⇨ 8－4＝4

7 7개에서 5개를 빼면 2개가 남습니다.
⇨ 7－5＝2

8 6개에서 5개를 빼면 1개가 남습니다.
⇨ 6－5＝1

9 6대에서 3대가 나가면 3대가 남습니다.
⇨ 6－3＝3

10 8대에서 3대가 나가면 5대가 남습니다.
⇨ 8－3＝5

11 7대에서 3대가 나가면 4대가 남습니다.
⇨ 7－3＝4

12 9대에서 3대가 나가면 6대가 남습니다.
⇨ 9－3＝6

85쪽 똑똑한 계산 연습

① 2	② 3
③ 2	④ 7
⑤ 2	⑥ 1
⑦ 4	⑧ 6

① 7개에서 5개를 지우면 2개 남습니다.

② 6개에서 3개를 지우면 3개 남습니다.

③ 6개에서 4개를 지우면 2개 남습니다.

④ 9개에서 2개를 지우면 7개 남습니다.

⑤ 4개에서 2개를 지우면 2개 남습니다.

⑥ 5개에서 4개를 지우면 1개 남습니다.

86~87쪽 기초 집중 연습

1 1	2 1
3 3	4 3
5 4	6 6
7 9－4＝5에 ○표	8 9－3＝6에 ○표
9 8－4＝4에 ○표	10 8－5＝3에 ○표

4 6개에서 3개를 지우면 3개 남습니다.

7 9개에서 4개를 지우면 5개가 남는 그림입니다.
⇨ 9－4＝5

8 9개에서 3개를 지우면 6개가 남는 그림입니다.
⇨ 9－3＝6

9 8개에서 4개를 지우면 4개가 남는 그림입니다.
⇨ 8－4＝4

10 8개에서 5개를 지우면 3개가 남는 그림입니다.
⇨ 8－5＝3

89쪽 똑똑한 계산 연습

① 1	② 5
③ 6	④ 5
⑤ 1	⑥ 3

② 7에서 왼쪽으로 2칸 가면 5입니다.

③ 8에서 왼쪽으로 2칸 가면 6입니다.

④ 9에서 왼쪽으로 4칸 가면 5입니다.

⑤ 7에서 왼쪽으로 6칸 가면 1입니다.

⑥ 9에서 왼쪽으로 6칸 가면 3입니다.

90~91쪽 기초 집중 연습

1 1	2 1	3 4
4 4	5 1	6 5
7 3	8 2	9 3
10 1	11 4	12 2

정답 풀이

4 8에서 왼쪽으로 4칸 가면 4입니다.

5 6에서 왼쪽으로 5칸 가면 1입니다.

6 9에서 왼쪽으로 4칸 가면 5입니다.

7 5에서 2칸 내려오면 3입니다.

8 5에서 3칸 내려오면 2입니다.

9 4에서 1칸 내려오면 3입니다.

10 4에서 3칸 내려오면 1입니다.

11 5에서 1칸 내려오면 4입니다.

12 4에서 2칸 내려오면 2입니다.

92~93쪽 누구나 100점 맞는 TEST

① 2	② 3	③ 3
④ 2	⑤ 5	⑥ 4
⑦ 3	⑧ 5	⑨ 1
⑩ 1	⑪ 1	⑫ 6
⑬ 2	⑭ 1	⑮ 6
⑯ 7	⑰ 1	⑱ 1
⑲ 4	⑳ 2	

94~99쪽 특강 창의 · 융합 · 코딩

창의 1

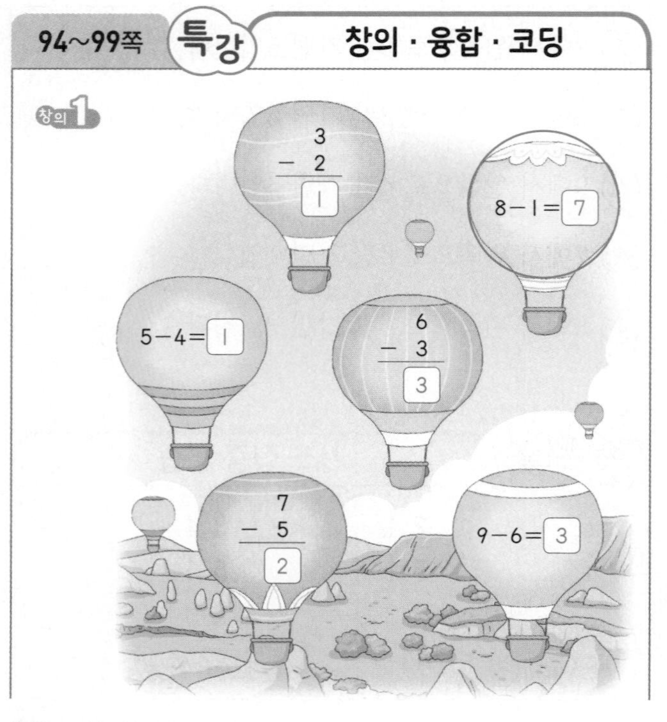

창의 2

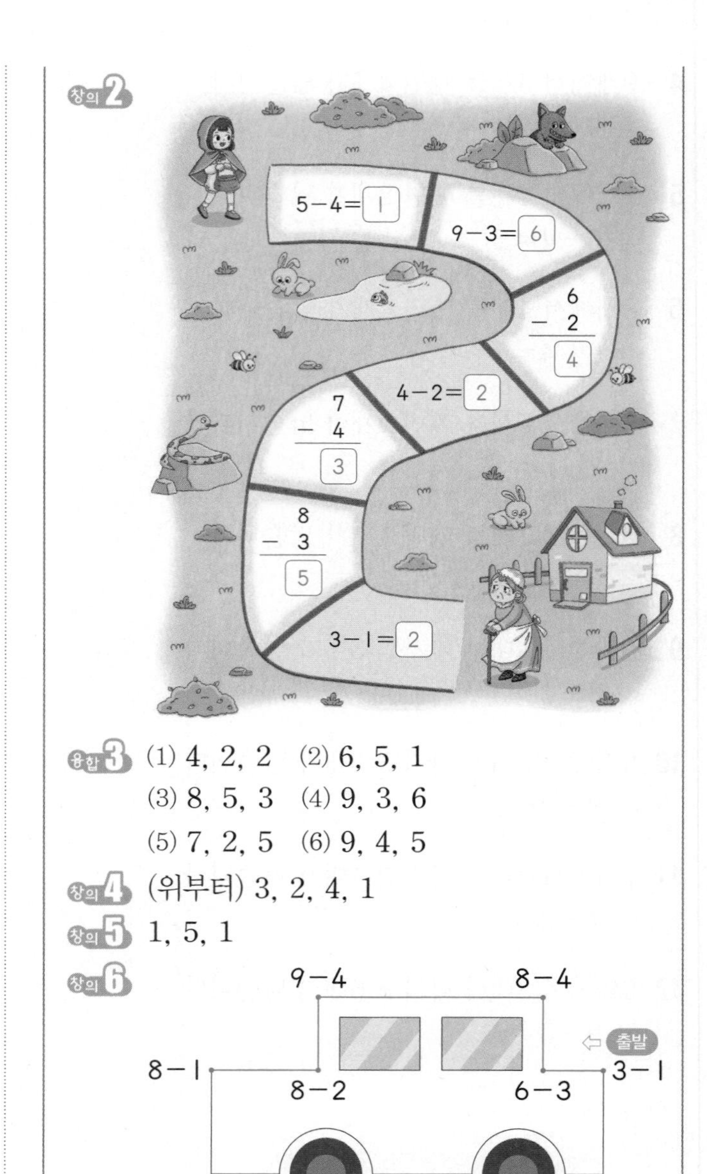

융합 3 (1) 4, 2, 2 (2) 6, 5, 1
(3) 8, 5, 3 (4) 9, 3, 6
(5) 7, 2, 5 (6) 9, 4, 5

창의 4 (위부터) 3, 2, 4, 1

창의 5 1, 5, 1

창의 6

9−4 8−4
출발
8−1 3−1
8−2 6−3

코딩 7 8−6=2

융합 3 (1) 4에서 2를 뺍니다. (2) 6에서 5를 뺍니다.
(3) 8에서 5를 뺍니다. (4) 9에서 3을 뺍니다.

창의 5
• ■ 모양: 8−7=1
• ▲ 모양: 9−4=5
• ● 모양: 6−5=1

창의 6 3−1=2, 6−3=3, 8−4=4, 9−4=5, 8−2=6, 8−1=7의 순서대로 점을 선으로 잇습니다.

코딩 7 '8'에서 오른쪽으로 1칸 움직이면 '−'
'−'에서 아래쪽으로 1칸 움직이면 '6'
⇨ 8−6=2

4주 20까지의 수

102~103쪽 4주에 배울 내용을 알아볼까요?

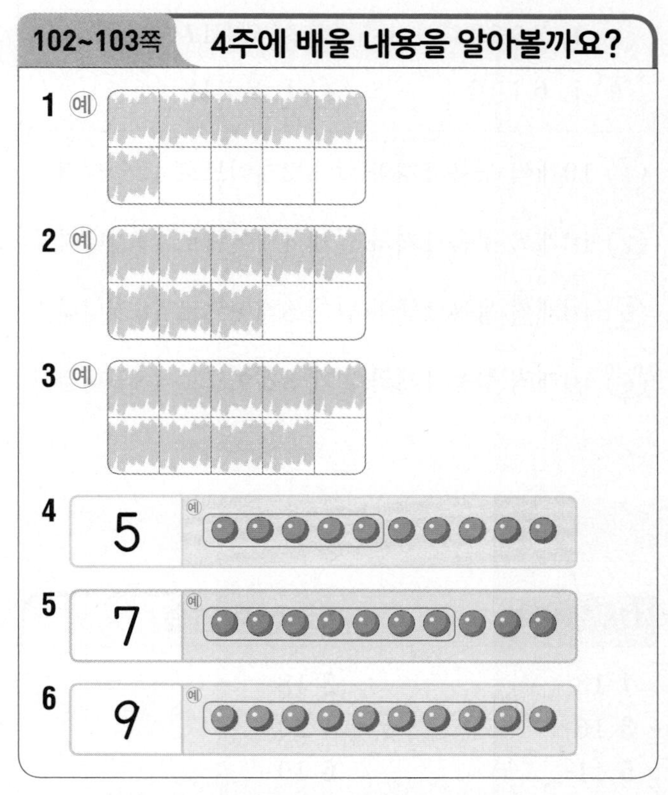

1 하나씩 짝 지으며 6칸에 색칠합니다.

5 하나씩 세어 7만큼 ◯로 묶습니다.

105쪽 똑똑한 계산 연습

① 9보다 1만큼 더 큰 수를 10이라고 합니다.

② 11 ⇨ (십일, 열하나)

③ 13 ⇨ (십삼, 열셋)

④ 15 ⇨ (십오, 열다섯)

⑤ 17 ⇨ (십칠, 열일곱)

⑥ 20 ⇨ (이십, 스물)

106~107쪽 기초 집중 연습

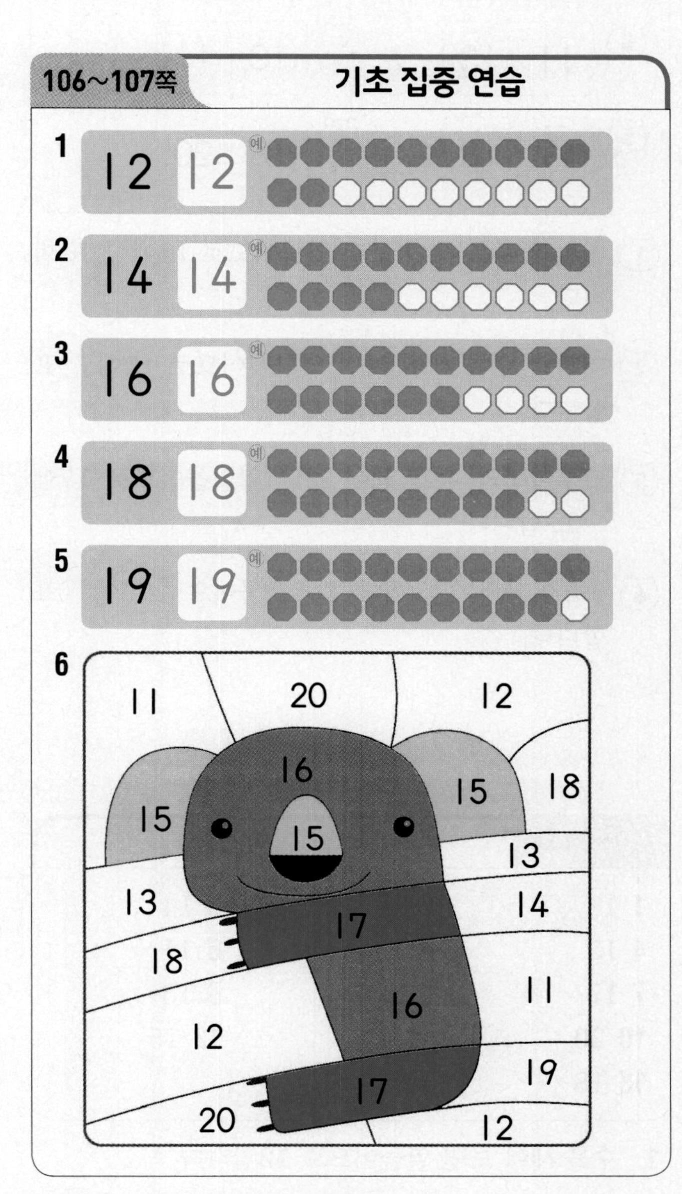

1 12는 십이 또는 열둘입니다.
하나씩 세어 가며 12칸에 색칠합니다.

2 14는 십사 또는 열넷입니다.
하나씩 세어 가며 14칸에 색칠합니다.

3 16은 십육 또는 열여섯입니다.
하나씩 세어 가며 16칸에 색칠합니다.

4 18은 십팔 또는 열여덟입니다.
하나씩 세어 가며 18칸에 색칠합니다.

5 19는 십구 또는 열아홉입니다.
하나씩 세어 가며 19칸에 색칠합니다.

109쪽 똑똑한 계산 연습

① 11 (12)
② 14 (15)
③ 11 (13)
④ (10) 11
⑤ (17) 18
⑥ 18 (20)

① 머핀의 수를 세어 보면 열둘이므로 12에 ○표 합니다.

② 머핀의 수를 세어 보면 열다섯이므로 15에 ○표 합니다.

⑤ 크루아상의 수를 세어 보면 열일곱이므로 17에 ○표 합니다.

⑥ 크루아상의 수를 세어 보면 스물이므로 20에 ○표 합니다.

110~111쪽 기초 집중 연습

1 12 **2** 16 **3** 14
4 15 **5** 13 **6** 11
7 17 **8** 20 **9** 13
10 20 **11** 11 **12** 15
13 18 **14** 19

1 수를 세어 보면 열둘이므로 12입니다.
2 수를 세어 보면 열여섯이므로 16입니다.
7 수를 세어 보면 열일곱이므로 17입니다.
8 수를 세어 보면 스물이므로 20입니다.
9 수박의 수를 세어 보면 열셋이므로 13입니다.
10 사과의 수를 세어 보면 스물이므로 20입니다.
11 파인애플의 수를 세어 보면 열하나이므로 11입니다.
12 오렌지의 수를 세어 보면 열다섯이므로 15입니다.
13 참외의 수를 세어 보면 열여덟이므로 18입니다.
14 토마토의 수를 세어 보면 열아홉이므로 19입니다.

113쪽 똑똑한 계산 연습

① 1, 2 ; 12 ② 1, 4 ; 14
③ 1, 3 ; 13 ④ 1, 7 ; 17
⑤ 1, 6 ; 16 ⑥ 1, 8 ; 18

① 10개씩 묶음 1개와 낱개 2개이므로 12입니다.

② 10개씩 묶음 1개와 낱개 4개이므로 14입니다.

⑤ 10개씩 묶음 1개와 낱개 6개이므로 16입니다.

⑥ 10개씩 묶음 1개와 낱개 8개이므로 18입니다.

114~115쪽 기초 집중 연습

1 13 **2** 18
3 16 **4** 20
5 11 **6** 10
7 15 **8** 19
9 1, 2 ; 12 **10** 1, 4 ; 14
11 1, 5 ; 15 **12** 1, 7 ; 17
13 2, 0 ; 20 **14** 1, 1 ; 11

1 10개씩 묶음 1개와 낱개 3개이므로 13입니다.
2 10개씩 묶음 1개와 낱개 8개이므로 18입니다.
3 10개씩 묶음 1개와 낱개 6개이므로 16입니다.
6 10개씩 묶음 1개이므로 10입니다.
7 10개씩 묶음 1개와 낱개 5개이므로 15입니다.
8 10개씩 묶음 1개와 낱개 9개이므로 19입니다.
9 10개씩 묶어 보면 10개씩 묶음 1개와 낱개 2개이므로 12입니다.
10 10개씩 묶어 보면 10개씩 묶음 1개와 낱개 4개이므로 14입니다.
11 10개씩 묶어 보면 10개씩 묶음 1개와 낱개 5개이므로 15입니다.
12 10개씩 묶어 보면 10개씩 묶음 1개와 낱개 7개이므로 17입니다.

117쪽 똑똑한 계산 연습

①

10	11	12	13	14	15
16	17	18	19	20	

②

10	11	12	13	14	15
16	17	18	19	20	

③

10	11	12	13	14	15
16	17	18	19	20	

④

10	11	12	13	14	15
16	17	18	19	20	

118~119쪽 기초 집중 연습

1 14, 15

2 12, 13

3 15, 17, 18

4 16, 19, 20

5 13, 16, 18

6

7

1 12부터 수를 순서대로 쓰면
12−13−14−15−16−17입니다.

2 10부터 수를 순서대로 쓰면
10−11−12−13−14−15입니다.

5 14 앞의 수는 13이므로 13부터 수를 순서대로 쓰면
13−14−15−16−17−18입니다.

121쪽 똑똑한 계산 연습

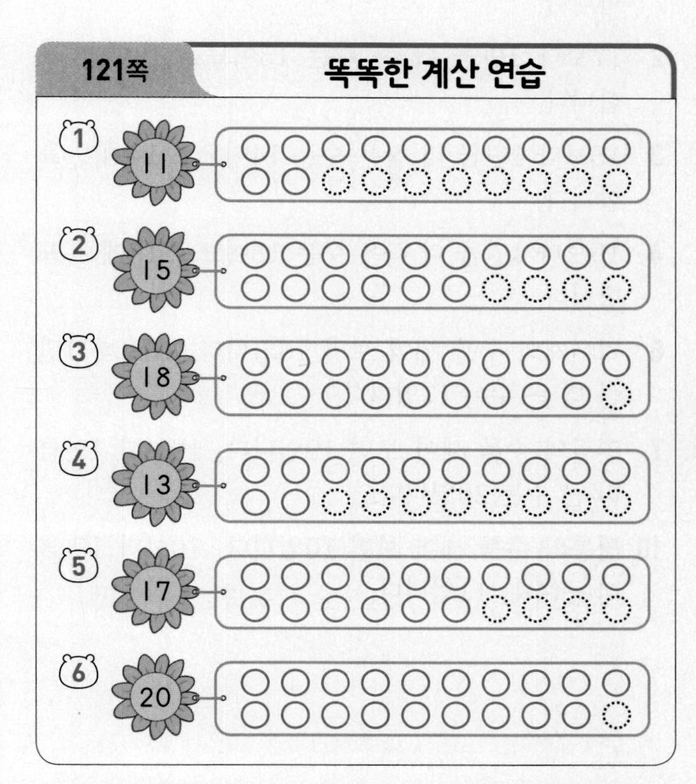

① 11보다 1만큼 더 큰 수는 12이므로 ○를 12개 그립니다.

② 15보다 1만큼 더 큰 수는 16이므로 ○를 16개 그립니다.

③ 18보다 1만큼 더 큰 수는 19이므로 ○를 19개 그립니다.

④ 13보다 1만큼 더 작은 수는 12이므로 ○를 12개 그립니다.

⑤ 17보다 1만큼 더 작은 수는 16이므로 ○를 16개 그립니다.

⑥ 20보다 1만큼 더 작은 수는 19이므로 ○를 19개 그립니다.

정답 풀이

122~123쪽 기초 집중 연습

1 13에 ○표	**2** 18에 ○표
3 14에 ○표	**4** 18에 ○표
5 12, 13	**6** 16, 17
7 19, 20	**8** 15, 16
9 14, 15	**10** 10, 11

1 12보다 1만큼 더 큰 수는 13이므로 13에 ○표 합니다.

2 17보다 1만큼 더 큰 수는 18이므로 18에 ○표 합니다.

3 15보다 1만큼 더 작은 수는 14이므로 14에 ○표 합니다.

4 19보다 1만큼 더 작은 수는 18이므로 18에 ○표 합니다.

6 지우개의 수를 세어 보면 16입니다. 16보다 1만큼 더 큰 수는 17입니다.

7 연필의 수를 세어 보면 19입니다. 19보다 1만큼 더 큰 수는 20입니다.

10 필통의 수를 세어 보면 10입니다. 10보다 1만큼 더 큰 수는 11입니다.

124~125쪽 누구나 100점 맞는 TEST

❶ 12	❷ 15
❸ 18	❹ 20
❺ 1, 6 ; 16	❻ 1, 3 ; 13
❼ 1, 9 ; 19	❽ 1, 7 ; 17
❾ 13, 14, 17	❿ 13
⓫ 15	⓬ 19
⓭ 17	⓮ 11
⓯ 17	

❶ 수를 세어 보면 열둘이므로 12입니다.

❷ 수를 세어 보면 열다섯이므로 15입니다.

❺ 10개씩 묶음 1개와 낱개 6개이므로 16입니다.

❻ 10개씩 묶음 1개와 낱개 3개이므로 13입니다.

❼ 10개씩 묶음 1개와 낱개 9개이므로 19입니다.

❽ 10개씩 묶음 1개와 낱개 7개이므로 17입니다.

❿ 귤의 수는 12이므로 12보다 1만큼 더 큰 수는 13입니다.

⓫ 귤의 수는 14이므로 14보다 1만큼 더 큰 수는 15입니다.

⓮ 빵의 수는 12이므로 12보다 1만큼 더 작은 수는 11입니다.

⓯ 빵의 수는 18이므로 18보다 1만큼 더 작은 수는 17입니다.

126~131쪽 특강 창의 · 융합 · 코딩

창의 1 12, 11, 13

창의 2

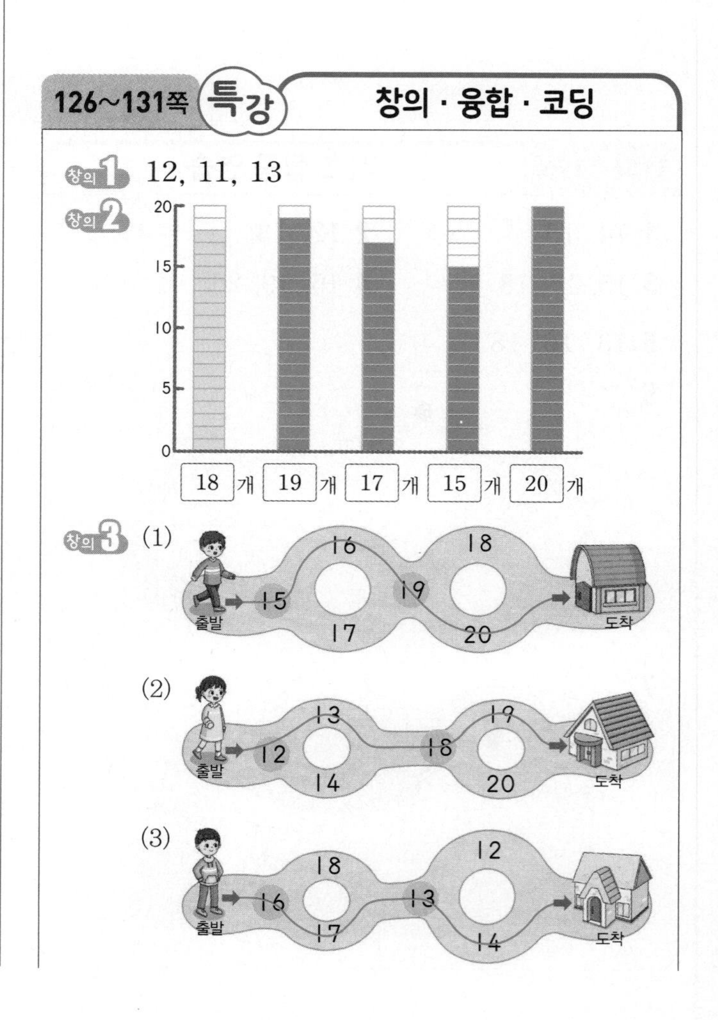

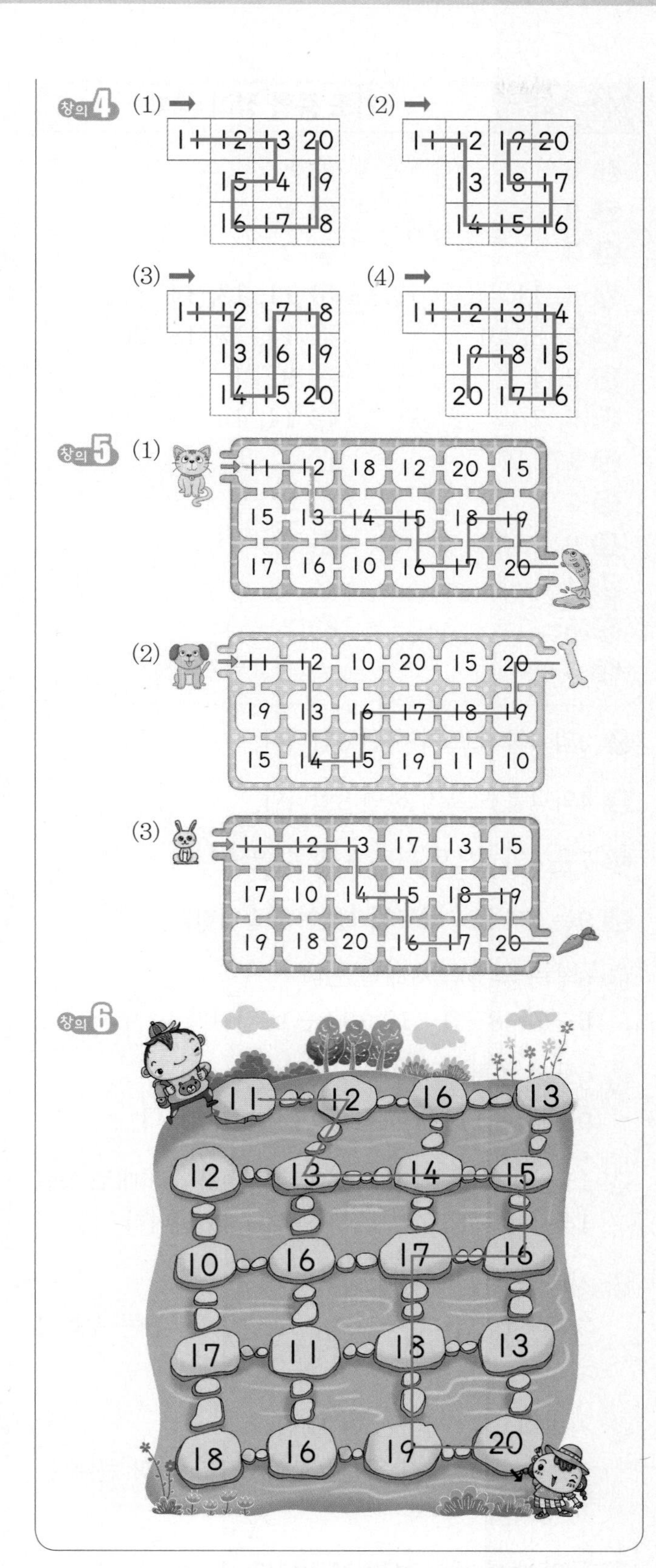

창의 3 (1) • 15보다 1만큼 더 큰 수는 16입니다.
• 19보다 1만큼 더 큰 수는 20입니다.
(2) • 12보다 1만큼 더 큰 수는 13입니다.
• 18보다 1만큼 더 큰 수는 19입니다.
(3) • 16보다 1만큼 더 큰 수는 17입니다.
• 13보다 1만큼 더 큰 수는 14입니다.

마무리 학습

134~137쪽 **신유형 · 신경향 · 서술형**

1 3	**2** 5
3 2	**4** 4
5 6	**6** 7
7 9	**8** 8
9 6	**10** 8
11 12	**12** 13
13 17	**14** 19
15 4	**16** 7
17 2, 5	**18** 5, 9
19 4	**20** 7
21 2, 2	**22** 3, 3

1 파란색 구슬의 수를 세어 보면 셋이므로 3입니다.

2 파란색 구슬의 수를 세어 보면 다섯이므로 5입니다.

3 파란색 구슬의 수를 세어 보면 둘이므로 2입니다.

7 파란색 구슬의 수를 세어 보면 아홉이므로 9입니다.

8 파란색 구슬의 수를 세어 보면 여덟이므로 8입니다.

9 5보다 1만큼 더 큰 수는 6입니다.

10 9보다 1만큼 더 작은 수는 8입니다.

13 16보다 1만큼 더 큰 수는 17입니다.

14 20보다 1만큼 더 작은 수는 19입니다.

15 2보다 2만큼 더 큰 수 ⇨ $2+2=4$

16 6보다 1만큼 더 큰 수 ⇨ $6+1=7$

17 (사과 수)+(귤 수)$=3+2=5$(개)

18 (참외 수)+(토마토 수)$=4+5=9$(개)

19 5보다 1만큼 더 작은 수 ⇨ $5-1=4$

20 9보다 2만큼 더 작은 수 ⇨ $9-2=7$

21 (자동차 수)−(비행기 수)$=4-2=2$(대)

22 (토끼 인형 수)−(곰 인형 수)$=6-3=3$(개)

정답 풀이

138~141쪽 기초 종합 정리 1회

❶ 3	❷ 6
❸ 10	❹ 13
❺ 15	❻ 19
❼ 4, 6	❽ 7, 9
❾ 12, 14	❿ 15, 17
⓫ 18, 20	⓬ 5
⓭ 7	⓮ 8
⓯ 9	⓰ 3
⓱ 4	⓲ 6
⓳ 5	⓴ 5
㉑ 5, 8	㉒ 4, 9
㉓ 4	㉔ 5, 2
㉕ 3, 5	

❶ 코끼리의 수를 세어 보면 셋이므로 3입니다.

❷ 코끼리의 수를 세어 보면 여섯이므로 6입니다.

❺ 하마의 수를 세어 보면 열다섯이므로 15입니다.

❻ 하마의 수를 세어 보면 열아홉이므로 19입니다.

❼ 5보다 1만큼 더 작은 수는 4, 1만큼 더 큰 수는 6입니다.

❾ 13보다 1만큼 더 작은 수는 12, 1만큼 더 큰 수는 14입니다.

❿ 16보다 1만큼 더 작은 수는 15, 1만큼 더 큰 수는 17입니다.

⓬ 2와 3을 모으기 하면 5입니다.

⓭ 5와 2를 모으기 하면 7입니다.

⓱ 6은 4와 2로 가르기 할 수 있습니다.

⓲ 8은 2와 6으로 가르기 할 수 있습니다.

⓴ 크레파스 2개와 3개를 더하면 $2+3=5$입니다.

㉑ 크레파스 3개와 5개를 더하면 $3+5=8$입니다.

㉓ 풍선 6개 중에서 2개가 터졌으므로 $6-2=4$입니다.

㉔ 풍선 7개 중에서 5개가 터졌으므로 $7-5=2$입니다.

142~145쪽 기초 종합 정리 2회

❶ 6	❷ 8
❸ 9	❹ 4
❺ 3	❻ 2
❼ 8, 11	❽ 11, 13, 14
❾ 5, 8, 10	❿ 14, 17, 18, 20
⓫ 2, 4	⓬ 9, 11
⓭ 5, 7	⓮ 14, 16
⓯ 17, 19	⓰ 3
⓱ 7	⓲ 8
⓳ 9	⓴ 9
㉑ 4	㉒ 4
㉓ 5	㉔ 2
㉕ 3	

❶ 2와 4를 모으기 하면 6입니다.

❷ 4와 4를 모으기 하면 8입니다.

❺ 7은 4와 3으로 가르기 할 수 있습니다.

❻ 9는 7과 2로 가르기 할 수 있습니다.

❼ 6부터 수를 순서대로 쓰면
6－7－8－9－10－11－12입니다.

❽ 9부터 수를 순서대로 쓰면
9－10－11－12－13－14－15입니다.

❿ 15 앞의 수는 14이므로 14부터 수를 순서대로 쓰면
14－15－16－17－18－19－20입니다.

⓫ 사과의 수를 세어 보면 3입니다.
3보다 1만큼 더 작은 수는 2, 1만큼 더 큰 수는 4입니다.

⓬ 사과의 수를 세어 보면 10입니다.
10보다 1만큼 더 작은 수는 9, 1만큼 더 큰 수는 11입니다

⓮ 귤의 수를 세어 보면 15입니다.
15보다 1만큼 더 작은 수는 14, 1만큼 더 큰 수는 16입니다.

⓯ 바나나의 수를 세어 보면 18입니다.
18보다 1만큼 더 작은 수는 17, 1만큼 더 큰 수는 19입니다.

정답은
이안에
있어!

기초 학습능력 강화 프로그램

매일 조금씩 공부력 UP!

국어
예비초~초6

수학
예비초~초6

영어
예비초~초6

봄·여름 가을·겨울
초1~초2

사회·과학
초3~초6